LE PÉCHÉ DES ANGES

CHARLOTTE LINK

LE PÉCHÉ DES ANGES

Traduit de l'allemand par Corinne Tresca

ÉDITIONS
FRANCE
LOISIRS

Ce livre a été publié sous le titre *Die Sünde der Engel*
par Weltbild GmbH.
Cet ouvrage a été proposé à l'éditeur français
par l'agence Éditio Dialog, Lille, France.

Édition du Club France Loisirs,
avec l'autorisation des Éditions Presses de la Cité.

Éditions France Loisirs,
123 boulevard de Grenelle, Paris
www.franceloisirs.com

ISBN : 978-2-298-04855-1

Il n'y a point de distinction

Car tous ont péché…

(Épître aux Romains 3, 22-23)

Jeudi 25 mai 1995

Le patron lui expliqua fièrement que le Ringelstone Inn avait été construit en 1533, et qu'il avait été transformé en pub au XVIIe siècle. Depuis, presque rien n'avait changé. Le plafond, très bas, reposait sur de grosses poutres noircies par la suie, les murs enduits de chaux étaient percés de minuscules fenêtres dont les vitres en authentiques culs de bouteille étaient serties au plomb. Une cheminée monumentale et un feu crépitant accueillaient les clients dès la porte franchie. Pour passer d'une pièce à l'autre, il fallait baisser la tête et veiller à ne pas trébucher sur une marche inattendue ou une dalle mal ajustée. Bancs, chaises et tables étaient serrés les uns contre les autres, d'antiques suspensions pendaient du plafond. Personne n'aurait été véritablement surpris par l'arrivée d'Oliver Cromwell en bottes à revers, chapeau à plume et long manteau noir flottant au vent, venu débusquer quelques royalistes cachés dans les tréfonds de l'auberge.

Des chevaux auraient moins déparé les abords de l'auberge qu'un parking bitumé et des voitures, songea Janet.

Cela faisait quelques heures, déjà, qu'il lui semblait évoluer dans une autre époque. Peu avant Rochester, elle avait quitté la route de Douvres et bifurqué vers le sud. Elle avait dès lors traversé des villages idylliques que le temps semblait avoir oubliés, des maisons élisabéthaines silencieuses, entourées de vieux murs couverts de mousse, des jardins envahis par la végétation où les arbres formaient des voûtes de branches et de feuillage qui surplombaient la chaussée. En découvrant sur les panneaux indicateurs la proximité de la côte, elle avait réalisé qu'elle n'avait rien mangé depuis la chiche collation matinale qui lui avait été servie dans l'avion. Elle avait décidé de quitter la route principale pour sillonner la campagne, espérant trouver une auberge. C'était une belle soirée de mai. Il avait plu toute la journée sans discontinuer, mais le ciel s'était soudain dégagé et le soleil inondait maintenant de ses rayons la terre détrempée et fumante. Janet avait toujours aimé le Kent, mais elle s'était rarement sentie aussi envoûtée par ses paysages que ce soir-là. Ses soucis avaient fui avec les nuages. Elle serait pour quelques heures une femme sans passé ni futur, sans obligations ni attaches. Personne ne savait où elle était, personne ne pouvait attendre ou exiger quelque chose d'elle.

Quand elle était descendue de voiture devant le Ringelstone Inn, la fraîcheur de l'air l'avait surprise, mais il y avait longtemps qu'elle n'avait pas eu si chaud au cœur.

—Sans doute que vous allez à Folkestone ? s'enquit l'aubergiste.

Janet secoua la tête.

—Non. Je pense rentrer à Londres ce soir.

Elle frotta ses bras nus et désigna du menton la table restée libre, près de la cheminée.

— Je peux m'asseoir là ?

— Bien sûr !

L'aubergiste lui avança une chaise avec empressement. Janet s'assit. La cheminée dégageait une telle chaleur qu'elle n'y résisterait sans doute pas plus d'une demi-heure, mais elle allait pouvoir se réchauffer et, avec un peu de chance, faire sécher ses chaussures. Elle laissa son regard errer sur la salle. La clientèle se composait pour l'essentiel d'hommes, vraisemblablement originaires des villages alentour. Ils buvaient de la bière en discutant de politique ou des prochaines récoltes. Personne ne faisait attention à Janet. Son sentiment de bien-être s'intensifia. Elle commanda de la poule au riz avec un verre de ginger ale et se jeta sur son repas comme une affamée. La dernière bouchée avalée, elle s'accorda une part de gâteau qu'elle engloutit avec le même appétit. Elle souffrait depuis des années de troubles de l'alimentation, notamment de vomissements incoercibles, mais, aujourd'hui, elle sentait qu'elle n'avait rien à redouter.

Quand son café arriva, elle alluma une cigarette et l'aubergiste se joignit à elle. Il avait visiblement envie de papoter et ne trouva rien de mieux que d'attirer son attention sur le temps pour entamer la conversation.

— Il devait faire meilleur, là d'où vous venez…

Janet fronça les sourcils.

— Vous êtes habillée comme en plein été, ajouta-t-il en manière d'explication.

Janet baissa les yeux sur ses vêtements. Un pull-over en coton à manches courtes, une jupe légère, des chaussures en nubuck mouillées. Elle rit.

— J'arrive de Hambourg. Ce matin, quand j'ai pris l'avion, il faisait vraiment chaud.

— Hambourg ? Mon père y est allé après la guerre !

— Vraiment ? fit Janet.

Le sourire de l'aubergiste s'élargit comme s'ils venaient de se découvrir un ancêtre commun. Elle se sentit obligée d'ajouter :

— Mais je suis anglaise.

— Ah, et depuis combien de temps vivez-vous en Allemagne ?

— Vingt-cinq ans. J'ai épousé un Allemand.

Un quart de siècle ! Elle était partie à dix-huit ans. Trop jeune pour savoir ce qu'elle faisait.

— Et à présent vous rendez une petite visite au pays, dit l'aubergiste. C'est bon de revenir à la maison, pas vrai ? Vous êtes de la région ?

— Non. Je suis de Cambridge. À vrai dire, j'avais prévu d'aller à Édimbourg aujourd'hui.

— Oh...

L'aubergiste eut l'air surpris. Comment pouvait-on se retrouver au sud-est de l'Angleterre, à Ringlestone, entre Maidstone et Canterbury, quand on voulait se rendre en Écosse ?

Janet regarda sa montre.

— Mon avion pour Édimbourg décolle de Heathrow dans dix minutes, dit-elle d'un ton paisible.

— Eh bien, je crois que vous n'allez pas réussir à l'avoir, celui-là ! répliqua l'aubergiste avant de rire, vaguement gêné.

Il commençait à se rendre compte que quelque chose clochait chez cette femme. Il n'aurait pas su dire ce qui lui donnait cette impression, mais elle avait quelque chose… Elle paraissait détendue, et cependant il aurait juré qu'elle avait peur. Son angoisse était presque palpable.

— Bah, reprit-il d'un ton mal assuré, il y a des vols pour Édimbourg tous les jours, s'pas ? Vous pourrez toujours prendre l'avion demain.

— Je crois, dit Janet, que je ne prendrai aucun avion.

Au fond, elle avait déjà pris sa décision ce matin, à dix heures, lorsqu'elle avait posé le pied sur le tarmac de l'aéroport de Londres. Elle s'était arrangée pour se ménager une escale de onze heures entre les deux vols. Ainsi, avait-elle expliqué à son mari, elle aurait du temps pour faire un grand tour de Londres.

« Comme si tu ne connaissais pas Londres comme ta poche ! avait répliqué Phillip. Qu'est-ce que tu veux voir de plus ?

— Il y a longtemps que je n'y suis pas allée. Je veux simplement respirer la ville, la renifler, la sentir. »

En vérité, elle comptait sur ces onze heures pour réfléchir au meilleur moyen d'éviter le voyage à Édimbourg.

Le « grand tour » de Londres était resté à l'état de projet. Il tombait des cordes et la pluie paraissait plus disposée à redoubler qu'à décroître. Janet avait fini par se réfugier chez Harrod's, où elle s'était laissé entraîner dans les étages. Elle avait acheté du thé, de la marmelade d'orange et des cookies pour Phillip, une montre Swatch pour Mario... Elle avait sacrifié une livre pour accéder au luxe des toilettes en dorures et marbre du premier étage et s'y rafraîchir. L'image que lui avait renvoyée le miroir l'avait déprimée. Ses cheveux mouillés formaient une masse indomptable de boucles rebelles, son teint était blafard, presque cadavérique. Elle s'était arrangée tant bien que mal avec un tube de rouge à lèvres et du fard à joues, mais son air triste et préoccupé refusait de s'effacer. Il lui fallait un remontant. Elle était descendue au sous-sol, avait bu deux coupes de mousseux accoudée au comptoir de la cafétéria et s'était sentie suffisamment requinquée pour retourner à l'aéroport, y louer une voiture et mettre le plus de kilomètres possible entre la capitale et elle. La conduite à gauche lui avait donné tout d'abord quelques sueurs froides qui s'étaient dissipées sur l'autoroute et, quand elle avait quitté celle-ci pour les petites routes du Kent, elle était parfaitement à son aise.

Tu n'es pas obligée de prendre l'avion si tu ne le veux pas. Personne ne peut t'obliger à faire ce que tu ne veux pas faire, se répétait-elle tout en conduisant.

Elle ne cessait de retourner ces deux petites phrases dans sa tête, mais elle aurait voulu avoir assez de force de caractère pour annuler franchement son vol, au lieu de se trouver des prétextes pour manquer l'embarquement.

— Tu resteras toujours cette petite fille qui ne veut pas assumer ses actes, murmura-t-elle d'un ton amer.

Au moins sa lâcheté lui avait-elle valu une belle journée. Elle avait parcouru la campagne anglaise et découvert un pub merveilleux. Cela lui rappelait l'époque où elle fréquentait Andrew. Il leur arrivait souvent de partir au hasard des routes et de poser leurs valises là où l'envie les prenait de s'arrêter, la plupart du temps loin de toute civilisation.

L'aubergiste, qui s'était éclipsé un instant, revint avec deux petits verres de brandy.

— De la part de la maison. À votre santé !

Janet trinqua avec lui. Ils vidèrent leurs verres d'un trait.

— Quand rentrez-vous en Allemagne ? demanda l'aubergiste.

Janet haussa les épaules.

— À priori demain. Mais peut-être que...

Elle laissa sa phrase en suspens et changea de sujet.

— L'auberge vous appartient ?

— Non, non. Je n'en suis que le gérant. J'habite à Harrietsham.

— Ah.

— Je suis marié et j'ai cinq enfants, se rengorgea-t-il. Et le sixième est en route !

Un frisson d'horreur parcourut Janet mais elle n'en laissa rien paraître.

— J'ai toujours voulu avoir beaucoup d'enfants, expliqua-t-il. Vous en avez ?

— Oui. Deux.

— Garçons ? filles ?

— Deux garçons. Des jumeaux.

— Des jumeaux ! s'exclama l'homme avec ravissement. On n'a pas encore réussi ça ! Quel âge ont-ils ?

— Vingt-quatre ans.

— Allons, c'est une blague ! Vous êtes bien trop jeune pour avoir des enfants de cet âge !

Janet sourit.

— Merci. J'avais dix-neuf ans quand ils sont nés.

— Et ils se ressemblent beaucoup ?

— Oui, beaucoup. Moi, je sais les différencier, bien sûr. À quelque chose dans leurs yeux, à leur façon de rire… Je ne les confonds jamais. Mais je suis la seule. Même leur père se trompe, et ils ne se sont pas privés de le faire marcher.

Fasciné, l'aubergiste l'interrogea jusqu'à ce qu'elle sorte une photo, la seule qu'elle conservât dans son portefeuille. Elle représentait ses fils à dix ans, assis devant la table basse du séjour. Ils portaient tous deux un sous-pull rouge et un jean bleu et fixaient l'objectif d'un même regard très doux. Trop doux, songea une nouvelle fois Janet. Deux petits anges.

— Ça alors ! s'exclama l'aubergiste. Ils se ressemblent comme deux gouttes d'eau ! Eh bien, vrai, à votre place, je ne saurais jamais qui est qui !

— À l'école, leurs professeurs ne parvenaient pas à les reconnaître. On m'a plusieurs fois demandé de les habiller de façon différente, mais il n'y avait rien à faire. Ils voulaient toujours porter les mêmes vêtements. Ils étaient…

Janet hésita puis poursuivit :

— Ils se percevaient comme *une seule personne*, vous comprenez ? Ils n'attachaient aucune importance à leurs prénoms, qu'ils échangeaient constamment. Et ils n'hésitaient pas à se faire passer l'un pour l'autre quand c'était nécessaire.

L'aubergiste fixa de nouveau la photo.

— C'est incroyable, marmonna-t-il en secouant la tête.

— Là, c'est Maximilian. Et là, Mario. Il a cinq minutes et demie de plus.

— Ils ont l'air gentils, s'pas ? Vous verriez les miens. Des sacrés garnements ; ils n'ont peur de rien !

Il possédait naturellement des dizaines de photos de ses enfants, qu'il s'empressa de lui montrer. Ses trois fils arboraient tous un sourire édenté et des taches de rousseur, ses deux filles ressemblaient tout autant à des garçons que leurs frères et tiraient la langue sur la plupart des clichés. Janet les trouva ordinaires et rustauds, mais peut-être était-ce simplement parce que le décalage entre les enfants de l'aubergiste et les siens la frappa douloureusement. Elle dit poliment « Comme ils sont mignons ! » et « Vraiment adorables ! » puis elle saisit son sac d'un geste décidé et demanda l'addition. L'aubergiste parut déçu ; il perdit un peu de sa belle humeur mais s'exécuta sur-le-champ. Janet le gratifia d'un pourboire princier pour son amabilité, se leva et sortit. Dehors, il faisait maintenant réellement froid et la nuit était noire. Toutefois, le ciel était dégagé et elle espéra ne pas rencontrer de pluie sur la route. Elle y voyait très mal la nuit et la pluie ne faisait qu'aggraver les choses. Dans la voiture, elle régla le chauffage au maximum puis s'arma de patience, car il ne ferait pas chaud tant qu'elle n'aurait pas roulé un peu. Elle chercha la M 20 en direction de Londres, se trompa plusieurs fois avant de la trouver, puis une fois dessus, changea d'avis et la quitta presque aussitôt pour descendre vers Maidstone. Autant passer la nuit là. Le désagréable sentiment d'oppression qu'elle connaissait si bien la rattrapa. Il fallait impérativement qu'elle appelle Phillip. Elle lui avait promis de se manifester au plus tard à son arrivée à Édimbourg. Il allait finir par croire qu'elle avait eu un accident.

À Maidstone, elle s'arrêta devant la première cabine téléphonique qu'elle vit, prépara toute la monnaie dont elle disposait et composa le numéro de son domicile. Phillip décrocha à la première sonnerie : sans doute guettait-il le téléphone.

— Janet ! Je pensais que tu m'appellerais bien plus tôt ! Tu es arrivée à Édimbourg ?

— Non. Phillip… je suis à Maidstone. Dans le Kent.

Un silence interloqué, puis :

— Quoi ?

— J'ai loué une voiture pour me balader un peu dans la région. Et j'ai oublié le temps.

— Dis-moi que ce n'est pas vrai ! Comment vas-tu faire pour être à temps en Écosse ? C'est à neuf heures que tu as rendez-vous avec ce monsieur... monsieur...

— M. Grant.

— Oui, Grant. Tu sais pourtant quel mal nous avons eu à organiser tout ça ! Dieu sait que cet homme n'a pas besoin de nous, Janet. Il risque de te refuser un autre rendez-vous... Mais qu'est-ce qui t'a pris ?

Phillip paraissait complètement désemparé. Janet glissa de nouvelles pièces dans l'appareil. Le désarroi de son mari lui brisait le cœur. Une fois de plus, leurs divergences et le caractère définitivement inconciliable de leurs positions respectives la frappèrent.

— Je n'ai pas pu, Phillip, dit-elle doucement.

Un profond soupir lui parvint de Hambourg.

— Tu as fait exprès de rater l'avion, n'est-ce pas ?

Elle demeura silencieuse. Le désarroi de Phillip monta d'un cran.

— Qu'allons-nous faire maintenant ? Nous avons retourné le problème dans tous les sens ! Il n'y a pas d'autre solution, Janet. Tu avais pourtant fini par l'admettre.

— Non, c'est faux. J'ai dit oui parce que tu n'arrêtais pas de faire pression sur moi.

— Janet, Maximilian ne peut pas revenir à la maison. C'est tout simplement impossible. Nous ne pouvons pas prendre cette responsabilité, et...

Deux bips insistants avaient déjà interrompu leur conversation. Au troisième, la communication fut coupée. Janet aurait pu ajouter des pièces, mais elle n'en avait pas envie. Phillip allait s'agiter comme un lion en cage en attendant qu'elle rappelle. Elle eut une bouffée de remords à l'idée de l'abandonner dans cet état, puis se persuada qu'il l'avait bien mérité. Il avait argumenté et insisté jusqu'à ce qu'elle cède ; s'il avait pris en considération la probabilité qu'elle revienne sur sa décision dès qu'elle ne serait plus sous sa coupe, il n'en serait pas là aujourd'hui.

Elle secoua les épaules, comme pour se libérer d'un fardeau. Puis elle glissa la monnaie restante dans l'appareil et composa le numéro d'Andrew.

De fait, Phillip resta une bonne demi-heure planté devant le téléphone à attendre que Janet rappelle. Devant le silence obstiné de l'appareil, il finit par renoncer et alla se servir un verre de vin blanc dans la cuisine. Soit elle n'avait plus de monnaie, soit – ce qui était plus vraisemblable – elle n'avait pas envie de discuter avec lui et évitait ainsi l'affrontement. C'était typique de Janet. Ç'avait toujours été ainsi. Dès qu'un problème prenait trop d'ampleur, elle se dérobait. Elle s'évanouissait dans la nature – au sens strict du terme, elle pouvait rester introuvable plusieurs jours d'affilée –, ou se réfugiait dans une mystérieuse maladie. Elle réussissait à ressentir réellement de violentes douleurs et à avoir de la température.

« Tu n'es qu'une éternelle gamine ! lui avait un jour lancé Phillip au visage. Tu attends toujours que quelqu'un ou quelque chose tombe du ciel pour te tirer d'affaire, au lieu de te secouer et de prendre les choses en main ! »

Il aurait dû se douter qu'elle prendrait la fuite, cette fois encore.

Il s'assit à la table de la cuisine, découragé, et vida un second verre de vin en écoutant le bruit léger de la pluie qui commençait à tomber. Il releva la tête en entendant la porte d'entrée s'ouvrir doucement.

— Tu peux faire du bruit ! cria-t-il. Je ne dors pas !

Mario, son grand fils de vingt-quatre ans, fit son entrée, hésitant. Ses cheveux étaient mouillés et il tenait à la main un gros bouquet de lilas.

— Tu m'attendais ? demanda-t-il. Je cueillais des fleurs.

Phillip le dévisagea avec stupéfaction.

— Tu cueillais des fleurs ?

— Je… je n'étais pas seul.

Mario prit un vase dans un placard, le remplit d'eau et y disposa les branches de lilas. Il avait un air coupable que Phillip ne comprenait pas. Il avait donc rencontré une fille – et en était tombé amoureux. Il fallait être amoureux pour cueillir des fleurs la nuit sous la pluie. Il était grand temps que Mario commence à s'intéresser à la part féminine de l'humanité. Malgré ses soucis, Phillip éprouva un certain soulagement. Cela le rassurait toujours d'identifier des signes de normalité chez un membre de sa famille.

— Comment s'appelle-t-elle ? demanda-t-il.

— Tina. Je… je la connais déjà depuis quelque temps. Je…

Phillip l'interrompit d'un geste de la main.

— Tu ne me dois pas d'explications. Je suis heureux pour toi, Mario.

Son fils paraissait vaguement mal à l'aise, aussi changea-t-il de sujet.

— Quelle heure est-il ?

— Presque minuit. Tu as décidé de te prendre une cuite ?

— Non. J'ai bu deux verres, c'est tout.

— Tu as des nouvelles de Janet ?

Mario et Maximilian avaient commencé à appeler leur mère par son prénom alors qu'ils avaient à peine sept ans. Janet en souffrait, mais elle n'était jamais parvenue à les dissuader de cette habitude.

— Elle a téléphoné, répondit enfin Phillip à la question de son fils. De Maidstone. C'est dans le Kent.

Mario le regarda d'un air interloqué.

— Comment ça, dans le Kent ? Elle ne devrait pas être en Écosse ?

— Elle a changé d'avis. Ou plutôt, elle n'a vraisemblablement jamais eu l'intention de rencontrer ce M. Grant. Je suis un imbécile.

Phillip secoua la tête avec accablement.

— J'aurais dû y aller moi-même. Mais… tu connais mon piètre niveau d'anglais. Et j'avais ce rendez-vous important au bureau… mais j'aurais tout de même dû y aller.

— Et que va-t-il se passer, maintenant ?

— Je vais appeler ce Grant demain matin à la première heure et essayer d'obtenir un nouveau rendez-vous. Mais je doute que les états d'âme d'une famille allemande l'intéressent. La Blackstone Farm a un tel succès... Les places y valent de l'or.

Mario se laissa tomber sur une chaise.

— Janet a peut-être raison de penser que ce n'est pas ce qu'il faut à Max.

— Et qu'est-ce qui lui conviendrait, alors ?

— Il veut revenir à la maison. Il veut vivre avec nous.

— Ce n'est pas possible.

— Pourtant je crois que ce serait...

— Mario, c'est exclu. Personne ne peut prendre cette responsabilité. Il faut être formé pour cela.

— Il est guéri, papa. Le professeur Echinger dit que...

— Je ne m'y fie pas une seconde. Personne ne peut le garantir.

Ils se regardèrent. Phillip, désemparé et inquiet, Mario pensif et un peu triste.

— Tu préférerais le savoir derrière les barreaux pour le restant de ses jours, n'est-ce pas..., commenta Mario à mi-voix.

— Cela t'étonne ? répliqua sèchement Phillip.

— Je ne peux pas avoir la même réaction que toi, fit Mario d'une voix douce. C'est mon frère. Mon jumeau. Parfois, il me manque terriblement. La nuit, je l'entends qui me parle. Ça me pèse de ne pas pouvoir lui répondre.

Phillip demeura un long moment silencieux.

— J'appellerai tout de même M. Grant demain matin, déclara-t-il enfin.

Mario acquiesça d'un hochement de tête et se leva.

— Je vais me coucher. J'ai cours à neuf heures.
— Bonsoir, Mario, dit Phillip.
Dehors, la pluie avait redoublé, on l'entendait maintenant crépiter sur le toit. Mario attendit un instant mais son père s'était déjà replongé dans ses pensées. Il quitta la cuisine sans rien ajouter.

Vendredi 26 mai 1995

Tina Weiss avait à peine connu sa mère, aussi ces douloureux moments où la douceur d'une maman peut manquer lui étaient-ils inconnus. Son père lui avait montré des photos et elle avait contemplé avec respect cette belle femme blonde, sans que s'éveille plus qu'une esquisse de souvenir au fond de sa mémoire. Elle avait deux ans et demi quand Marietta Weiss avait été emportée par un cancer, et même avant qu'elle ne disparaisse, Tina n'avait que rarement profité de la présence de sa mère. Son père gardait chez eux un classeur entier de critiques, d'articles de fond et de coupures de presse qu'il avait patiemment rassemblés, et qui tous évoquaient son talent avec le même enthousiasme.

« C'était une comédienne extraordinaire, lui avait-il dit un jour. C'est d'ailleurs pour cette raison qu'elle était constamment par monts et par vaux. Elle enchaînait les engagements. Je l'ai suppliée de faire des pauses, de ralentir le rythme. Le trac la mettait dans de tels états... Avant d'entrer en scène, elle était toujours livide, tremblante et nauséeuse.

— Pourquoi n'a-t-elle pas arrêté, alors ? » avait demandé Tina, pleine de compassion pour cette femme qu'elle ne connaissait pas.

Michael Weiss avait secoué la tête.

« Elle en était incapable. Sa passion pour le théâtre était trop forte. Elle ne vivait que pour ça... Et elle en est morte, avait-il ajouté à mi-voix. Son corps n'a pas supporté toute cette tension. À la fin, il s'est vengé. »

Tina ne manqua ni d'amour ni de tendresse et d'affection. Son père lui en dispensa à profusion. Ils étaient tout l'un pour l'autre ; Tina était incapable d'imaginer une tierce personne au sein de leur solitude à deux. Partager l'amour de son père ? Jamais ! Tout au fond d'elle-même, bien qu'elle n'ait jamais osé le dire à haute voix, qu'il y ait un portrait de sa mère sur la table de nuit de son père lui déplaisait... Elle se consolait avec l'idée qu'aucune autre femme n'entrerait dans sa vie tant qu'il n'aurait pas fait son deuil de Marietta – ce qui serait indubitablement une véritable catastrophe. Tina préférait supporter la photo d'une femme *près* de son lit que la présence d'une femme *dans* son lit.

Depuis quelque temps cependant, leurs relations s'étaient tendues. Tina en prit une fois de plus conscience ce vendredi matin. Elle s'assit en face de son père pour le petit déjeuner et enregistra du coin de l'œil le pli soucieux qui lui barrait le front. Il avait mal dormi, c'était flagrant, et c'était à cause de sa fille. Ou, plus précisément, de l'heure tardive à laquelle elle était rentrée la veille après être sortie avec « ce Mario ».

— Tu es drôlement silencieux, ce matin, papa, observa-t-elle.

Michael s'empara de sa cuiller et la fit tourner un peu trop vivement dans sa tasse de café.

— Il était presque minuit quand tu es rentrée.

Tina soupira doucement.

— Nous avons cueilli des fleurs. Du lilas. Tu ne l'as pas vu, dans le salon ?

— Non.

— Papa, minuit, ce n'est pas *si* tard que ça !

— Ça l'est pour une jeune fille qui passe l'oral du bac dans trois jours !

— Tu sais bien que tu n'as pas à t'inquiéter.

C'était vrai. Tina n'avait que d'excellentes notes.

— Ce Mario ne me plaît pas, voilà tout, reconnut honnêtement Michael. Et de toute façon, tu es trop jeune pour avoir un petit ami.

— J'ai dix-huit ans. Et toutes mes amies...

Tina se mordit la langue. Ce n'était pas le moment de révéler les expériences époustouflantes dont se vantaient ces dernières. Même si pour moitié elles étaient le fruit de leur imagination, il en restait assez pour choquer durablement son père et donner à Tina le sentiment d'être une cruche qui devait au plus vite rattraper le temps perdu.

Michael n'avait pas prêté attention à cette phrase restée inachevée. Il observait sa fille, visiblement en proie à de douloureuses pensées. L'espace d'un instant, Tina, qui soutenait son regard, eut pitié de lui. Mais l'égoïsme de la jeunesse reprit vite le dessus. Elle exigeait de son père, adulte mûr et raisonnable, quelque chose qu'elle-même n'aurait jamais accepté de lui : accepter qu'elle rompe des années de mutuelle et tendre complicité, qu'elle se détourne, toutes voiles dehors, et consacre son amour à un nouvel objet.

Elle avait fait la connaissance de Mario au début du mois de février, par un froid glacial. Une amie l'avait invitée à la soirée d'anniversaire de son frère aîné. Il n'y avait que des étudiants à cette fête, et Tina s'était sentie complètement perdue. Isolée au milieu de la joyeuse troupe, elle s'accrochait à son verre de Coca en réfléchissant au meilleur moyen de s'éclipser sans se faire remarquer, quand un jeune homme l'avait abordée. Il avait les cheveux bruns et des yeux sombres au point de paraître noirs, mais un teint très pâle. Elle apprit par la suite que leur hôte, attentif à ses invités, l'avait discrètement prié de s'occuper d'elle. Ils avaient commencé à bavarder et avaient rapidement découvert que la fête les amusait aussi peu l'un que l'autre. Ils avaient alors décidé d'aller dîner quelque part. Quand Tina était rentrée à la maison, il était une heure du matin. Son père l'attendait à la porte, très en colère.

« Nous avions dit onze heures et demie ! s'était-il exclamé en la saisissant par le bras pour la tirer à l'intérieur. Où étais-tu ?

— J'ai été invitée à dîner par un garçon super-gentil, avait répondu Tina en frottant son poignet douloureux, et nous n'avons pas vu le temps passer.

— Tu ne le reverras plus !

— J'ai dix-huit ans, papa », s'était insurgée Tina en défiant son père du regard.

Le lendemain soir, Michael la soumettait à un interrogatoire en règle. « Quel âge a-t-il ? Que fait-il ? Comment s'appelle-t-il ? Que font ses parents ? »

Tina avait répondu à toutes les questions dans l'espoir qu'elle couperait ainsi à une discussion interminable.

« Il s'appelle Mario Beerbaum, il a vingt-quatre ans et il est étudiant en droit.

— Ah », avait fait Michael, surpris.

Lui-même était procureur général.

« Sa famille a déménagé de Munich à Hambourg il y a six ans. Il vit chez ses parents, qui dirigent un cabinet de conseil en finance et en gestion de patrimoine. Ils ont l'air plutôt aisés.

— Hum. Il a des frères et sœurs ?

— Non. »

Rien, dans tout cela, n'offrait matière à s'inquiéter, dut reconnaître Michael. Et pourtant, cette histoire ne lui plaisait pas. Il refusa de rencontrer Mario et était au supplice chaque fois que Tina sortait avec lui.

— Ta tante Paula a téléphoné hier soir, pendant que tu étais absente, déclara-t-il alors. Elle voulait savoir comment se présentait ton bac.

— Bien. Comment voudrait-elle qu'il se présente ? bougonna Tina.

Elle n'aimait pas beaucoup Paula, laquelle habitait Berlin. C'était la sœur aînée de son père, une femme sévère et totalement dénuée d'humour, qui ne s'était jamais mariée. Elle soutenait sans faiblir qu'elle avait eu un admirateur, quarante ans plus tôt, malheureusement emporté par une pneumonie avant que le mariage soit conclu. Tina doutait que ce fût vrai. Pour elle, c'était une invention de Paula visant à éviter la qualification infamante de vieille fille. Mais sa silhouette osseuse, ses lèvres minces et son rejet de toutes les joies de ce bas monde la trahissaient. Elle traitait son frère et sa nièce avec la même suffisance arrogante, dans laquelle Michael discernait néanmoins tous les signes d'un attachement profond. La vie solitaire et triste de sa sœur lui inspirait de la compassion, tandis que Tina refusait de comprendre cette femme qui n'avait que des critiques à la bouche et semblait toujours vouloir l'éduquer.

— Paula voudrait t'inviter chez elle après le bac, dit Michael. Elle aimerait te faire visiter la ville et les environs.

— Je connais déjà Berlin, on y est allés cent fois, objecta Tina.

— Mais nous n'y avons jamais vraiment séjourné. Et tu ne connais pas les environs. Autrefois, on ne pouvait pas sortir de la ville.

— Papa, c'est non ! Je ne veux pas courir toute la journée derrière cette madame-je-sais-tout qui sent le renfermé et m'entendre dire que je devrais coiffer mes cheveux correctement et ne pas mettre de jeans aussi moulants !

— Mais c'est pour ton bien. Elle voudrait te faire plaisir et…

— De toute façon, ce n'est pas possible, l'interrompit Tina avant d'ajouter sans le regarder : Après le bac, je pars quelques jours avec Mario.

Il y eut un silence, puis Michael articula un faible « Quoi ? ».

— Il le faut. Je vais le faire.

— Il le *faut* ? Et pourquoi ? Tu peux t'expliquer ?

— Tu ne pourrais pas comprendre, répondit Tina.
Son père était la dernière personne à laquelle elle avait envie de raconter le gros problème qu'elle rencontrait avec Mario.

La maison de pierre avait plus d'une centaine d'années. De l'extérieur, c'était une demeure plutôt cossue, mais elle cachait un intérieur plein de recoins et passablement décrépit au charme nostalgique. Elle se dressait au milieu de prairies et de pâtures. Une vaste cour pavée la séparait du portail, et une allée bordée de saules ébouriffés par le vent menait à une petite route de campagne ignorée des voitures, qui déroulait son ruban gris à travers les champs de colza. Dans cet extrême nord de l'Allemagne, à deux kilomètres à peine de la frontière danoise, les jours et les nuits s'écoulaient paisiblement. Quelques fermes éparses en brique rouge, des vaches pie rouge dans des prés d'herbe drue, de petits villages où tout le monde se connaissait. Les touristes traversaient généralement cette région à l'occasion d'un voyage vers la Scandinavie ou les îles de la Frise du Nord. Les baies tranquilles de la mer Baltique n'étaient pas encore connues du grand public.

La vieille bâtisse constituait jadis le cœur d'une grosse propriété agricole, mais les écuries et les étables avaient été rasées depuis longtemps. La famille qui avait vécu sur ces terres s'était dispersée aux quatre vents. Un beau jour, la jeune génération avait estimé qu'il était insensé de conserver cette demeure ancestrale et de l'entretenir à grands frais pour la laisser vide presque douze mois sur douze.

L'une ou l'autre des arrière-petites-filles du fondateur des lieux s'y était parfois réfugiée pour soigner un chagrin d'amour ou préparer un examen ; une famille y avait passé des vacances d'été particulièrement ennuyeuses. Il y avait bien eu, aussi, quelques tentatives sporadiques de rassemblement du clan à l'occasion de fêtes de Noël ou du nouvel an, mais elles avaient toutes abouti à de violentes disputes et des départs précipités. Les héritiers s'étaient finalement résignés à mettre la propriété aux enchères au début des années 1980. L'affaire avait été adjugée à un psychiatre célibataire, qui exerçait à Hambourg. À cinquante ans, Friedrich Echinger avait eu la chance d'entrer en possession d'un héritage qui lui avait permis de monter la structure de soins psychiatriques dont il rêvait depuis toujours. Après des débuts un peu poussifs, la clinique s'était taillé une solide notoriété, et on se battait presque, aujourd'hui, pour y obtenir une place. Echinger avait su s'entourer de médecins remarquables qui avaient foi en leurs idéaux, étaient prêts à s'investir et n'étaient pas rebutés par l'isolement des lieux. La prise en charge des patients avait la réputation d'y être exemplaire.

Debout devant une fenêtre du premier étage, Maximilian Beerbaum contemplait le ciel. La pluie qui était tombée à verse toute la nuit faiblit d'un coup, les nuages se déchirèrent et un bout de ciel bleu apparut. Les champs de colza ondulèrent sous le vent. Dans le jardin, les immenses frondes vert foncé des fougères paraissaient vernissées. Les oiseaux saluèrent par des chants stridents les timides premiers rayons de soleil. Sur le mur du jardin, un rouge-gorge picorait avec énergie le bourrelet de mousse qui comblait une fente. Le mur d'enceinte, imposant ouvrage de trois mètres de hauteur en pierres de taille grises, faisait partie des rares indices trahissant que la clinique n'était pas un lieu où l'on pouvait aller et venir à sa guise.

— Il s'arrête de pleuvoir, dit Maximilian en se détournant de la fenêtre.

Le professeur Echinger était assis dans son fauteuil en cuir noir, au fond de la pièce, les jambes croisées et les mains jointes. Il observait Maximilian par-dessus ses lunettes de lecture discrètement cerclées de métal doré.

— Je présume que, une fois notre entretien terminé, vous irez faire une de ces longues promenades que vous affectionnez, dit-il.

Maximilian haussa les épaules.

— Je ne sais pas encore. Il y a un an, quand j'ai été autorisé à sortir pour la première fois sans surveillance, j'ai eu l'impression de rêver. Marcher dans la campagne, m'allonger au bord d'un étang et observer les grenouilles… C'était extraordinaire. Je ne m'en lassais pas…

— La privation de liberté vous a beaucoup pesé au cours de toutes ces années, n'est-ce pas ? remarqua prudemment Echinger.

Maximilian hocha la tête. Il regagna son fauteuil, en face de celui du professeur, et se rassit. Mais au lieu de se laisser aller mollement au fond du siège, il posa les coudes sur ses cuisses et se prit la tête dans les mains.

— Au début, j'étais vraiment mal, je ne vous apprends rien. Les deux premières années ont été… Bah, laissons tomber. Ensuite j'ai traversé une phase où j'étais reconnaissant d'être ici plutôt qu'en prison. Disons que j'étais disposé à voir le bon côté de ma situation. Malheureusement, la gratitude n'est pas un sentiment qui dure, j'imagine que vous en conviendrez. Je n'ai pas replongé dans la dépression, mais j'avais tout de même l'impression… que votre clinique était… une prison.

Maximilian demeura un instant silencieux puis leva les yeux et regarda le professeur.

— J'espère que ce que je dis ne vous vexe pas ?

— Pas du tout, répondit Echinger. Je comprends très bien dans quel état d'esprit vous pouviez être. Qu'en est-il aujourd'hui ? Dites-moi ce que vous ressentez à l'idée de rentrer chez vous.

Maximilian rit doucement, se leva de nouveau et resta debout derrière son fauteuil.

— Chez moi ! Vous savez bien que je n'ai plus de chez-moi.

— Les choses ne se sont toujours pas décantées ?

— Mon père refuse catégoriquement de me reprendre. Ma mère est d'un autre avis mais elle ne réussira pas à l'imposer. Je suis quasi assuré d'atterrir dans cette épouvantable ferme écossaise.

— Vous n'éprouvez aucun désir d'y aller ?

Une expression désabusée passa dans le regard de Maximilian. Le professeur Echinger fut à nouveau frappé par l'intelligence et la beauté, oui, la beauté parfaite du jeune homme. Ses yeux chaleureux étaient d'un brun si foncé qu'ils paraissaient noirs et quand il souriait, c'était comme une caresse. Il n'aurait guère de difficultés à s'attirer la sympathie de ses congénères. Malheureusement, cette qualité ne lui faciliterait certainement pas la vie.

— Vous savez bien qui habite dans cette ferme. Des drogués. Des criminels. Des alcooliques. La vie simple, en communauté restreinte, au milieu des champs, la responsabilité des bêtes, le dur travail de la terre sont censés aider à la réinsertion sociale. Ça en aide peut-être certains mais…

— Beaucoup de programmes de ce type ont fait leurs preuves.

— C'est vrai. Mais puisque je suis guéri, pourquoi faut-il que j'aille encore labourer les champs et dormir sur une paillasse ?

— Les jeunes gens qui séjournent là-bas sont guéris, eux aussi, dit Echinger. Ce sont d'*anciens* drogués. D'*anciens* alcooliques. D'*anciens* criminels. Ils doivent simplement apprendre à…

— D'anciens criminels, l'interrompit Maximilian. Comme moi.

— Vous avez vingt-quatre ans. Vous êtes adulte. Et libre. Votre mise en liberté est fondée sur plusieurs rapports d'expertise indépendants. Personne ne peut vous contraindre à aller à un endroit où vous n'avez pas envie d'aller. L'administration a approuvé le projet de séjour en Écosse, elle possède toujours un certain de droit de contrôle sur vous, mais elle ne vous forcera jamais à y aller contre votre volonté. Vous pouvez dire non.

Maximilian sourit.

— Peut-être en théorie. Mais à quoi va ressembler ma vie une fois dehors ? Je n'ai pas le bac, sans parler d'une formation. Je n'ai pas d'argent. Mais j'ai des papiers prouvant que j'ai passé six ans dans une clinique psychiatrique. Sans même parler de…

Il se mordit les lèvres.

— Oui ? fit Echinger.

— De la raison pour laquelle je suis ici, dit doucement Maximilian.

Echinger jeta un coup d'œil à la pendulette posée sur une table, en face de lui. Elle lui permettait de contrôler la durée des séances sans interrompre ses patients comme l'aurait fait un coup d'œil à une montre-bracelet.

— Notre entretien est malheureusement terminé. Mais je vais parler une nouvelle fois à votre père.

— Ça ne servira à rien. Plus je serai loin, plus il sera content. L'Écosse ! Une ferme perdue au milieu de nulle part. Vous ne croyez tout de même pas qu'il l'a choisie par hasard ? En fait, c'est miraculeux qu'il ne m'ait pas carrément expédié aux États-Unis !

Maximilian se dirigea vers la porte. Le professeur Echinger se leva et ôta ses lunettes. Le jeune homme était conscient du privilège qui était le sien d'être suivi par le professeur Echinger lui-même, un homme de qualité doublé d'un analyste remarquable. Mais son influence s'étendait au mieux jusqu'à l'allée bordée de saules qui reliait sa clinique à la route. Il pouvait remettre un patient sur pied, mais il devait ensuite le laisser marcher seul. Maximilian eut brusquement l'impression que le monde qui l'attendait au-delà de ces solitudes noyées de pluie ne lui réservait qu'hostilité et danger, et qu'après des années en sécurité, il n'était plus armé pour y faire face. L'espace d'un instant, la panique qu'il ne connaissait pas avant d'arriver ici et contre laquelle il avait lutté jusqu'à l'épuisement pendant ces dernières années le submergea. Il se sentit blêmir. Son malaise n'avait pas échappé au professeur.

— Votre frère, dit-il, votre jumeau… il souhaite, *lui*, que vous reveniez chez vous, non ?

La main sur la poignée de la porte, Maximilian se retourna.

— Mario… je ne sais pas. Depuis quelque temps, il n'est plus tout à fait le même. Quelque chose s'est passé… il n'en parle pas. J'ai l'impression qu'il s'éloigne de moi.

Il sortit de la pièce et referma la porte derrière lui.

Pensif, le professeur s'assit à son bureau, sortit d'un tiroir un grand carnet relié de cuir et entreprit de consigner les grandes lignes de la séance qui venait de s'écouler. Il se demanda pourquoi il se sentait subitement si las. Si vieux et si découragé.

Il reposa son stylo, repoussa son fauteuil, marcha jusqu'à la fenêtre et l'ouvrit. Il aspira de longues goulées d'air frais.

Le départ d'un patient l'affectait toujours. Il n'était pas dupe. La remise en question faisant partie de son quotidien, il était le premier à reconnaître qu'il cédait à un penchant coupable pour un analyste. Il avait beau s'évertuer à garder ses distances, il ne pouvait s'empêcher de se projeter dans le rôle du père chaque fois qu'un patient s'asseyait en face de lui, lui dévoilait un peu de son âme et l'élevait pour quelque temps au rang d'instance suprême en matière de gouvernance de la vie. Quand il devait laisser ses pensionnaires quitter l'enceinte protectrice de sa maison, quand il devait les lâcher dans le monde, les rendre à la vie et à ses impondérables, c'était comme s'il s'arrachait ses propres enfants et les jetait dans un fleuve – sans être véritablement certain qu'ils sachent nager. Les jours où il était particulièrement sévère avec lui-même, il se reprochait de se voiler la face. De toute évidence, il aurait dû se garder de confondre ses patients avec ses enfants, mais son inquiétude pour l'avenir de ses protégés n'en revêtait pas moins le bel habit de la sollicitude, de la compassion et du sens des responsabilités. Il eût été bien pire, et même impardonnable, qu'il ne supporte pas de perdre son influence, de ne plus être l'ancre à laquelle ils s'accrochaient. L'isolement de la clinique, ces hauts murs derrière lesquels on était tout à la fois un père, une mère et Dieu pour les patients, favorisaient assurément l'orgueil et la mégalomanie.

Pourquoi le sort de Maximilian Beerbaum le préoccupait-il à ce point ? Parce qu'il connaissait les difficultés auxquelles le jeune homme aurait à faire face si son père persistait à le rejeter ? Ou bien parce qu'il devait laisser partir quelqu'un qui ne s'était jamais réellement attaché à lui, ni lors de sa grave dépression des deux premières années – où il réclamait sans cesse son frère et sa mère – ni lorsqu'il était entré en phase de guérison. Au contraire, Maximilian semblait parfois avoir érigé un mur entre eux, et il avait souvent opposé une distance moqueuse à son thérapeute. Aussi fier que ce dernier puisse être de l'excellente évolution de Maximilian Beerbaum en tant que malade, le jeune homme avait-il mis à mal son amour-propre ?

L'idée était déstabilisante. Même en s'interrogeant avec la plus grande honnêteté, il doutait de pouvoir répondre à la question de façon satisfaisante. Du reste, l'âme humaine était-elle en mesure de donner une réponse satisfaisante – satisfaisante signifiant ici, dans son esprit, sans équivoque – à quelque chose ?

Consacrer sa vie à une science qui, au sens strict du terme, n'en était pas une. Pour laquelle deux et deux ne faisaient pas quatre mais cinq, ou huit. Dans laquelle l'exploration de la psyché, la sienne ou celle d'autrui, pouvait aisément tourner à la dissection névrotique, sans fin... Peut-être sa lassitude venait-elle de là.

C'est usant, songea-t-il, c'est usant de ne jamais trouver de réponse.

Il ferma les yeux.

Andrew Davies habitait toujours son petit appartement de Chelsea. Cette adresse était le dernier signe de vie qu'il avait envoyé à Janet, des années auparavant, alors qu'elle vivait déjà en Allemagne.

Elle avait téléphoné de Maidstone avec la quasi-certitude de tomber sur un inconnu qui lui annoncerait qu'Andrew avait déménagé depuis longtemps. Quand elle entendit sa voix – reconnaissable entre toutes – dire « Allô ? », elle en resta bouche bée de surprise. Ce n'est que lorsqu'un « Qui est à l'appareil ? » irrité lui parvint qu'elle se ressaisit.

— C'est moi, Janet.

Ce fut au tour d'Andrew d'en rester sans voix. Il y eut un blanc puis il dit, d'un ton incrédule :

— Janet ? Ce n'est pas possible !

— Mais si. Je suis de passage en Angleterre, et j'ai pensé que je pouvais essayer de t'appeler.

— Tu es ici, à Londres ?

— Non, à Maidstone. Mais je serai à Londres demain matin.

Elle avait l'intention de regagner Londres sans attendre mais elle ne voulait pas qu'il se sente pris de court.

— Demain matin ?

Il réfléchit.

— Tu penses qu'on pourrait se voir ?

— Oui. Si tu as le temps.

— Demain, je suis pris toute la journée. Mais je devrais pouvoir me libérer vers cinq heures et demie. Tu seras déjà repartie ?

Janet se dit qu'il n'avait peut-être pas envie de la voir, qu'il lui proposait un rendez-vous le soir dans l'espoir qu'elle ne serait plus là. Elle tenta pourtant sa chance.

— Non, je compte rester quelque temps. Je serai encore là.

Andrew parut sincèrement s'en réjouir.

— Génial. Où nous retrouvons-nous ?

— Je pourrais passer chez toi. À six heures ?

— Entendu. Janet… ça me fait très plaisir !

Puis ils avaient raccroché et Janet avait regagné Londres où elle avait rendu la voiture et pris une chambre dans un hôtel.

Le lendemain matin, elle retourna chez Harrod's ; si elle devait rester quelques jours, elle aurait besoin de vêtements de rechange. Sa carte de crédit était associée au compte qu'elle partageait avec Phillip, et elle n'imaginait que trop bien la réaction de celui-ci lorsque les dépenses liées à son séjour impromptu en Angleterre apparaîtraient sur le relevé commun. Elle refoula cette pensée et s'acheta de la lingerie, des collants, une paire de chaussures confortables, un jean, deux pull-overs et une robe. Dès que de sombres pensées concernant Phillip et Mario l'assaillaient, elle faisait en sorte de s'occuper l'esprit avec quelque chose de complètement différent. Elle se retrouva ainsi dans une cabine d'essayage avec une robe improbable qu'elle n'hésita pas à enfiler, pour le seul plaisir d'éclater de rire devant son décolleté pigeonnant et de se demander quelles femmes osaient sortir ainsi habillées. Cette recette lui permit d'oublier ses problèmes familiaux jusqu'à environ trois heures de l'après-midi. Ensuite, sa rencontre imminente avec Andrew la mit dans un tel état de nervosité qu'elle fut incapable de penser à autre chose.

Elle se sentit subitement affreuse. La nouvelle robe ne lui allait pas, elle avait un côté vieillot et fleur bleue. Ses cheveux étaient ternes et ses yeux fatigués. Elle explora anxieusement son cou du bout des doigts, scruta son visage à la recherche de la moindre ride. Elle n'avait jamais été de ces femmes obsédées par la peur de vieillir, mais la dernière fois qu'Andrew l'avait vue, elle avait vingt-cinq ans – vingt-cinq ans seulement, et elle était très jolie, sexy et peu farouche.

— Et aujourd'hui tu as quarante-trois ans, dit-elle à son reflet. Qu'as-tu besoin de revoir cet homme ?

Bonne question. Du reste, elle s'était déjà conduite d'une façon impossible. À peine Andrew avait-il commencé à réfléchir sur un éventuel lieu de rendez-vous qu'elle s'était invitée chez lui. Était-ce convenable, même lorsque l'on avait partagé avec l'homme en question les nuits les plus folles de sa vie ?

Je n'irai pas, voilà tout, se dit-elle. Il ignore dans quel hôtel je suis descendue, il ne pourra donc pas m'appeler pour me demander ce que je fabrique. Je peux faire la morte, comme avec Phillip.

Mais Andrew n'était pas Phillip et Janet ne l'avait jamais traité comme tel. On ne laissait pas tomber Andrew sans explication. On ne passait pas sa mauvaise humeur sur lui, on ne le poussait pas dans ses retranchements au point de hurler, on ne l'ébranlait pas en gardant obstinément le silence. Phillip avait eu droit aux portes claquées, aux torrents de larmes, à la vaisselle brisée et aux longues semaines d'abstinence sexuelle pour un seul mot de travers ; mais elle déroulait encore le tapis rouge pour Andrew alors qu'il l'avait trompée et humiliée effrontément.

Et ainsi Janet se mit-elle en route, non sans avoir auparavant vidé une mignonnette pour se donner du courage. Elle se fit conduire en taxi jusqu'au

Chelsea Embankment puis continua à pied jusqu'à Cheyne Walk en longeant la Tamise. Déjà elle se sentait mieux. Il n'avait pas plu de la journée et il faisait nettement plus chaud que la veille. Les arbres étaient en fleurs, le vent jouait dans leurs branches, des odeurs de fleuve et d'algues flottaient dans l'air, des bateaux blancs se balançaient sur la Tamise. La lumière de cette fin d'après-midi semblait donner à tout le monde l'envie de flâner : des hommes d'affaires en costume gris rentraient chez eux sans se hâter, des amoureux enlacés se promenaient sous les arbres, des enfants faisaient du skate-board et, sur les bancs, des retraités se reposaient en regardant les passants. Quand Janet atteignit King's Road, elle avait retrouvé le sourire ; elle commença à se sentir jolie, à se réconcilier avec la robe qu'elle portait. À se sentir libre et légère, insouciante et ouverte à tout ce qui pouvait arriver ; des sensations restées si longtemps enfouies au fond d'elle-même qu'elle croyait les avoir oubliées.

Andrew habitait Chelsea Square. Quand Janet pressa la sonnette marquée « Davies », elle savait qu'elle avait repris des couleurs et que ses yeux pétillaient. L'ouverture automatique bourdonna, elle entra. Andrew se pencha par-dessus la rampe du dernier étage et appela :

— Janet ?

Après la lumière de l'extérieur, la pénombre la surprit. Elle plissa les yeux.

— Oui, c'est moi.

Elle s'engagea dans l'escalier.

À son retour ce soir-là, Mario fut surpris de trouver son père dans le jardin. Phillip s'affairait autour des rosiers avec des gestes gauches et compliqués qui n'appartenaient qu'à lui. Il n'avait pas la moindre affinité avec les plantes et aucun talent pour s'en occuper. D'ordinaire, il évitait soigneusement tout ce qui avait trait au jardinage. Pour qu'il se mette à gratter la terre, le problème devait être sérieux.

— Je croyais que tu voulais aller en Écosse, l'apostropha Mario.

Phillip ratiboisait un rosier, le sécateur brandi comme s'il agissait d'une baïonnette.

— J'ai appelé Grant, dit-il d'un ton furieux. Ce type est le bonhomme le plus arrogant que j'aie jamais rencontré. Janet n'ayant pas jugé bon de se présenter à l'heure au rendez-vous, a-t-il bien voulu m'expliquer, il a donné la place à quelqu'un d'autre.

Phillip arrondit la bouche pour imiter la voix haut perchée et le ton maniéré de Grant :

— Savez-vous combien nous avons de demandes ? Je ne peux pas me permettre de faire patienter les candidats suivants jusqu'à ce que votre femme se décide !

Il donna un coup de sécateur rageur, et une grosse branche couverte de bourgeons vola dans les airs. Mario retint la main de son père.

— Mais qu'est-ce que tu fais à ces pauvres roses ?

— Il faut les tailler de temps en temps, non ? rétorqua Phillip d'un ton incertain.

— À l'automne, éventuellement. Certainement pas maintenant.

Mario ôta les lunettes de soleil qui lui donnaient l'air charmeur et insouciant d'un acteur italien.

— Quand Janet rentre-t-elle ?

Phillip renonça à martyriser plus longtemps les rosiers. Il posa le sécateur et retira lentement ses gants de jardinage.

— Je ne sais pas. Je n'ai pas de nouvelles depuis hier soir.

Mario le dévisagea, surpris.

— Elle n'a pas rappelé ?

— Non.

— Et… c'est tout l'effet que ça te fait ? Il lui est peut-être arrivé quelque chose !

— Je devrais faire quoi, à ton avis ?

— Je ne sais pas… mais on ne peut pas rester les bras croisés !

— Elle a sans doute envie de revoir d'anciens amis. J'ai appelé sa tante Liz à Ely. Si Janet se montre là-bas, elle me préviendra.

— Elle exagère, s'énerva Mario. Elle part se balader en Angleterre sans juger utile de nous tenir au courant !

— Je crois surtout qu'elle cherche à fuir les problèmes. Elle n'est pas plus avancée que moi pour Maximilian et elle préfère faire l'autruche.

— Franchement, papa, je ne vous comprends pas, toi et Janet. Qu'est-ce qui s'oppose à ce qu'il revienne à la maison ?

— Personne ici ne sait qu'il existe. Comment expliquerait-on qu'il surgisse du jour au lendemain ?

— Il n'y a que le qu'en-dira-t-on qui t'importe ?

— On a monté quelque chose ici, Mario. Je suis conseiller fiscal, je te le rappelle. Ce que les autres pensent de moi a de l'importance. Mon travail dépend de la confiance que mes clients m'accordent. Je sais que pour les jeunes de ton âge, ça sonne ringard, mais pour moi c'est une question de survie professionnelle. Si on apprend que j'ai un fils qui…

Il s'interrompit et jeta négligemment ses gants dans l'herbe.

— Viens. On va voir ce qu'on peut se faire à dîner.

Dans la cuisine, tout en coupant les tomates d'une salade qu'ils préparaient ensemble, Mario lâcha, d'un ton anodin :

— Tina passe l'oral du bac lundi.

Phillip s'interrompit, le couteau en l'air, puis il se souvint. Tina était la jeune fille dont Mario lui avait parlé la veille.

— Tu la connais depuis combien de temps ?

— Début février.

— Tu n'as jamais rien dit.

Mario haussa les épaules.

— J'avais envie de garder ça pour moi.

— Je comprends. Et elle est en train de passer le bac ?

— Oui. Dans une semaine, lundi de la Pentecôte, on aimerait bien partir ensemble. Pour plusieurs jours, je veux dire.

Phillip versa ses tomates dans un saladier.

— C'est une bonne idée. J'imagine qu'elle va avoir besoin de se détendre. Vous pensez aller où ?

— Je voulais justement t'en parler. J'aimerais descendre en Provence.

— À Duverelle ? Je me demande depuis un bout de temps, déjà, si je ne devrais pas vendre la maison, dit Phillip. Son entretien coûte cher, et plus personne n'y va jamais.

— Ce serait l'occasion de s'assurer que tout va bien. Et puis on y a tant de souvenirs. Toutes nos vacances d'avant…

— Oui, dit Phillip, d'avant…

Il laissa un instant son esprit vagabonder, de belles images un peu floues lui revinrent, puis il remarqua que son fils attendait une réponse.

— Allez-y quand vous voulez, je n'y vois aucun inconvénient. Je crains seulement que ta Tina ne s'y ennuie. Elle ne préférerait pas un joli petit hôtel sur la côte ?

— Ça lui plaira, assura Mario. Je la vois tout à l'heure, je vais lui annoncer la bonne nouvelle.

Quelque chose dans le ton de Mario fit tiquer Phillip. Il observa pensivement son fils. Ni sa voix ni son expression n'exprimaient la joie. Il ne semblait pas du tout impatient de partir avec cette jeune fille.

— Tu dois mal t'y prendre, déclara Dana.

Elle était assise, les fesses sur le rebord de la fenêtre de la chambre et les pieds calés sur le dossier d'un fauteuil, un livre de physique ouvert sur les genoux.

— Tu ne dois pas suffisamment l'encourager.

Tina était allongée par terre, sur le ventre, au milieu de sa chambre, devant le même livre de physique auquel elle accordait aussi peu d'intérêt que son amie. Elle et Dana se connaissaient depuis le cours préparatoire. Les deux amies se confiaient tout, sans restriction, il n'y avait rien qu'elles n'auraient pas partagé. Physiquement, elles étaient aussi opposées qu'on pouvait l'être : Tina, blonde et filiforme, mesurait une demi-tête de moins que Dana, une belle plante aux cheveux bruns. À l'âge de douze ans, Dana arborait déjà de vraies formes de femme tandis qu'à dix-huit, Tina avait toujours l'air d'une gamine efflanquée. Parfois, Tina était déprimée par l'effet que Dana produisait sur les hommes ; elle les attirait comme un aimant, où qu'elle aille et quoi qu'elle fasse. Bien évidemment, elle avait déjà expérimenté le bel éventail de ce que la vie avait d'essentiel à offrir en matière de plaisir. Elle avait tracé la route avec une bande de motards pour assister à un festival de rock au fin fond de l'Espagne, et traversé le Canada seule en auto-stop. Douze mois durant, elle avait entretenu une liaison avec un homme beaucoup plus âgé qu'elle – à l'époque, elle avait quinze ans – qu'elle retrouvait une fois par semaine dans une suite d'un hôtel chic. Elle en avait profité pour se gaver de caviar et se faire offrir toute une collection de vêtements à la mode. Au même moment, elle fréquentait un zonard à cheveux longs qui l'invitait à folâtrer sur la banquette arrière de sa Volkswagen bariolée et bonne pour la casse. Dana n'avait ni principes ni préjugés. Elle prenait ce qu'elle avait envie de prendre. Sa mère, une journaliste aux idées larges qui l'élevait seule, lui autorisant absolument tout, aucun frein ne venait jamais contrarier ses fantaisies. Une profonde amitié la liait néanmoins à la très sage Tina. Couvée par un père d'une autre époque, celle-ci lui apportait la stabilité qu'elle recherchait inconsciemment.

— Ce que je lui ai raconté sur mon père lui a peut-être fait peur, hasarda Tina en réponse à l'observation de Dana. Il doit croire que s'il m'approche d'un peu trop près, papa va le tuer.

— Faut dire qu'il n'aurait pas tout à fait tort de se faire du souci, remarqua Dana.

Elle était vêtue d'un jean et d'un top qui lui découvrait le nombril et moulait si parfaitement ses seins que Michael, qui l'avait croisée dans le hall, avait détourné les yeux d'un air gêné.

— N'empêche que ce Mario a vingt-quatre ans. Il devrait être en mesure de…

— De quoi ?

Dana gloussa.

— Tina, vous êtes seuls suffisamment souvent ! Je veux dire, ça ne sera pas écrit sur ta figure, ton père ne verra rien !

Tina rougit, et Dana eut le tact de ne pas le lui faire remarquer.

— Tu as bien fait d'insister pour que vous partiez ensemble.

— Il va demander aujourd'hui à son père s'il peut avoir leur maison de Provence, dit Tina.

— Si tu veux mon avis, c'est sa dernière chance. S'il ne couche pas avec toi là-bas, c'est qu'il a un problème !

— Dana, tu parles comme s'il s'agissait d'un concours ! Sa dernière chance ! J'aime Mario. C'est tout à son honneur s'il ne se précipite pas. On ne se connaît que depuis quatre mois.

— Oui, c'est bien le problème, fit Dana.

Elle extirpa une cigarette de son paquet et l'alluma.

— On dirait que… je ne sais pas…, dit-elle d'un ton vague en suivant du regard les volutes de fumée.

Tina riva les yeux sur le visage de son amie.

— Dana, dis-moi franchement : tu le trouves comment, Mario ?

— Tu sais, je le connais à peine, se hâta d'éluder Dana.

De fait, elle n'avait rencontré Mario que deux fois. Brièvement lors de la fameuse fête au cours de laquelle Tina avait fait sa connaissance, puis le jour de l'anniversaire de Dana, au mois d'avril. À ces deux occasions, il y avait eu beaucoup trop de monde pour que Dana s'intéresse plus longuement à Mario, mais Tina savait qu'elle s'était néanmoins forgé une opinion. Dana avait le jugement rapide – et la plupart du temps, elle voyait juste.

— Tu as bien un avis, insista Tina.

Dana se jeta à l'eau.

— Bon, si tu veux vraiment le savoir, je ne l'aime pas beaucoup.

— Mais la première fois que je t'ai posé la question, tu m'as dit que tu le trouvais très bien, protesta Tina, blessée.

— C'est vrai, c'est ce que je t'ai dit.

Dana était embarrassée d'avoir menti à Tina, ce qui ne s'était encore jamais produit.

— Je ne voulais pas te faire de peine. Et puis je trouvais super que tu te sois enfin dégoté un mec, je n'avais pas envie de tout gâcher.

— Et pourquoi tu ne l'aimes pas ?

— Ce n'est qu'une impression. Je ne peux pas l'expliquer. Il y a quelque chose chez lui… non, vraiment, je ne peux pas mettre de mots dessus. Je me fais sans doute des idées.

— Oui, sans doute, renchérit Tina, soulagée.

Bien sûr, Dana trouvait suspect tout homme qui ne sautait pas immédiatement sur une femme !

— Ton père te laisse partir sans faire d'histoires ? demanda alors Dana, pressée de changer de sujet.

Tina secoua la tête.

— Non. Pas sans faire d'histoires. Il aurait bien voulu me l'interdire. Mais je lui ai rappelé que j'étais majeure et, cette fois, je n'ai pas cédé. C'était la première fois. Depuis, avec lui, ce n'est plus comme avant. Il sait qu'il ne peut pas m'empêcher de partir, et moi, j'ai mauvaise conscience.

— Hé, Tina, pas de blague ! Tu ne vas pas changer d'avis, j'espère ? Parce que si tu ne pars pas avec ton Mario, c'est fichu !

— Je ne changerai pas d'avis, répondit Tina.

Tout d'un coup, elle regretta d'avoir parlé de Mario. Si elle avait gardé cette histoire pour elle, Dana ne lui aurait pas dit qu'elle ne l'aimait pas et son père n'aurait pas insisté pour faire sa connaissance avant leur départ. Ils étaient convenus de dîner ensemble le dimanche suivant. Cette perspective mettait Tina dans tous ses états. Elle imaginait déjà le pire. Et s'il ne plaisait pas à son père ? Si la rencontre se passait mal ? Si le dîner tournait au fiasco ? Si Michael jouait les grands inquisiteurs, Mario allait s'embrouiller et dire quelque chose qu'il ne fallait pas...

Si c'était à refaire, elle attendrait la nuit pour s'enfuir avec lui, en cachette, et se dispenserait par la même occasion d'écouter l'avis des gens bien intentionnés de son entourage.

« Tu n'as pas du tout changé ! » s'exclamèrent Andrew et Janet d'une seule voix.

Après toutes ces années, les mots avaient jailli avec la même spontanéité.

Janet avait vingt-cinq ans lors de leur dernière rencontre, et Andrew trente-six. Aujourd'hui, elle en avait quarante-trois, Andrew cinquante-quatre... et ils avaient changé. Pourtant, aucun des deux n'avait cherché à flatter l'autre. L'intimité qu'ils avaient partagée était encore si forte qu'un jour à peine semblait s'être écoulé depuis la dernière fois qu'ils s'étaient vus. Les cheveux gris d'Andrew et les pattes-d'oie de Janet s'étaient effacés, de même que l'empreinte laissée sur leurs visages par les rires et les larmes, les moments de grand bonheur et les abîmes de solitude. Quelques jours passeraient avant qu'ils ne les découvrent, lorsque viendrait le temps de s'observer, de se contempler.

Andrew serra Janet dans ses bras et l'embrassa sur les deux joues.

—Janet ! Cela me fait tellement plaisir de te revoir !

Il prit ses mains dans les siennes et l'entraîna à l'intérieur de l'appartement.

— Viens, donne-moi ton manteau ! Veux-tu boire quelque chose ? Toujours fidèle au gin tonic ?

— Toujours.

Elle regarda autour d'elle pendant qu'il disparaissait dans la cuisine. L'appartement était exactement tel qu'elle avait toujours imaginé un lieu aménagé par Andrew : clair, sobre, et avec beaucoup de livres. Un cadre était posé sur le rebord de la fenêtre. Janet s'approcha. La photo d'un garçon et d'une fille, tous deux âgés d'une dizaine d'années.

— Mes enfants, dit Andrew.

Il était revenu dans la pièce sans qu'elle s'en rende compte, un verre dans chaque main.

— Pamela et Nicolas. Ils vivent à New York avec leur mère.

— Tu es…

— J'*étais* marié. Nous avons divorcé il y a trois ans.

— Oh…

Elle le dévisagea d'un air interrogateur.

— Clare est américaine. Quand on s'est séparés, elle a préféré retourner là-bas. C'est elle qui a la garde, les enfants sont partis avec elle.

— Tu ne dois pas souvent les voir.

— Non.

Un voile de tristesse assombrit un instant son regard, puis il se ressaisit et lui tendit un verre.

— Allez. Buvons à nos retrouvailles.

Ils bavardèrent ainsi un moment, verre à la main, Janet prenant toutefois soin de taire le but premier de son voyage. C'était le mal du pays qui l'avait incitée à venir passer quelques jours ici, prétendit-elle.

— Tu vas sûrement faire un tour à Cambridge, dans ce cas ?

— Je ne sais pas. Peut-être. Pas forcément.

Ils dînèrent dans un restaurant chinois et Andrew parla de son travail. Il se destinait autrefois à la carrière d'avocat, mais une fois ses études terminées et après quelques stages, il avait changé son fusil d'épaule et était entré à Scotland Yard. À l'époque, Janet s'était demandé ce qui avait motivé ce revirement. Cela l'intriguait toujours, mais elle ne voulait pas aborder le sujet d'entrée de jeu. Il était désormais inspecteur, mais à la façon dont il parlait de son métier, Janet perçut sa frustration. Il ne se satisfaisait ni de son grade ni de son travail.

— J'enchaîne les crimes effroyables. Je rencontre tous les jours des gens qui ont fait des choses monstrueuses, mais certains ont eux-mêmes vécu de telles horreurs qu'il leur aurait été difficile de tomber du bon côté de la barrière. Face à cela, on se sent terriblement impuissant.

— Tu regrettes d'avoir renoncé au barreau ? demanda Janet. Tu ferais les mêmes choix aujourd'hui ?

Andrew réfléchit un court instant puis acquiesça.

— Oui. Je me plains beaucoup mais au bout du compte, je referais la même chose.

Il se pencha vers Janet et lui prit la main.

— Parle-moi de toi. Comment vont tes fils ?

— Bien. Ils vont bien, répondit-elle d'une voix tendue.

Andrew l'observa.
— Il y a un souci ?
— Non, non. Tout va vraiment bien.
— Et… Phillip ?
Janet évita de regarder Andrew.
— Il ne sait pas où je suis.
— Il ignore que tu es en Angleterre ? Tu es partie sans rien dire ?
— Non, ça il sait. Mais je ne l'ai pas rappelé depuis que je suis à Londres. Il doit être en train de téléphoner à toute ma famille pour savoir ce que je fabrique.
— Veux-tu en…
Elle devina ce qu'il s'apprêtait à dire et l'interrompit.
— Non, je ne veux pas en parler. Pas maintenant. Je ne sais pas combien de temps je vais rester. Peut-être deux jours, peut-être deux semaines. Et tant que je serai là, je ne veux pas penser à la maison.
— D'accord. Et pourra-t-on se voir ?
— Bien sûr. Quand tu auras le temps.
Andrew ne put s'empêcher de rire.
— J'ai accumulé tellement d'heures sup que j'ai bien mérité quelques soirées avec toi.

Samedi 27 mai 1995

Le samedi, Andrew l'invita à l'accompagner à la fête d'anniversaire d'un de ses collègues. Personne ne l'y importuna avec des questions ; on la prit pour la nouvelle amie d'Andrew et tout le monde se montra charmant avec elle.

Manifestement, il n'y a pas écrit sur ma figure que je suis mariée et que j'ai laissé mon mari et mes fils en plan, songea Janet. Me trouveraient-ils aussi sympathique s'ils savaient ?

Durant la soirée, elle se surprit à observer Andrew de loin, pendant qu'il parlait avec les gens. Il dépassait quasiment tout le monde d'une tête, et était l'un des hommes les plus minces de l'assemblée. Elle l'avait connu presque maigre, et il n'avait guère changé. Sans doute était-ce dû à sa nervosité chronique. Un petit tressautement apparaissait fréquemment au coin de l'un de ses yeux quand il parlait. On devinait à son expression tendue à l'extrême que tous ses sens étaient en alerte ; pas une miette de ce qui passerait à sa portée ne lui échapperait. Autrefois, Janet ne le savait que trop, son ambition dévorante l'incitait à une vigilance de chaque instant, et c'était probablement toujours le cas. Lorsqu'ils s'étaient rencontrés, Janet avait seize ans, Andrew vingt-sept. Il était inscrit à l'université de Cambridge et convoitait un poste de thésard dans le département que dirigeait le père de Janet. Cette dernière s'était souvent demandé si ce fait avait joué un rôle dans leur rencontre, mais il s'avéra bientôt que c'eût été un très mauvais calcul de la part d'Andrew. Lorsque le professeur Hamilton avait découvert la liaison de sa fille, il était entré dans une colère noire. Andrew continua à fréquenter Janet et se trouva un autre directeur de thèse. Il se donnait les moyens de réussir, mais il ne se serait jamais vendu. S'il était ambitieux, il ne s'en fixait pas moins une limite bien définie, au-delà de laquelle il se serait fourvoyé.

À l'issue de la soirée, Andrew raccompagna Janet à son hôtel.

— J'étais heureux que tu sois là, Janet. Ces trois dernières années, je suis toujours sorti seul. J'avais oublié combien c'est agréable de faire des choses à deux.

— Pourquoi t'es-tu séparé de ta femme ? demanda brusquement Janet.

Andrew resta un instant interdit, puis il répondit :

— J'ai eu une liaison, un an et demi avant que l'on divorce. J'y ai mis un terme relativement vite, mais Clare ne s'en est pas remise. À la fin, elle perdait les pédales dès que j'avais dix minutes de retard. Un jour, ça n'a plus eu de sens.

Janet eut un petit sourire amer.

— Toujours le même…

Elle ouvrit sa portière et sortit de voiture.

— Ne bouge pas, dit-elle, voyant qu'Andrew s'apprêtait à l'imiter pour lui dire au revoir. Pas de bisou ce soir !

Elle claqua la portière et se hâta vers l'entrée de l'hôtel. Andrew descendit de voiture mais resta debout à côté de sa portière.

— Demain, c'est dimanche, lui lança-t-il. On pourrait aller à la campagne !

— Passe me prendre à dix heures ! répondit-elle par-dessus son épaule, puis elle s'engouffra dans la porte à tambour.

Dimanche 28 mai 1995

Tina se doutait que le dîner avec Mario et son père tournerait au désastre, et les faits semblèrent d'emblée lui donner raison. Pour commencer, le repas était raté. Tina était fine cuisinière mais ce jour-là, rien ne lui réussissait. La viande était dure, les légumes, d'abord fades, s'avérèrent trop salés après qu'elle eut rectifié l'assaisonnement. Le consommé qu'elle voulait servir en entrée était correct, mais elle fit légèrement brûler le fond de la tarte aux fraises prévue en dessert. Elle se retint avec peine de fondre en larmes, il ne manquerait plus qu'elle ait le visage bouffi et les yeux rouges ! Michael dressa le couvert dans la salle à manger, choisissant avec soin la vaisselle en porcelaine, leurs plus beaux verres et l'argenterie de famille de Marietta. Tina savait qu'il ne se donnait pas toute cette peine pour faire honneur à Mario, mais pour l'impressionner. Il n'avait aucune intention de laisser cette première rencontre avec l'ami de sa fille se dérouler dans la simplicité et la bonne humeur. Au contraire. La table mise, il disparut dans sa chambre. Il en ressortit en costume sombre, ses cheveux plaqués séparés par une raie et l'air hautain d'un lord anglais.

La reine elle-même n'aurait pas paru plus inaccessible, songea Tina avec horreur.

Mario arriva à sept heures tapantes. Il avait attendu dans sa voiture devant la maison pour presser le bouton de la sonnette pile à l'heure. Il offrit un bouquet de fleurs à Tina et une bouteille de vin à son père. Un regard suffit à Michael pour ne pas l'aimer.

À table, la conversation démarra péniblement. Quel que fût le sujet abordé par Mario ou Tina, Michael répondait par monosyllabes, de sorte qu'aucun échange n'était possible. La nervosité de Mario ne faisait que croître. Deux fois de suite, sa fourchette lui échappa et tomba bruyamment dans son assiette, puis il avala une gorgée de travers et toussa une bonne minute avant de pouvoir parler à nouveau. Tina sentait la moutarde lui monter au nez. Son père était vraiment impossible ! Qu'est-ce que ça lui aurait coûté d'être un peu aimable avec Mario ?

Michael ne daigna poser une question au jeune homme qu'une fois desservi le plat principal trop salé.

— Vous faites du droit ?

Le soulagement de Mario fut touchant.

— Oui. J'en suis au quatrième semestre.

— Ah. Quelles options ?

— Euh… droit pénal, pour les deux. Je viens de passer le petit BGB[1], mais je ne sais pas encore si je l'ai réussi.

---

1. Premier diplôme de droit, il valide l'acquisition des connaissances de base en droit civil. *(N.d.T.)*

Michael haussa les sourcils.

— C'est mince. Je présume que le droit public n'est pas votre passion ?

— Non, répondit courageusement Mario.

— Papa, ça n'a vraiment pas d'importance ! s'interposa Tina. Mario n'est pas venu pour passer un examen !

— Je pense au contraire que ce qu'étudie ce jeune homme est très important, répliqua sèchement Michael.

Puis, sans transition, il adressa une seconde question à Mario :

— Avez-vous fait votre service militaire ?

Tina aurait voulu rentrer sous terre.

— Je… non…, hésita Mario.

Le visage de Michael était aussi avenant qu'un masque de pierre.

— Objecteur de conscience ?

— Je… J'ai fait dix-huit mois de service civil dans une maison de retraite…

— Et je trouve ça drôlement courageux, commenta Tina. Laver des personnes âgées, leur donner à manger, les retourner dans leur lit… C'est la dernière chose que j'irais faire ! Je vais chercher le dessert. J'espère que vous avez encore de la place !

Quand elle eut disparu, Michael dit :

— Vous voulez donc partir avec ma fille ? Dans le sud de la France ?

— Oui. Mes parents possèdent une maison secondaire au-dessus de Nice.

— Ah. Vos parents approuvent votre projet ?

— Oui.

Mario ne dit pas que sa mère n'était pas au courant. Raconter que Janet était partie en Angleterre sans éprouver le besoin d'informer sa famille de l'endroit où elle se trouvait n'aurait pas fait très bon effet.

— Mes parents se réjouissent que l'un de nous retourne là-bas. Cela fait six ans que nous n'y sommes plus allés. Une personne du village s'occupe de tout, mais c'est toujours préférable d'aller se rendre compte par soi-même de l'état de la maison.

Michael se leva pour prendre une boîte de cigares posée sur une petite table.

— Vous avez des frères et sœurs ?

— Non, répondit Mario.

Une chance que Michael ne l'ait pas regardé à cet instant, car il avait légèrement rougi.

— Un cigare ?

Michael lui tendait la boîte ouverte. Mario secoua la tête.

— Non, merci. Je ne fume pas.

Michael alluma un cigare sans relever, laissant planer le doute sur son appréciation de cette information.

Ça ne doit pas lui plaire, décida Mario. Il était dépité et se sentait injustement traité. Ce n'était pas lui qui avait insisté pour partir en vacances avec Tina ! Bien au contraire, elle l'avait tanné pendant des semaines avant qu'il ne cède. Et voilà que ce type le traitait comme s'il voulait enlever sa fille ou faire je ne sais quoi avec elle. Pourquoi fallait-il que Tina ait un père pareil ?

Puis il songea que Tina était comme elle était précisément parce qu'elle avait ce père-là. C'était à lui qu'elle devait l'aura d'innocence qui avait d'emblée séduit Mario. Il avait pu tomber amoureux de Tina justement parce qu'elle n'était pas comme les autres. Aux yeux de Mario, elle était parfaite, mais l'expérience lui avait appris que, dans la vie, il y avait toujours un hic quelque part. En ce qui concernait Tina, le hic, c'était le fumeur de cigare mal embouché qui trônait à l'autre bout de la table.

Quand Mario prit enfin congé, Tina avait mal à la tête et un goût amer dans la bouche. Elle rassembla les assiettes à dessert en les entrechoquant sans ménagement, les emporta dans la cuisine où le reste de la vaisselle s'empilait déjà, et commença à remplir le lave-vaisselle à grands gestes rageurs. Un verre vola en éclats à l'instant même où Michael apparut sur le seuil. Il sursauta.

— Oh là, doucement ! Pourquoi jettes-tu la vaisselle comme ça dans la machine ?

— Parce que je suis furieuse, voilà pourquoi !

Tina partit à la pêche aux morceaux de verre en glissant sa main entre les paniers.

— Tu as été nul, papa. Quand tu ne faisais pas comme s'il n'était pas là, tu le traitais comme un abruti complet. Tu as passé ton temps à essayer de le déstabiliser. Et la façon dont tu lui as posé des questions sur ses études… J'ai eu honte !

— J'ai tout de même le droit de savoir avec qui ma fille tout juste majeure veut partir en vacances !

— Tu viens de le dire : majeure. Je suis adulte. Tu ne peux pas me faire confiance ? Tu t'es comporté comme si tu avais devant toi un témoin qu'il fallait à tout prix intimider. Mario n'est pas un criminel.

Et tu n'es pas procureur vingt-quatre heures sur vingt-quatre !

Michael demeura un instant silencieux.

— Il ne me plaît pas, dit-il enfin.

— Je m'en serais doutée, répliqua Tina d'un ton faussement ironique, et presque dans le même temps, elle poussa un cri de douleur.

Du sang apparut sur l'index de sa main droite : elle venait de se couper. En deux pas Michael fut près d'elle, sortit un mouchoir de sa poche et l'embobina autour de son doigt. Il a toujours, *toujours*, un mouchoir propre à portée de main, songea Tina, et, subitement, elle fondit en larmes. Ses pleurs se transformèrent bientôt en sanglots déchirants. Michael la prit dans ses bras et la serra contre lui. Elle resta ainsi un long moment, secouée par les sanglots, tremblante comme la flamme d'une bougie dans un courant d'air. La chemise immaculée de son père était couverte de traces de mascara noir.

En dépit de la note discordante sur laquelle ils s'étaient quittés la veille, Janet et Andrew passèrent un excellent dimanche. Ils entamèrent leur périple par Windsor où ils flânèrent deux heures dans l'enceinte du château, puis ils gagnèrent Henley et firent une longue promenade le long de la Tamise en rêvant devant les merveilleuses maisons qui jalonnaient les berges. Pour le déjeuner, ils mangèrent des sandwiches dans un pub et, sur le chemin du retour, s'arrêtèrent pour dîner dans une auberge de campagne non loin de Newbury. Dehors, le soir tombait sur une belle journée de mai, un vent frais s'était levé. Andrew s'assit en face de Janet et posa sur elle un regard à la fois pensif et tendre.

— Tu as l'air particulièrement jeune, aujourd'hui, dit-il. Le vent dans les cheveux, les joues roses, ça te va bien.

— Et toi, tu es légèrement hâlé. C'est très chic avec tes cheveux gris.

Il rit, mais son rire n'effaça pas l'expression tendue qui marquait son visage. Janet effleura son bras.

— Quelque chose te tracasse depuis ce matin. À quoi penses-tu ?

— Bah, ce n'est pas vraiment le moment d'en parler.

Il fit un signe à la serveuse pour demander l'addition.

— Un problème de boulot.

— Ça m'intéresse.

— Une sale affaire... Un psychopathe que je voudrais voir coffrer pour le restant de ses jours. Son avocat va plaider l'irresponsabilité mais j'espère que l'accusation va réussir à obtenir la peine maximale.

Andrew se passa la main sur les yeux. Il paraissait soudain très fatigué.

— Je n'ai toujours pas appris à prendre mes distances. Je n'y arrive pas.

— Et qu'a-t-il fait ? demanda Janet.

— Tu tiens vraiment à le savoir ?

— Oui...

— Il a tué quatre personnes – ou plutôt : il a reconnu en avoir tué quatre. Il y en a sans doute beaucoup plus. Des femmes, toutes jeunes et jolies.

Janet déglutit.

— Il s'y est pris comment ?

— Il leur est tombé dessus dans un endroit désert, les a fourrées dans sa voiture et transportées dans une maison de campagne abandonnée des environs de Basildon. Où il les a tuées. Sinon, il habite Londres.

— À qui appartient la maison ?

— C'était une maison à moitié en ruine. Les propriétaires ne l'occupaient plus. Il y a longtemps qu'elle aurait dû être rasée, mais pour une raison quelconque, les choses ont traîné en longueur. Elle est donc restée debout et a commencé à tomber en morceaux.

— C'est toi qui as dirigé l'enquête ?

Andrew hocha la tête.

— Des femmes de la région de Londres ont commencé à disparaître sans laisser de traces. Elles n'étaient pas du même milieu, n'avaient rien en commun à l'exception d'une chose : comme je te l'ai dit, elles étaient toutes jeunes et remarquablement jolies. Pendant des mois nous avons cherché, fouillé, traqué le moindre indice. Sans résultat. Puis une de ses victimes est parvenue à s'échapper.

— De la fameuse maison ?

— Oui. Manque de chance pour lui : c'était une coureuse de fond parfaitement entraînée. Elle a réussi à se défaire de ses liens et à filer, et il n'a pas pu la rattraper. Elle nous a aussitôt prévenus et conduits à la maison.

Janet avait la gorge sèche.

— Et là, vous avez trouvé… ?

— … quatre cadavres de femmes, oui. Et tout un attirail pornographique. Des quantités de magazines salaces et d'ustensiles sadomasos.

— Quelle horreur, murmura Janet. Pauvres femmes !

— Votre addition, monsieur ! annonça la serveuse en posant la note sur la table. C'était presque l'été, aujourd'hui, pas vrai ?

— Croisons les doigts pour que l'été tienne les promesses du printemps, répliqua Andrew en sortant son portefeuille.

Janet, qui l'observait, se rendit compte à cet instant que son pull-over bleu foncé était fait main. Il présentait quelques petites irrégularités qui lui donnaient un charme supplémentaire. Elle se demanda qui l'avait tricoté. Sa femme ?

Ils quittèrent l'auberge et regagnèrent la voiture. Il faisait presque nuit à présent. Lorsqu'ils furent installés, Janet recommença à poser des questions.

— Il a tué les femmes dans cette maison, alors ?

Andrew mit le moteur en marche et démarra. Il se concentrait sur la conduite comme pour éviter de se laisser submerger par les sentiments que lui inspirait cette affaire.

— Il les a torturées à mort. J'ai vu les corps ; permets-moi de t'épargner les détails. Il les a ensuite cachées tant bien que mal dans un ancien appentis adossé à la maison…

— C'est dans la maison que vous l'avez interpellé ? Vous êtes allés l'attendre là-bas ?

Andrew secoua la tête.

— Il était trop malin pour y retourner. Non, les indications fournies par la jeune femme nous ont permis d'établir un portrait-robot qui a été diffusé dans la presse et à la télévision. Nous avons reçu un appel anonyme, probablement d'un des voisins de ce Fred Corvey – c'est son nom. Quand on est arrivés chez lui, il était soûl comme un Polonais. Il a aussitôt reconnu les faits.

— Il a avoué ?

— Ses aveux spontanés n'avaient aucune valeur puisqu'il n'était pas en état de se rendre compte de ce qu'il racontait. Nous avons procédé à un autre interrogatoire lorsqu'il a été à jeun. Il a été informé de ses droits et de ses obligations : il pouvait refuser de déposer, mais s'il le faisait, tout ce qu'il dirait pourrait être utilisé contre lui. Il a déclaré avoir compris, puis il a reconnu une seconde fois être coupable de toutes les accusations portées contre lui. Il n'a rien ajouté de plus.

— Tu as pu lui reparler par la suite ?

Andrew haussa les épaules dans un geste de regret.

— Je n'en ai pas le droit. Les interrogatoires ont lieu au tout début de l'instruction. Après l'incarcération, on ne peut plus rien faire.

— Mais tu as ses aveux !

— Oui. Et je l'ai fait inculper. J'espère que je n'ai pas eu tort. Car hormis ses aveux, je n'ai rien à lui opposer.

— Il y a tout de même une audience ?

— Une audience préliminaire a eu lieu, au cours de laquelle le juge a requis une audience principale. Des aveux pèsent toujours lourds. Et la procédure anglaise diffère de la procédure allemande : à l'ouverture de l'audience principale, on demande à l'accusé s'il plaide coupable ou non coupable. S'il reconnaît sa culpabilité, le jugement peut pratiquement être prononcé dans la foulée, sans qu'il soit nécessaire de produire des preuves supplémentaires. En d'autres termes, si Corvey ne revient pas sur ses aveux, c'est gagné.

— Et tu crains qu'il n'en reste pas à sa première version ?

— J'ai un mauvais pressentiment…

— Mais il a fait des aveux, insista Janet. Et il était informé que cela peut être utilisé comme preuve contre lui. Tu viens de dire que des aveux avaient toujours de l'importance. Il ne va pas dire maintenant : C'était une blague, je vous ai bien eus !

— Ce n'est évidemment pas aussi simple. Mais j'ai déjà eu des surprises désagréables… Enfin, je noircis peut-être inutilement le tableau.

— Et cette jeune femme qui vous a aidés à l'arrêter ?

— Je crois qu'elle a peur du jour où il va sortir de prison. Toujours est-il que, lors de la confrontation, elle a fait marche arrière. Elle ne l'a pas formellement identifié.

— Il doit bien y avoir ses empreintes dans la maison, non ?

— Non. Corvey est très malin. Il a toujours porté des gants. Les empreintes que l'on a trouvées appartiennent toutes aux victimes. Des marques de pas ont été relevées dans la poussière, et elles correspondent à la pointure de Corvey, mais nous n'avons pas trouvé de chaussures dont les semelles présenteraient un relief identique. Il faut dire qu'il a eu tout le temps de faire le ménage chez lui. Même son break n'existe plus.

— Il avait un break ?

— Une antiquité. Il l'a mis à la ferraille la veille du jour où il s'est fait pincer. Le lendemain, la bagnole n'était plus qu'un tas de tôle.

— C'est tout de même un peu gros, tu ne crois pas ?

— En effet. Et je ne doute pas une seconde de sa culpabilité. Mais son avocat ne va faire qu'une bouchée de ces arguments. Ce n'est pas interdit de mettre une épave à la ferraille.

— N'empêche, ils sont drôlement rapides, ces ferrailleurs.

— Il a dû graisser la patte de quelqu'un pour faire accélérer le rythme. Et ils n'osent pas le dire. D'après eux, c'est un pur hasard que le véhicule de Corvey soit passé aussi vite au compactage.

— C'est incroyable, tout de même !

— Corvey a une tante qui vit à Basildon, il y est souvent allé. Tout porte à croire qu'il a découvert la maison abandonnée au cours de ses pérégrinations. Mais avoir une tante à Basildon n'est pas une preuve suffisante non plus.

— Le portrait-robot, s'enflamma Janet, c'est une preuve, ça, non ?

— Qui n'a guère de valeur. Il est à peine ressemblant. Je suis sûr que notre correspondant anonyme avait ses propres raisons de soupçonner Corvey, ce qui me permet de penser qu'il s'agit d'un voisin. Il a dû remarquer quelque chose d'anormal. Nous cherchons toujours à l'identifier. Mais nous nous heurtons à un mur. Les gens ont peur, et je peux les comprendre. Si Corvey a fait ce dont on l'accuse, ce n'est pas un homme, c'est un monstre.

— Vous avez relevé des traces de sperme ?

— Non. Les victimes n'ont pas été violées. Nous supposons que l'auteur des crimes prenait son pied en même temps qu'il les torturait, mais il a été sacrément prudent. Nous n'avons trouvé de traces de sperme nulle part, ni sur les murs ni sur le sol, rien.

Ils demeurèrent l'un et l'autre silencieux, jusqu'à ce que Janet s'exclame :

— Pourquoi les hommes font-ils des choses pareilles aux femmes ?

Surpris par sa véhémence, Andrew se tourna vers elle. Il faisait sombre dans l'habitacle de la voiture, mais sa pâleur et sa tension étaient visibles.

— Que veux-tu dire, au juste ?

— Comment peut-on prendre du plaisir à torturer une femme ? À l'humilier ? Et pire, à la tuer ?

— Je ne sais pas, répondit Andrew en regardant de nouveau droit devant lui. C'est quelque chose que je n'arrive pas à comprendre. Ça m'échappe complètement.

— À de rares exceptions près, on ne rencontre jamais ça chez les femmes. Il arrive, bien sûr, que des femmes tuent des hommes, mais les victimes ne sont pas choisies au hasard, et il y a derrière ces crimes une raison précise : de la jalousie, la peur de perdre ses enfants, une histoire d'argent ou d'héritage... Mais combien de femmes as-tu rencontrées qui agressent des hommes dans la rue, les kidnappent et les massacrent pour satisfaire leurs pulsions sexuelles ?

— Personnellement, aucune. J'ai eu affaire à des criminelles qui n'y étaient pas allées de main morte avec leurs victimes, mais tu as néanmoins raison : leurs actes, aussi abjects qu'ils aient été, avaient toujours un mobile tangible et, je pourrais presque dire, compréhensible.

— Ce... ce Fred Corvey... il doit ressentir pour les femmes une haine sans bornes.

— Il semble que sa haine des femmes ne vienne qu'en seconde position. Dans un cas comme celui-ci, c'est essentiellement à la peur que les psychologues attribuent le facteur déclenchant, une peur panique des femmes, qui expliquerait qu'un homme ne puisse avoir d'érection que lorsque la femme se trouverait en situation d'infériorité par rapport à lui et qu'il puisse la manipuler et en jouir à sa guise.

Janet s'efforçait de percer l'obscurité, les ombres noires des buissons et des arbres qui défilaient derrière sa vitre. Elle frissonna.

— Tu pourrais mettre un peu de chauffage ?

Andrew tourna un bouton.

— Je crois que je t'ai choquée. Je n'aurais rien dû te raconter de tout ça.

— Mais si, ça m'intéresse. À ton avis, comment un homme en arrive-t-il là, comment devient-on un Corvey ?

Andrew haussa les épaules.

— Je ne sais pas. Je ne suis pas psychologue. Il est probable que cela remonte à la petite enfance.

— La faute des mères, dit Janet, d'une voix qui était montée d'une octave. C'est toujours ce qu'on dit. Les mères de ces pervers, de ces détraqués ont toujours fait quelque chose de travers !

Andrew lui jeta de nouveau un bref coup d'œil, surpris par son ton.

— Mais enfin, Janet, pourquoi t'énerves-tu comme ça ? En plus, tu simplifies trop. Pourquoi faudrait-il que ce soit toujours la mère ? Pourquoi pas le père, ou un prof – ou un événement complètement extérieur à la famille ? Tu ne peux pas porter de jugement global.

— Tu as raison, dit Janet à voix basse.

Elle posa son front contre la vitre froide. Ils n'échangèrent plus un mot jusqu'à Londres. Au lieu de prendre directement la direction de l'hôtel, Andrew s'arrêta devant chez lui. Il coupa le moteur et éteignit les phares.

— Je n'ai pas très envie de me retrouver seul, dit-il prudemment. Ça te dit de monter prendre un dernier verre ?

Janet hésita.

— Andrew...

Elle savait ce qui allait se passer si elle montait avec lui. Elle le savait d'autant mieux qu'il n'y avait rien à cet instant qu'elle ne désirât davantage. Seul un minuscule reste de loyauté envers Phillip la retenait encore.

Andrew lui prit la main.

— Janet, je n'ai pas besoin de te raconter d'histoire, n'est-ce pas ? J'ai très envie de faire l'amour avec toi. Mais la décision t'appartient. Cela ne changera rien entre nous si nous nous contentons de boire un verre et si je te raccompagne ensuite à ton hôtel. D'accord ?

— D'accord, répondit Janet en ouvrant sa portière.

Une seconde d'hésitation lui parut suffisante pour respecter les convenances ; elle pouvait maintenant oublier son mari.

Dimanche 4 juin 1995

— Ça me plaît pas, de lâcher Tina comme ça, toute seule dans la nature, lança Dana qui se mettait du vernis à ongles, assise à la table de la cuisine.

Sa mère était allongée par terre dans un coin de la pièce, sur un tapis de laine. Elle était étendue sur le dos, en appui sur les avant-bras, une jambe pointée en l'air. Une feuille était punaisée au mur, à la hauteur de ses yeux. Une série d'exercices destinés à raffermir les tissus et renforcer la musculature y figurait. Karen Graph était en permanence en phase d'apprentissage, et c'était toujours avec une persévérance proche du fanatisme qu'elle s'adonnait à la réalisation de son projet. Pour l'heure, elle se consacrait à un programme d'entraînement physique. Dana avait préféré la phase précédente. Quelques semaines durant, Karen s'était mis en tête de devenir un cordon-bleu. Elle avait rapporté à la maison tout un tas de livres de cuisine et des tonnes de victuailles. Il y avait eu quelques ratages, mais aussi de superbes réussites. Comme d'habitude, Karen avait fini par se lasser et s'était tournée vers de nouvelles aventures. À présent, leurs repas se composaient essentiellement de muesli et de crudités, mais Dana n'en approuvait pas moins cette lubie-là. L'important était que Karen ait un objectif vers lequel canaliser son énergie. Car dans les périodes « creuses », elle était dépressive et buvait trop – et ça, c'était pire que tout.

— Tu devrais te réjouir qu'elle fasse enfin quelque chose sans que tu lui tiennes la main, répondit Karen à la remarque de sa fille.

Cela faisait maintenant un bon moment qu'elle avait une jambe en l'air, et son élocution s'en ressentait.

— Il est temps qu'elle sorte de chez elle et que son père la lâche un peu ! ajouta-t-elle en soufflant.

— Bien sûr. C'est d'ailleurs pour ça que je l'ai encouragée à partir, au début. À vrai dire, l'idée de ce voyage vient de moi.

Dana écarta les doigts et les agita pour faire sécher le vernis.

— Mais maintenant, je le regrette. Je le sens pas, ce voyage.

— Quand partent-ils ?

— Demain matin.

— J'irais bien en Provence, moi aussi, soupira Karen.

— Essaie de vendre un sujet sur l'endroit à un journal et fais-toi envoyer là-bas, suggéra Dana. Je veux dire, dans le Midi de la France. Et puis de toute façon, un peu d'argent ne nous ferait pas de mal.

— Je sais.

Karen laissa retomber sa jambe sur le tapis avec un soupir de soulagement, et attendit un instant avant de lever l'autre.

— Mais pour le moment, c'est le calme plat. Personne n'a de boulot pour moi.

— Tu devrais peut-être essayer un style un peu sérieux, avança prudemment Dana.

Sa mère était beaucoup trop excentrique à son goût. N'importe quel rédacteur en chef devait sursauter quand elle entrait dans son bureau. Dana trouvait idiot de juger les gens sur leur apparence, mais elle savait que c'était une tendance générale, à quelques exceptions près, et qu'il valait mieux hurler avec les loups si l'on voulait arriver à quelque chose. Avec ses cheveux rouge carotte coupés ras, ses leggins aux couleurs pétantes et ses immenses boucles d'oreilles de gitane, Karen ne décrocherait jamais les contrats qu'elle voulait avoir, et qui étaient, par ailleurs, tout à fait dans ses cordes. Le lui dire requérait cependant beaucoup de doigté et Dana préférait attendre un moment propice.

— Bah, ça va bien repartir un jour ou l'autre, dit Karen gaiement.

Elle laissa retomber sa jambe, s'assit en tailleur et observa sa fille.

— Tu en fais une tête ! C'est à cause de Tina ? Tu es encore plus mère poule que son père !

— Je n'aime pas ce Mario, dit Dana d'un ton songeur. Il y a quelque chose chez lui qui ne me plaît pas.

Karen se leva, attrapa une pomme dans la corbeille de fruits posée près de la fenêtre et s'assit en face de sa fille. L'effort avait fait apparaître une fine pellicule de sueur sur son front.

— Tu es jalouse, mon trésor, dit-elle. Quelque énergie que tu aies mise à l'encourager à voler de ses propres ailes et à se trouver un petit ami, tu étais habituée à l'avoir toute à toi et à être la seule qui comptait pour elle.

— Pas du tout. Comme tu le dis très justement, je l'ai toujours encouragée à faire des choses toute seule et…

— Bien sûr, l'interrompit Karen, mais tu ignorais combien ça t'ennuierait quand elle le ferait pour de bon. Et ne va pas la dissuader de partir, maintenant. Il est temps que vous laissiez Tina vivre sa vie, toi comme son père.

— Tu as peut-être raison, marmonna Dana.

Était-il possible que la jalousie fausse son jugement sur Mario ? Sa mère n'avait pas complètement tort. Pourtant… il n'y avait rien à faire, elle ne parvenait pas à se départir d'un sentiment désagréable. Justifié ou injustifié, il était là, fiché dans sa tête, et il la turlupinait et la rendait nerveuse. Elle allait devoir déployer des trésors d'énergie pour penser à autre chose au cours des semaines à venir.

— Et vous n'avez aucun signe de vie de Janet ? fit Maximilian, incrédule.

Assis sur le sable blanc et fin, au soleil, il laissait les vagues encore froides de la Baltique lécher ses pieds nus. Rien ne troublait le silence de la petite baie, hormis les cris de quelques mouettes qui fendaient l'azur immaculé du ciel. On entendait, dans le lointain, le vrombissement d'un avion. Des abeilles bourdonnaient. Mario était assis sur un rocher. Il était en jean et tee-shirt, comme son frère, mais il avait gardé ses chaussettes et ses chaussures. Il était pâle et nerveux.

— Non, aucun. Elle aurait aussi bien pu s'évaporer.

— Et papa n'a pas l'intention de prévenir la police ? Il est tout de même possible qu'il lui soit arrivé quelque chose.

Mario regardait l'horizon. La mer lui donnait toujours un sentiment de calme et de sérénité. Le murmure du ressac, l'odeur de sel et d'algues avaient un effet apaisant sur le tumulte intérieur qui l'agitait et menaçait si souvent de déborder.

— Papa ne croit pas qu'il lui soit arrivé quelque chose, dit-il.

Maximilian se tourna vers lui, étonné.

— Il en est si sûr ?

— Nous n'en avons pas parlé. C'est l'impression qu'il donne. Et je sais ce qu'il pense.

— D'où sais-tu…

Maximilian s'interrompit, prit une longue inspiration.

— Il pense à… Andrew Davies ?

— Et j'y pense aussi.

— Après toutes ces années… tu crois vraiment que c'est possible ?

— Ils n'ont jamais réellement rompu. En tout cas, pas en pensées. Janet n'a jamais cessé de se consumer pour lui.

— Elle n'avait qu'à rester avec lui, alors, rétorqua Maximilian en ramassant une poignée de sable qu'il jeta dans l'eau d'un geste rageur. Ç'aurait été dur, mais honnête vis-à-vis de papa.

— Elle ne l'a peut-être pas fait à cause de nous. Ou pour se protéger.

— Se protéger ? Et de quoi ?

— De Davies. Elle devait savoir qu'elle risquait de souffrir si elle restait avec lui.

— Qu'est-ce qui lui permettait de penser ça ?

— Il y avait chez lui… quelque chose d'instable, d'imprévisible…

Maximilian considéra son frère d'un air songeur.

— Tu te souviens drôlement bien de lui. On n'avait pourtant que six ans quand ils se sont séparés.

— J'ai trouvé des photos de lui, quelque temps plus tard. Dans le bureau de Janet.

Maximilian rit.

— Tu as fouillé dans ses affaires ?

— Oui.

— Je vois. Et tu as déniché autre chose ? Des lettres ?

— Non, rien. Seulement ces photos.

Maximilian hocha lentement la tête, puis demanda sans transition :

— Tu pars à Duverelle demain matin ?

— Oui, vers sept heures et demie.

— J'aimerais bien savoir ce que tu vas faire là-bas tout seul, dit Maximilian. Tu n'as pas peur de t'y sentir très isolé ?

Mario se leva, mit ses lunettes de soleil, passa les doigts dans ses cheveux noirs.

— C'est peut-être justement ce que je recherche, dit-il.

Comme il est beau, songea Maximilian. Lorsque la beauté éclatante de son frère le frappait par surprise, comme en cet instant, il oubliait pendant quelques secondes qu'ils étaient jumeaux. Il pouvait alors le regarder comme s'il était un inconnu, l'admirer, contempler la régularité de ses traits, sa silhouette mince, son corps bien découplé. C'était une expérience étrange et exceptionnelle. Ils étaient trop intimement liés, trop fondus l'un dans l'autre pour pouvoir sortir sur commande de l'être *unique* qu'ils formaient et se transformer en observateur extérieur. Ils avaient souvent parlé de leur gémellité, du lien singulier qui les unirait leur vie durant. Ils en avaient la même perception : ils se sentaient une seule et même personne, deux exemplaires d'un même être. Mario et Maximilian, Maximilian et Mario. Leurs prénoms étaient un hasard, et celui de l'un aurait aussi bien pu être attribué à l'autre. Leurs deux corps étaient un hasard ; le corps de l'un aurait aussi bien pu appartenir au prénom de l'autre. Qu'ils aient chacun une identité différente était à leurs yeux une fantaisie, un caprice de la nature qui s'était amusée à doter un être de deux corps, et la manifestation tangible du manque de clairvoyance de leurs parents qui leur avaient donné deux prénoms.

Tandis qu'il contemplait son frère, Maximilian prit brusquement conscience du caractère éphémère de cet état qui lui permettait de se distinguer de son double. Mais à peine avait-il formulé cette idée dans son esprit que déjà leurs images se superposaient et c'était *son* reflet qu'il regardait, *sa* beauté qu'il admirait.

Il se leva à son tour, ramassa ses chaussures et ses chaussettes. Le sable collait à ses pieds mouillés.

— On devrait retourner à la clinique, dit-il. Tu as encore une longue route devant toi d'ici à Hambourg. Et tu te lèves tôt demain.

— Tu as raison, acquiesça Mario.

Ils abandonnèrent la plage et regagnèrent lentement la voiture de Mario, du même pas lourd, silencieux. Au loin, le soleil amorçait déjà sa descente vers la ligne noire d'une forêt de pins.

Brusquement, Maximilian s'immobilisa et, comme s'il suivait une soudaine inspiration, demanda à son frère :

— Tu me caches quelque chose, n'est-ce pas ? C'est... je le sens...

Mario, qui s'était lui aussi immobilisé, ne répondit pas. Son regard était invisible derrière ses lunettes noires et son visage impassible.

— Davies, dit Phillip, oui, Andrew Davies. À Londres. Pardon ?

Il attendit, l'écouteur du téléphone collé à son oreille.

— Non. Je ne connais pas l'adresse exacte mais je sais que c'est à Chelsea. S'il habite toujours là.

Il avait un jour trouvé une lettre de Davies, dans le bureau de Janet où il avait eu l'inélégance de fouiner. Une unique lettre, brève et purement factuelle, dans laquelle Davies l'informait qu'il travaillait depuis plusieurs années pour Scotland Yard et avait emménagé à Londres. Pas de déclaration d'amour, pas de « je t'aime » ou de « tu me manques » grandiloquents. Phillip avait tenté de retrouver la lettre dans l'espoir d'y découvrir l'adresse, mais pas moyen de la dénicher. Janet l'avait donc emportée, et pourquoi sinon parce qu'elle en avait besoin ? La bouche sèche, il avait essayé de se souvenir du nom de la rue, sans succès. Mais Chelsea lui disait quelque chose.

— Oui… oui, merci, je vous écoute…

Le combiné coincé dans le creux de l'épaule, il griffonna sur un calepin le numéro que lui donnaient les renseignements internationaux. Puis il raccrocha, regarda fixement la feuille et se demanda s'il avait *réellement* envie de savoir…

Il décrocha à nouveau, composa l'indicatif de l'Angleterre, puis celui de Londres, et enfin le numéro de Davies. Une première sonnerie, une seconde… Il se rendit compte que ses mains tremblaient et que son front était couvert de sueur.

— Du calme, il n'y a pas de quoi paniquer, marmonna-t-il.

Quelqu'un décrocha.

— Allô ? fit une voix de femme.

Janet.

Phillip raccrocha comme si le téléphone lui avait brûlé les doigts, et fixa l'appareil d'un œil stupide. Il s'en était douté, au fond, il n'était même pas surpris. Mais il avait reçu une vraie décharge électrique. Cette voix si familière qui répondait au téléphone d'un autre homme, tout naturellement, comme si cela allait de soi. S'était-elle installée chez lui ?

Phillip détacha ses yeux du téléphone et se dirigea lentement vers le séjour où il se servit un cognac. Il avait déployé une telle énergie à combattre sa jalousie, à la refouler dans les oubliettes de son âme que la violence avec laquelle elle venait de resurgir l'anéantissait. Comment était-il possible que cela fasse encore si mal, après tant d'années ? Il y avait longtemps – du moins le croyait-il – qu'il s'était accommodé de la nature essentiellement amicale des sentiments que Janet lui portait. Elle l'aimait bien, voyait en lui un compagnon sur lequel elle pouvait compter, avec qui les petits soucis de la vie quotidienne étaient plus faciles à gérer que seule. Phillip, le père de ses enfants, une épaule sur laquelle poser sa tête de temps à autre. Un rôle de merde, oui, qu'elle lui avait assigné.

Mais aussi, qu'est-ce que j'ai fait pour faire évoluer cette satanée situation ? songea Phillip qui sirotait son cognac en contemplant par la fenêtre cette journée estivale qui s'achevait. Rien. Absolument rien. J'ai brillé par mon absence de réaction, ça on peut le dire.

Quand il l'avait connue, Janet avait dix-huit ans. Elle était fille au pair dans une famille allemande. Elle était venue à Munich pour apprendre la langue, disait-elle. Il s'avéra par la suite qu'elle avait surtout quitté l'Angleterre pour essayer d'oublier Andrew Davies.

Et il se trouva que Phillip avait les qualités requises pour l'y aider. Il était encore étudiant, beau garçon, avait une vie sociale animée et connaissait la terre entière. Où qu'il aille, il emmenait Janet et veillait à ce qu'elle ne reste pas seule à ruminer dans son coin. Ils allèrent à des soirées, au cinéma et au théâtre, ils firent des randonnées en montagne et passèrent un merveilleux été chez des amis dans le Midi de la France. Leur relation resta strictement platonique pendant neuf mois, alors que Phillip était amoureux de Janet depuis belle lurette. Lorsque enfin elle devint son amante, il sentit chez elle beaucoup de résignation et peu de passion. Il en prit son parti, en espérant que le temps jouerait en sa faveur, misant sur quelque chose qui ne s'était finalement jamais produit. À la réflexion, il attendait encore ce moment quand il l'avait entendue répondre au téléphone de Davies. Il attendrait jusqu'à son dernier souffle, il espérerait toujours. Et il continuerait de se ridiculiser.

Je suis un vrai perdant, se dit-il. Tout le monde peut perdre, mais il faut être un looser de première pour s'avouer vaincu sans même avoir essayé de se battre. Pour accepter l'échec comme s'il faisait intrinsèquement partie de soi.

D'ailleurs, il n'y avait pas de si. L'échec était le destin du nul, il le savait. Alors autant l'accepter et s'accommoder de son rôle.

Il demeura longtemps debout devant la fenêtre, sans se rendre compte que la nuit tombait, une nuit de juin, tiède et claire, où les vers luisants brillaient dans l'herbe des prairies. Il n'émergea de sa torpeur qu'au son de la porte qui claqua et le fit sursauter. Mario entra dans la pièce.

— Tu n'es pas couché ? s'étonna-t-il. Qu'est-ce que tu fais dans le noir ?

Phillip se retourna.

— Je réfléchissais. Tu étais avec Maximilian ?

— Oui, mais je me suis aussi promené un peu dans la région. La nuit est magnifique.

— Je n'y ai pas vraiment fait attention, avoua Phillip.

Il faisait distraitement tourner le verre vide dans ses mains.

— Tu as fait tes bagages ? Si vous voulez partir tôt…

— Non, pas encore. Mais il faut que je m'y mette, tu as raison.

Il n'a pas envie de partir, songea Phillip.

Il sentait que le manque d'enthousiasme de son fils aurait dû l'inquiéter, mais il avait déjà trop de soucis, trop de problèmes personnels à résoudre pour en supporter davantage.

— Je vais me coucher, dit-il. Réveille-moi au moment de partir, même s'il est très tôt.

Il se dirigea vers la porte mais Mario le retint par le bras.

— Tu as eu des nouvelles de Janet ?

— Non, répondit Phillip en quittant la pièce.

— Professeur, je peux vous parler un instant ? demanda Maximilian.

Il avait intercepté Echinger dans le couloir, devant la porte de son bureau. La clinique était silencieuse, tout le monde devait déjà dormir, du moins toutes les parties communes étaient-elles désertes. Echinger revenait de l'une de ces longues promenades vespérales qu'il s'accordait après le dîner, avant de se remettre au travail pour une heure ou deux. Il n'avait besoin que de très peu d'heures de sommeil, ce qui engendrait chez ses collaborateurs un constant sentiment de culpabilité. Comparés à lui, ils avaient immanquablement l'impression d'être d'indécrottables paresseux.

— Monsieur Beerbaum ! s'exclama Echinger, surpris. Vous n'êtes pas encore couché ? Je ne vous ai pas vu au dîner, sinon je vous aurais annoncé la bonne nouvelle.

Il ouvrit la porte de son bureau.

— Je vous en prie.

Maximilian entra. Echinger s'assit à son bureau et fouilla dans une pile de documents dont il extirpa une feuille.

— La voilà ! L'attestation du tribunal régional de Flensburg. Votre obligation de séjour thérapeutique chez nous prend officiellement fin le 1er août prochain.

— Ah, fit Maximilian.

Ne sachant que faire de ses mains, il les fourra dans les poches de son pantalon avant de les en ressortir aussitôt. Il avait l'impression d'être un petit garçon.

— Asseyez-vous donc, dit Echinger.

Maximilian s'assit sur la chaise qui faisait face au bureau et découvrit la pièce sous un angle qui le mettait dans une position inhabituelle par rapport au professeur Echinger. Leurs entretiens se déroulaient habituellement à l'autre bout de la pièce, dans deux fauteuils en vis-à-vis. Séparé de son thérapeute par cet imposant et majestueux bureau, Maximilian se sentait tout petit. Et inférieur.

— Êtes-vous content ? demanda Echinger. Je veux dire, nous le savions, naturellement, mais maintenant c'est acquis, on ne reviendra plus dessus.

— Oui, je suis content. Bien sûr.

— Mais vous êtes aussi inquiet, n'est-ce pas ? Du nouveau, avec votre père ?

— L'Écosse est tombée à l'eau. Ma mère n'est pas allée au rendez-vous, et ce n'est pas leur genre de donner une seconde chance aux candidats. Mon père a bien essayé de les amadouer, mais il a usé sa salive pour rien. La place a été attribuée à quelqu'un d'autre.

— Ah. Vous êtes soulagé ?

Maximilian haussa les épaules.

— Dans un sens, oui. Mais je ne sais toujours pas ce que je vais faire. Avec les casseroles que je traîne derrière moi, mes atouts sont maigres.

Echinger se pencha en avant, ses yeux ne lâchaient pas ceux de Maximilian.

— Nous en avons si souvent parlé… Vous avez trop tendance à peindre les choses en noir, à tout interpréter à votre désavantage. C'est naturel, dans votre situation. Vous avez vécu six ans derrière les murs d'une clinique, il est normal que vous ayez peur de retrouver le monde extérieur. Mais acceptez que tout ne soit pas négatif, qu'il y ait de bonnes raisons d'être optimiste.

— Professeur Echinger…, commença Maximilian.

— Monsieur Beerbaum, l'interrompit Echinger, je ne vous l'ai encore jamais dit aussi directement, mais vous êtes le patient le plus intelligent que j'aie jamais eu. Je reconnais que votre passé représente une sérieuse hypothèque. Mais il n'y a pas que ça. Vous avez aussi un capital, monsieur Beerbaum : votre intelligence. Et ce capital, personne ne peut vous le prendre.

— Mais il est possible que personne ne le remarque.

— Ce qui est fort s'impose toujours, dit Echinger. Ne vous rendez pas les choses plus difficiles qu'elles ne le sont en étant trop exigeant avec vous-même. Ne soyez pas complice de ceux qui sont contre vous.

Il est convaincant, songea Maximilian, il sait s'y prendre pour motiver quelqu'un.

— Ma mère a disparu, annonça-t-il de but en blanc.

Echinger fronça les sourcils.

— Disparu ?

— Elle n'est pas rentrée à la maison. Et on n'a aucune nouvelle.

— Est-il possible qu'il lui soit arrivé quelque chose ? Votre père a-t-il un moyen de se renseigner, a-t-il prévenu les services compétents ?

— Non. Mon père est convaincu qu'elle va très bien. Il pense, et mon frère aussi, qu'elle est chez Andrew Davies.

Après six ans de thérapie, le professeur Echinger n'ignorait rien de la vie de la famille Beerbaum. Il sut tout de suite de qui il s'agissait.

— Andrew Davies. C'est l'homme qui…

— Oui. C'est lui. On a quelques raisons de penser qu'elle est chez lui. Elle était très… attachée à lui. Le fait d'être en Angleterre a dû raviver ses sentiments.

Echinger réfléchit puis posa sa question classique :

— Qu'éprouvez-vous exactement à l'idée que votre mère se trouve avec Andrew Davies ?

Maximilian secoua la tête.

— Non, professeur Echinger, nous ne sommes pas en séance. Je ne répondrai pas à cette question, pas cette fois.

— Et rien ne vous y oblige, dit doucement Echinger. Je pensais seulement que, puisque vous m'en aviez parlé…

Maximilian se leva.

— J'avais simplement envie de vous le dire. Pas d'en discuter avec vous.

— Vous avez attendu longtemps devant ma porte à une heure très tardive. J'en conclus que vous avez envie de parler.

— J'ai changé d'avis, dit Maximilian.

Il se dirigea vers la porte mais s'immobilisa, la main sur la poignée.

— Je crois que je ne veux pas savoir ce que j'éprouve quand je pense à ma mère et Andrew Davies. Pouvez-vous le comprendre ?

— Tout à fait.

Echinger se leva à son tour et observa Maximilian, attendant la suite. Celui-ci ouvrit la porte, fit un pas pour sortir, se retourna une nouvelle fois.

— Qu'est-ce qui vous permet d'être sûr que je suis guéri, professeur ?

— Que voulez-vous dire ?

— Ma sortie de cette clinique dépend en premier lieu de votre rapport d'expertise.

— Non. Elle dépend tout autant de celui des experts indépendants qui ont été nommés par le tribunal.

— D'accord. Mais au bout de six ans, votre avis a beaucoup de poids. Qu'est-ce qui vous permet d'être sûr de vous ?

— Vous. Ma certitude vient de vous.

— C'est tout de même une sacrée responsabilité que vous prenez là, non ? Et si vous vous trompiez ?

Il sortit sans attendre la réponse et referma doucement la porte derrière lui.

Echinger secoua la tête puis se rassit. Il avait l'habitude que ses patients jouent à le défier. Un thérapeute invitait à la provocation, c'était presque inhérent à sa fonction. Pas de quoi s'énerver ni se vexer.

Maximilian Beerbaum comptait parmi les plus belles réussites de sa carrière. Durant les deux premières années de son internement, il souffrait d'une dépression si grave qu'elle avait rendu quasi impossible toute approche thérapeutique. Il présentait par ailleurs des tendances suicidaires lourdes qui nécessitaient une surveillance de tous les instants. Puis son état s'était amélioré et il avait commencé à s'ouvrir aux autres ; lentement, étape par étape, Echinger était parvenu à gagner sa confiance et à travailler avec lui. Aujourd'hui, il avait la certitude que Maximilian était guéri, il en aurait mis sa main au feu... Sa main au feu ? Vraiment ?

Avec un soupir, il prit un livre posé sur son bureau et l'ouvrit.

Il ne parvenait pas à se concentrer.

Lundi 5 juin 1995

Au bout de dix heures de route, elle se rebella.

— Mario, je craque ! J'ai faim. Et je suis morte de fatigue. On ne pourrait pas commencer à chercher un endroit où dîner et dormir ?

Ils avaient franchi la frontière à Mulhouse et traversaient à présent la Bourgogne en direction de la vallée du Rhône. Il était dix-neuf heures, il faisait chaud et le soleil était encore haut dans le ciel. Ils avaient quitté Hambourg sous la pluie mais à mesure qu'ils étaient descendus vers le sud, le ciel s'était dégagé. À présent, seuls quelques petits nuages roses troublaient l'horizon.

— Tu veux dîner dans une ville ? demanda Mario sur un ton qui signifiait qu'il n'en avait absolument pas envie. Ça va être bondé partout !

— Il y a du monde aussi sur l'autoroute, répliqua-t-elle alors qu'un énième bouchon les obligeait à ralentir. Et je m'étais dit qu'on pourrait faire un peu de tourisme.

— Tu n'en as jamais parlé.

— Ça me semblait évident qu'on s'arrêterait en route pour faire quelques visites. Simplement, je ne savais pas où puisque je ne pouvais pas savoir à l'avance combien de kilomètres on réussirait à faire aujourd'hui.

Mario soupira. Tina se tourna vers lui, contempla son beau profil régulier. Même de côté, sa fatigue était visible. Mais il y avait aussi sur ses lèvres une expression très déterminée. Un soupçon s'empara de Tina.

— Tu ne veux tout de même pas rejoindre Nice ce soir ?

— Et pourquoi pas ?

— Il y en a encore pour au moins cinq cents kilomètres ! Il faudrait rouler toute la nuit !

— Mais ça nous ferait gagner un jour. Un jour de plus à passer là-bas.

— Un jour, tu parles ! Ça ne vaut pas le coup d'avaler des kilomètres toute la nuit pour ça !

— C'est toi qui voulais absolument aller en Provence, répliqua Mario. Et voilà que tu te moques d'avoir un jour de plus !

— Je trouve seulement que ça ne vaut pas la peine de rouler comme des malades. Il te faudra une semaine rien que pour te remettre du voyage.

— Penses-tu, j'encaisserai très bien, prétendit Mario. Mais si tu y tiens absolument…

C'était dit sur un tel ton que Tina fit marche arrière.

— Mais non, je n'y tiens pas. C'était juste une proposition.

Mario la regarda et lui sourit. Son visage s'éclaira, ses traits se détendirent.

— On va s'arrêter pour dîner quelque part. Tu veux bien qu'on cherche un endroit qui ne soit pas trop loin de l'autoroute ? Je déteste tourner dans des villes que je ne connais pas…

Ils finirent dans un restoroute mais Tina avait tellement faim qu'elle était prête à tout accepter. Depuis le petit déjeuner, ils n'avaient fait qu'une pause, dans une station-service des environs de Francfort. Ils avaient mangé des sandwiches secs comme du carton et garnis de fromage ressemblant à du plastique. Au moins ce restoroute-là était-il pimpant, et à leur étonnement, peu fréquenté.

Tina et Mario s'installèrent à une table d'angle et commandèrent chacun le même plat de pâtes. Tina voulut l'accompagner d'un verre de vin blanc mais Mario, qui conduisait, se contenta d'eau minérale. Des effluves appétissants provenaient de la cuisine, dehors le crépuscule nimbait le paysage d'une douce couleur gris-bleu. Tina se sentit apaisée, un peu somnolente. Elle contempla Mario. Quelle chance qu'elle l'ait rencontré et qu'ils partent maintenant en vacances ensemble. Elle tendit le bras au travers de la table et prit sa main.

—Je me réjouis de ces vacances, dit-elle doucement.

Il retint sa main dans les siennes.

—Moi aussi, Tina.

Il paraissait se détendre un peu lui aussi. Le contact de ses paumes était doux et frais.

Une serveuse apporta les boissons commandées. Tina détacha ses yeux de Mario et laissa un instant son regard errer dans la salle. Elle découvrit un homme assis en diagonale en face d'elle, derrière Mario. Il était vêtu d'un pull à col roulé marron en acrylique, et ses cheveux étaient gras. Ses yeux noirs en fente, très bridés, étaient rivés sur elle.

Tina détourna vivement la tête mais elle sentait le regard de l'inconnu peser sur elle et ne put s'empêcher de lui jeter un nouveau coup d'œil. Rien dans son attitude n'avait changé, il la regardait toujours fixement, aussi immobile que s'il avait guetté une proie.

— Mario, chuchota-t-elle, tout à l'heure, tu te retourneras discrètement. Il y a un type derrière toi, il me regarde comme s'il n'avait encore jamais vu de bonne femme !

Mario ne se retourna ni plus tard ni discrètement, mais immédiatement et ostensiblement. L'homme ne s'en émut pas. Pas une seconde il ne détacha ses yeux de Tina.

— Veux-tu que nous changions de place ? demanda Mario.

Tina secoua la tête.

— Bien sûr que non. Mais il a l'air un peu dingue, tu ne trouves pas ?

— Je le comprends, sourit Mario. Tu es tellement jolie, Tina, tu le troubles.

Leurs plats arrivèrent à cet instant, et Tina oublia de lui répondre. Les pâtes agrémentées d'une sauce industrielle n'avaient rien pour exciter les papilles, mais Tina dévora comme si elle n'avait pas mangé depuis trois jours.

— Tu penses qu'on arrivera vers quelle heure, demain ? demanda-t-elle quand elle eut fini son assiette tout en se laissant aller contre le dossier de sa chaise, rassasiée.

— Vers trois ou quatre du matin. Tu vas fermer les yeux, t'endormir et quand tu te réveilleras, on sera arrivés.

— Super.

Tina était d'accord. Elle n'était pas habituée à boire de l'alcool et son unique verre de vin avait suffi à lui faire agréablement tourner la tête. Ça ne la contrariait plus que Mario veuille faire le voyage d'une traite. Elle ne comprenait même plus pourquoi elle s'était énervée.

Derrière Mario, l'inconnu avait pris une salade et une bière. Il posa l'argent qu'il devait à côté de son assiette, se leva… et dévisagea à nouveau Tina. Elle détourna les yeux.

Leur addition réglée, Tina voulut se rendre aux toilettes. Mario sortit pour faire le plein en l'attendant. Pour atteindre les toilettes des femmes, Tina dut descendre deux volées de marches et remonter un long couloir sombre, dans lequel ses pas résonnaient. Elles étaient situées en sous-sol, sous la salle du restaurant, mais celui-ci étant construit sur une pente, leurs fenêtres, qui se trouvaient à l'opposé du bâtiment, donnaient au ras du sol.

Les lieux étaient déserts. Tina prit son temps, peigna longuement ses cheveux devant le miroir rectangulaire qui surplombait la rangée de lavabos et entreprit de se mettre du rouge à lèvres carmin foncé. C'était Dana qui l'avait convaincue d'acheter cette couleur.

« Avec Mario, faut que tu mettes le paquet, avait-elle décrété. Tu n'arriveras à rien avec le truc rose pâle que tu mets d'habitude ! »

Le résultat n'était pas si mal. Avec ce rouge sombre, elle faisait nettement plus âgée, et un peu plus sexy. Son père aurait trouvé ça épouvantable, mais elle avait hâte de voir la réaction de Mario.

Elle ouvrit toutes les portes des cabines avant de choisir celle qui lui paraissait la plus propre et de s'y enfermer. Alors qu'elle cherchait des yeux où accrocher son sac à main, elle entendit un bruit de pas.

Elle mit un certain temps à comprendre d'où il provenait. Puis elle se rendit compte que quelqu'un, dehors, longeait le mur des toilettes et s'arrêtait devant chaque fenêtre pour essayer de regarder à l'intérieur. Elle se figea. Les pas se rapprochaient. Les yeux écarquillés, la bouche sèche, elle fixait le vasistas de sa cabine. Une ombre apparut. Elle ne put en voir davantage à travers le verre dépoli, et le voyeur ne distinguait sans doute que ses contours. Mais il avait découvert où elle se trouvait.

Il s'accroupit. Tina entendit son souffle court par la fente étroite du vasistas entrouvert.

D'un coup, elle recouvra l'usage de son corps. Elle se rua sur la poignée de la porte pour la déverrouiller. Rien ne bougea. Quelque chose semblait bloquer le verrou, à moins qu'elle ne s'y soit prise de travers dans son émotion. Paniquée, incapable de se contrôler, elle agrippa la poignée et secoua la porte avec rage.

—Mario ! appela-t-elle d'une voix suraiguë. Mario, tu es là ?

Devant la fenêtre, l'ombre s'évanouit. Tina s'efforça de respirer lentement, profondément. Cela n'avait pas de sens de crier et de secouer la porte comme ça. Elle essaya à nouveau de faire tourner le verrou. La porte s'ouvrit sans problème.

Tina jaillit de la cabine. Elle faillit entrer en collision avec une femme qui venait d'entrer dans les toilettes et dévisageait, interloquée, cette jeune fille qui partait en courant comme une folle.

Elle remonta au rez-de-chaussée en grimpant les marches quatre à quatre, puis se força à ralentir. Elle traversa la salle du restaurant d'un pas normal et sortit enfin à l'air libre. Elle découvrit Mario à quelques mètres de là, devant une pompe de la station-service. Il commençait tout juste à remplir son réservoir.

— Mario, Dieu soit loué, tu es là ! s'exclama-t-elle en s'accrochant à son bras.

Mario la regarda avec incompréhension.

— Où voulais-tu que je sois ? dit-il en relevant d'un geste tendre une mèche rebelle qui barrait son visage. Tu as cru que j'allais partir sans toi ?

— Il y avait un homme devant la fenêtre ! Il a essayé de regarder à l'intérieur !

— Devant quelle fenêtre ?

— Dans les toilettes. Il respirait très fort et essayait de regarder à l'intérieur !

— Tu veux que j'aille voir ? Il est peut-être encore dans le coin.

— Non. Il n'est sûrement plus là. J'ai crié, ça lui a fait peur.

Tina se sentit brusquement stupide. Dans les sous-sols, les toilettes désertes et froides étaient inquiétantes, mais ici, des gens allaient et venaient, d'autres faisaient le plein d'essence, des enfants jouaient, deux chiens aboyaient furieusement, prêts à se battre, des grillons chantaient dans l'herbe. Qu'est-ce qui l'avait tant bouleversée ? Un minable voyeur qui devait passer son temps devant les fenêtres des toilettes des stations-service. S'il flanquait une frousse bleue aux femmes, il était sûrement inoffensif.

— C'était peut-être le type qui n'arrêtait pas de te dévisager, dit Mario en scrutant les alentours. Il n'a pas l'air d'être ici.

— Laisse tomber. Ça n'a pas d'importance de savoir qui c'était. J'ai eu peur, c'est tout. Viens, allons-nous-en.

Mario paya puis ils montèrent en voiture et reprirent l'autoroute. Tina s'efforçait d'oublier l'incident quand Mario remarqua :

— Il faut dire aussi que tu fais ce qu'il faut pour t'attirer ce genre d'ennuis. Tu es un peu provocante, non ?

Tina le regarda.

— Pardon ?

Mario garda les yeux fixés droit devant lui.

— Je ne t'ai encore jamais vue avec une jupe aussi courte.

Tina eut du mal à déglutir.

— Tu veux dire quoi, au juste ? C'est l'été, il fait chaud, on part en vacances ! Qu'est-ce qu'il y a de mal à porter une minijupe en jean ?

Enfin, il la regarda. Il souriait.

— Hé, inutile de monter sur tes grands chevaux ! J'ai seulement dit que...

— Tu as dit que je l'avais cherché. Comme si c'était ma faute.

— Je n'ai pas dit que c'était ta faute. Il y a des hommes qui considèrent une jupe aussi courte comme une invitation. C'est tout ce que j'ai voulu dire.

— Tu as parlé de provocation, insista Tina, et ça veut dire que tu me tiens pour partiellement responsable.

Mario leva les yeux au ciel.

— Ce n'était pas mon intention. Je me suis sans doute mal exprimé.

— Ça se pourrait, en effet, répliqua Tina, furieuse.

Mario demeura un moment silencieux, puis il demanda, d'un ton léger :

— Qu'est-ce que tu as fait avec ta bouche ?

— Avec ma bouche ?

Elle resta un instant interdite et porta la main à ses lèvres. Elle avait complètement oublié le nouveau rouge à lèvres.

— J'ai quelque chose ?

Il sourit.

— Un peu trop de rouge à lèvres.

— Oh… ça ne te plaît pas ?

— Je préfère celui que tu mets d'habitude. Mais c'est encore mieux quand tu ne mets rien. Tu n'as pas besoin de maquillage pour être jolie.

— Je voulais avoir l'air un peu plus vieille, dit-elle timidement.

Elle se regarda dans le miroir de courtoisie. Sa bouche était réellement trop rouge. Il n'y avait que Dana pour la persuader de porter une couleur pareille. Elle sortit un mouchoir et essuya vivement le rouge.

— C'est mieux ? demanda-t-elle alors.

Mario tendit la main et effleura tendrement la joue.

— Tu es ravissante, Tina. Belle comme un ange.

Elle s'arracha un sourire et s'absorba dans la contemplation du paysage bourguignon doucement vallonné et sublimé par un magnifique coucher de soleil, tout en se demandant pourquoi le compliment ne lui faisait pas plaisir. Mario avait simplement dit qu'il la préférait sans maquillage, et il avait comparé son visage à celui d'un ange.

Pourquoi se sentait-elle alors à ce point misérable ? Comme si elle avait fait une grosse bêtise ou qu'elle n'avait rien compris ?

Ils dînaient à table, aussi paisiblement et naturellement qu'un vieux couple. Il y avait du saumon fumé et des toasts, diverses salades et du vin blanc sec bien frais. Le lecteur de CD jouait en sourdine. De la rue montaient les bruits étouffés de la circulation londonienne.

Andrew portait un vieux peignoir de bain bleu, usé jusqu'à la trame, qui datait du temps où il était étudiant. Il avait laissé à Janet son nouveau peignoir, épais et moelleux, en éponge marron foncé. Elle avait dû retrousser les manches, et prenait garde à ne pas se prendre les pieds dans l'ourlet en marchant, mais elle s'y sentait bien. Il était imprégné de l'odeur d'Andrew, son savon, son eau de toilette, sa peau.

Andrew avait voulu le laver avant de le lui donner, mais elle avait refusé. Elle l'aimait tel quel.

Mais s'ils avaient été un vieux couple, ils n'auraient pas fait l'amour un quart d'heure avant de passer à table, songea-t-elle. Ils auraient probablement été trop tendus ou trop frustrés, elle par une longue journée seule à la maison, lui par ses soucis professionnels.

Janet, il est vrai, ne s'était pas ennuyée une seconde. Elle avait dormi tard, pris un copieux petit déjeuner, puis était allée à la Tate Gallery où elle n'avait pas vu le temps passer. Elle avait fait quelques courses pour le dîner sur le chemin de retour et n'avait réintégré l'appartement qu'une petite demi-heure avant l'arrivée d'Andrew. À peine avait-il franchi le seuil qu'elle comprenait qu'il n'avait pas laissé ses problèmes au bureau.

— C'est Fred Corvey ? demanda-t-elle.

Il l'embrassa et hocha affirmativement la tête.

— L'audience principale commence demain. Ça me stresse.

— Tu ne devrais pas prendre les choses aussi à cœur.

Andrew passa la main sur ses yeux, dans un geste à la fois de lassitude et de résignation.

— Tu as raison. Comment s'est passée ta journée ?

Elle lui avait raconté sa visite au musée puis ils avaient bu un verre de sherry avant de se retrouver au lit. Depuis une semaine que Janet vivait chez Andrew, ils suivaient le même rituel chaque soir. Au cours de ses années avec Phillip, Janet avait presque oublié combien elle aimait faire l'amour avec Andrew. Cela tenait sans doute en premier lieu à l'attirance physique qu'elle éprouvait pour lui, beaucoup plus forte que celle que Phillip lui avait jamais inspirée. Mais Andrew était aussi un amant à la fois tendre et dominateur, qui comblait tous les désirs intimes de Janet. Il frôlait toujours l'extrême limite de ce qu'elle était prête à accepter, tout en réalisant le tour de force de ne jamais s'aventurer au-delà. Il en avait toujours été ainsi, sans qu'ils aient eu besoin de ces embarrassantes discussions sur leurs désirs sexuels qui mettaient immanquablement les joues de Janet en feu. Phillip, quant à lui, s'était lancé dans une étude approfondie de la question avec l'aide de la presse féminine et tenait ces discussions pour le fondement d'un couple moderne, ouvert et champion de l'égalité.

« Est-ce que tu aimes quand je… ? » Qu'Andrew ne lui pose jamais ce type de questions comptait parmi les qualités qu'elle appréciait le plus chez lui.

Ils avaient ensuite mis la table, sans parler, unis dans un silence paisible.

Alors qu'elle laissait vagabonder ses pensées, Andrew lui demanda soudain :

— Dis-moi, Janet, quelle est la véritable raison de ta venue en Angleterre ?

Janet leva les yeux de son assiette, surprise. Elle saisit son verre et but rapidement une gorgée de vin pour gagner du temps. Puis elle l'interrogea en retour :

— Pourquoi me poses-tu cette question maintenant ?

— À vrai dire, cela fait un moment que j'y pense. Mais je sentais que tu n'avais pas envie d'en parler. Sauf que depuis…

Il hésita, s'interrompit. Au lieu de lui venir en aide, Janet le regardait d'un air interrogateur, attendant la suite.

Andrew soupira.

— Janet… je ne veux pas te retenir prisonnière. Mais je me demande comment ça va continuer. Je…

Il eut un sourire désarmant.

— Disons que je commence à m'habituer à ta présence. Quand je rentre, le soir, je suis heureux à l'idée de te retrouver. Et j'ai peur du jour où ce sera fini.

— Pourquoi penses-tu à ça ? Tu ne peux pas vivre l'instant présent et…

— Non.

Il posa sa serviette sur la table, repoussa sa chaise et rejoignit la fenêtre. Les mains dans les poches, il regarda la ville enténébrée, derrière la vitre.

— Je suis désolé, mais cette époque est terminée. J'ai besoin d'avoir un minimum de perspectives. Je ne suis plus assez jeune pour vivre au jour le jour sans me soucier de ce dont l'avenir sera fait.

— Mais tu devrais tout de même me connaître suffisamment pour savoir que je ne vais pas subitement me lever et m'en aller, dit Janet.

Andrew se retourna.

— Est-ce que ton mari, est-ce que tes fils ont vécu avec cette assurance ?

Janet pâlit.

— Ce n'est pas fair-play, Andrew, dit-elle à mi-voix.

— Parce que tu trouves que c'est fair-play de me laisser dans le flou total ?

Ils n'échangèrent plus une parole durant un moment, puis Janet se leva et commença à débarrasser la table.

— La soirée était si agréable jusque-là, dit-elle.

Andrew la rejoignit, prit ses mains dans les siennes.

— Essaie de me comprendre. J'aimerais tellement savoir par quel concours de circonstances tu m'es brusquement tombée du ciel.

— Pourquoi ?

— Parce que cela me permettrait d'en savoir un peu plus sur mes chances de te voir rester ici, ou de me préparer à ton départ.

— Je ne peux pas en parler.

— Janet, que tu quittes ton mari, je peux le comprendre. Je veux dire, c'est une situation somme toute assez banale. Mais tes enfants ! Ça ne te ressemble pas.

— Ce ne sont plus des enfants. Ce sont de jeunes adultes de vingt-quatre ans.

— Il n'empêche, insista Andrew en secouant la tête. Je n'arrive pas à le croire. Que s'est-il passé ? Ils ont fait une bêtise ? Il y a un problème que tu penses ne pas pouvoir surmonter ?

— Non !

Andrew riva ses yeux dans ceux de sa maîtresse.

— Janet ? Tu me dis la vérité ?

Elle dégagea ses mains.

— Je ne suis accusée de rien, monsieur l'inspecteur, rétorqua-t-elle d'un ton vif. Vous n'avez aucune raison de me soumettre à un interrogatoire !

— Janet, ce n'était pas mon intention, tu le sais. Je voulais seulement...

— Si ce n'était pas ton intention, pourquoi le faire alors ?

Janet prit le plateau et quitta la pièce. Andrew l'entendit s'affairer bruyamment dans la cuisine. Il se demanda un court instant s'il devait la rejoindre et tenter une nouvelle fois d'entamer le dialogue, puis conclut que s'être fait rembarrer une fois lui suffisait. Il se sentait à son tour gagné par la colère. Quelle que soit la raison qui l'avait poussée à quitter l'Allemagne, ce ne pouvait pas être grave au point d'en faire un tel secret.

Il gagna son bureau et claqua vivement la porte derrière lui. Si Janet voulait rester dans son coin, eh bien qu'elle y reste !

La soirée s'acheva sans qu'ils se reparlent.

Il était déjà dix heures passées quand on sonna à la porte. Michael Weiss, qui venait de s'endormir devant la télévision, se réveilla en sursaut. Il lui fallut quelques secondes pour reprendre ses esprits. Il regarda sa montre. Qui pouvait désirer le voir à une heure pareille ? Puis il lui sembla que son cœur s'arrêtait de battre. Et s'il était arrivé quelque chose à Tina ? Un accident ? Si ça se trouvait, c'était la police qui venait lui annoncer que...

Il se précipita vers la porte, l'ouvrit à la volée… et se trouva nez à nez avec Dana, une bouteille de vin à la main.

— Quelque chose ne va pas ? demanda-t-elle d'un ton inquiet.

— Non… pourquoi… ?

— Vous êtes blanc comme un linge. J'ai cru qu'il s'était passé quelque chose…

— Je me suis endormi sur le canapé, avoua Michael d'un air piteux. Ceci explique sans doute cela.

Ce n'était pas glorieux, mais moins embarrassant que reconnaître qu'il s'était affolé pour sa fille.

— Je sais bien que ce n'est pas une heure pour rendre visite aux gens, déclara Dana, mais je me suis dit que ce premier soir sans Tina, vous vous sentiriez peut-être un peu seul. J'ai pensé que ce serait une bonne idée de passer boire un verre avec vous.

Elle agita sa bouteille. Michael identifia un vin ordinaire, tout droit sorti du supermarché. Il était sensible à l'attention de Dana. Un trait sympathique, il devait le reconnaître, même si d'ordinaire Dana ne déchaînait pas son enthousiasme. Il ne se sentait aucune affinité avec les gens qui sortaient de la norme, et Dieu sait que Dana sortait de la norme. Rien que ce soir… Pour commencer, elle déboulait sans prévenir après vingt-deux heures avec une bouteille de mauvais vin, et puis elle avait l'air de… de… Il s'efforça d'ignorer ses sandales argentées à talons hauts et ses jambes nues, de même que sa micro-jupe en stretch noir qui lui couvrait à peine les fesses, ainsi que son haut façon corset rouge vif qui menaçait à tout moment d'exploser. Mais au-dessus de tout cela, il y avait un visage avenant, ouvert et intelligent, d'amusantes boucles noires et un sourire confiant. Difficile de la laisser sur le pas de la porte.

— Eh bien, entrez donc, Dana, dit-il.

Il referma la porte, non sans avoir vu bouger les rideaux de la cuisine de la maison d'en face. Formidable, maintenant tout le quartier allait pouvoir parler des drôles de visites féminines que monsieur le procureur recevait tard le soir.

Il suivit Dana dans le séjour, éteignit le poste de télévision et prit deux verres à vin dans le buffet. Dana déboucha la bouteille avec dextérité.

— Bon, eh bien, à votre santé ! trinqua-t-elle.

Le vin était un véritable tord-boyaux mais Dana dut le trouver excellent, car son visage s'illumina littéralement. Elle trônait sur le canapé, transfigurée. Son impossible minijupe avait glissé un peu plus haut sur ses cuisses, laissant entrevoir un slip en dentelle noire. Phillip se racla la gorge et essaya de trouver un sujet de conversation dénué d'ambiguïté.

— Comment se passent vos examens ? commença-t-il.

Dana but une longue gorgée de vin.

— Mon bac ? Bien. Mais pas aussi bien que pour Tina. Elle est nettement meilleure que moi.

— Oui, Tina…, dit Michael d'un ton pensif et soucieux. Je me demande comment elle va…

— Je n'arrête pas de penser à elle, dit Dana.

Un court instant, le procureur aux cheveux grisonnants et la gamine naïve et aguicheuse ressemblèrent à un couple de vieux parents se faisant un sang d'encre en attendant que leur fille rentre de discothèque.

— Je ne devrais pas m'inquiéter comme ça, dit Michael avant d'avaler une timide gorgée de ce satané breuvage qui allait lui flanquer un mal de tête carabiné.

— Moi aussi, je m'inquiète, avoua Dana. Pourtant, je n'ai pas arrêté de pousser Tina à…

Elle se mordit les lèvres.

— À quoi ? l'encouragea Michael.

— Eh bien… à couper un peu le cordon ombilical. Elle est trop… trop protégée, vous comprenez ?

Évidemment, par rapport à toi…, songea Michael qui garda néanmoins sa remarque pour lui.

— Mais je n'avais pas prévu qu'elle tomberait sur ce Mario…

Michael la regarda attentivement.

— Vous ne l'aimez pas ?

— Pas particulièrement, non.

— Vous le connaissez ?

Dana haussa les épaules.

— Il a l'air d'avoir une famille bien sous tous rapports, comme vous diriez.

— Les pires secrets se cachent parfois dans les familles apparemment sans histoire, observa Michael. Et malheureusement, je ne connais ni son père ni sa mère.

— Faut dire que vous avez vraiment mis le paquet pour éviter de rencontrer la famille Beerbaum, lui rappela Dana. Ça relève du miracle que vous ayez finalement accepté un dîner avec ce pauvre Mario. Un dîner qui a frisé le désastre, si j'ai bien compris.

— Vous êtes très au courant.

— On se dit tout, avec Tina.

Michael hocha lentement la tête.

— Je vois ça. Vous en savez sûrement plus sur Tina que moi-même.

Oh oui, se dit Dana, ça, tu peux en être sûr !

— Vous savez, reprit-elle à voix haute, avec Mario, j'ai un mauvais pressentiment. Je ne sais pas à quoi ça tient, mais c'est comme ça. Ma mère pense que je suis jalouse. Ça pourrait être aussi votre cas. On a été l'un et l'autre habitués à avoir Tina rien que pour nous.

Michael passa les doigts dans ses cheveux d'un geste las, et but une nouvelle gorgée. Il y avait assurément du vrai dans ce que disait la jeune fille. Il était parfaitement conscient d'avoir abordé Mario sans la moindre objectivité, ne lui laissant pratiquement aucune chance de lui plaire. Qu'avait donc fait ce jeune homme pour s'attirer une telle méfiance ?

— Je me demande si je ne vais pas les rejoindre..., dit Dana.

— Hum. Je ne suis pas certain que...

— Je ne me montrerai pas, vous pensez bien. Je descendrai en stop jusqu'en Provence et je prendrai une chambre quelque part – pas trop loin de Tina.

— Mon Dieu, Dana, on ne vous a jamais dit combien c'était dangereux de faire de l'auto-stop ?

Michael avait des sueurs froides rien qu'à l'idée qu'elle puisse se planter au bord de la route avec sa minijupe et ses sandales argentées, pouce levé.

— Ne faites pas ça, Dana, ce n'est pas raisonnable ! Et je ne plaisante pas, les statistiques sont terribles.

Tous les ans, des jeunes filles disparaissent en faisant de l'auto-stop, se font violer ou tuer, voire les deux. Je ne voudrais pas qu'il vous arrive quelque chose.

Dana, qui faisait du stop depuis qu'elle avait douze ans et n'avait jamais entendu sa mère la mettre en garde ne serait-ce qu'une seule fois, jugea la réaction de Michael pour le moins excessive. Il lui parut néanmoins préférable de ne pas discuter.

— D'accord, je laisse tomber. C'était seulement une idée en l'air – et pas particulièrement brillante, je le reconnais.

Michael prit la bouteille de vin, remplit leurs verres. Il commençait à s'habituer au breuvage, et d'ailleurs il se moquait maintenant d'avoir mal à la tête. D'une façon ou d'une autre, il ne se sentirait pas bien tant que Tina ne serait pas rentrée saine et sauve au bercail.

Mardi 6 juin 1995

Tina se réveilla en sursaut quand la voiture s'arrêta. Elle avait dormi plusieurs heures, un sommeil peuplé de rêves confus, très éloignés de leur voyage à travers la France. Elle n'avait rien vu des coteaux couverts de vigne de la vallée du Rhône, rien du trajet tortueux au cœur du Lubéron ni des dangereux lacets des gorges du Verdon. Elle regarda autour d'elle, perdue.

— Qu'est-ce qui se passe ? demanda-t-elle d'une voix endormie.

— On est arrivés, dit Mario. Ça y est !

Son entrain était forcé. Il était vidé, au point qu'il se demanda un instant comment il allait réussir à rassembler assez de force pour descendre de voiture et porter les bagages à l'intérieur de la maison.

Tina se redressa en étouffant un bâillement. Tout son corps était ankylosé, ses muscles raides et endoloris. D'une main, elle se massa la nuque, puis fit prudemment rouler ses épaules. Elle se sentit revivre. Pleine d'impatience, elle se pencha vers le pare-brise pour épier l'obscurité.

— On est à Nice ?

— Dans l'arrière-pays. La maison n'est pas à Nice même, je te l'ai dit.

Tina ouvrit sa portière et descendit. Une nuit d'encre l'enveloppa. Elle tourna lentement sur elle-même et distingua enfin trois petites lumières dans le lointain. Elle perçut aussitôt les senteurs puissantes de la lavande mêlées à celles du thym sauvage et de la sauge que la brise apportait des collines. Elle inspira à pleins poumons. Au-dessus d'elle, le ciel formait une immense voûte étoilée.

— Comme c'est beau, ici, dit-elle.

Mario s'extirpa à son tour de la voiture et ouvrit le coffre.

— Viens, aide-moi à porter les affaires dans la maison.

Les yeux de la jeune fille s'étaient habitués à l'obscurité. Elle découvrit une petite maison en pierres sèches entourée d'un jardin à l'état sauvage.

— C'est là ?

— Oui. Attends, je passe devant pour allumer.

Ils gagnèrent la maison par une allée dallée bordée de romarins et de cyprès. Mario ouvrit la porte et alluma la lumière de l'entrée. Ce n'est qu'à cet instant, dans le halo qui parvenait jusqu'à l'extérieur, que Tina pensa à regarder sa montre : un peu moins de trois heures du matin.

Ils avaient roulé près de vingt heures d'affilée.

Tandis qu'elle défaisait ses bagages dans la petite chambre sous les combles que Mario lui avait assignée, elle se disait que les choses ne se passaient pas vraiment comme elle se les était imaginées. Si Dana avait été là, elle se serait arraché les cheveux. Dana, elle, ne se serait pas laissé congédier. Mais comment se défendre quand on n'était pas comme elle, totalement dépourvue d'états d'âme et dotée d'un solide et irrésistible bagout ?

J'ai encore deux semaines, calcula Tina en rangeant son linge dans un tiroir de la commode. Avec un peu de chance, il sortira de sa réserve d'ici là.

Pour le peu qu'elle en avait vu, la maison lui plaisait. Un style rustique très simple, beaucoup de bois, des rideaux à motif provençal, des pots de fleurs sur le rebord des fenêtres. Les fleurs, un peu chétives, souffraient visiblement d'un manque d'attention, mais l'homme à tout faire chargé de l'entretien avait cependant veillé à les maintenir en vie. Quelques jours auparavant, Mario lui avait téléphoné pour le prévenir de leur arrivée. Le ménage avait été fait et la maison aérée.

Après avoir vidé la voiture et déposé leurs bagages dans l'entrée, Mario avait guidé Tina à travers une salle de séjour et la cuisine au rez-de-chaussée, trois petites pièces et une salle de bains au premier étage, puis elle avait gravi à sa suite les quelques marches raides qui menaient aux combles. À cet étage, il n'y avait qu'une seule pièce, une chambre mansardée éclairée par deux vasistas et meublée d'un lit, d'une commode et de placards encastrés dans les murs. Un miroir ancien était accroché au-dessus de la commode, devant un broc et une cuvette dont la faïence, craquelée par le temps, présentait un délicat motif rose pâle.

— Vous avez de si jolies choses ! s'extasia Tina. Et tout va si bien avec la maison.

— C'est à mettre sur le compte de ma mère, dit Mario. C'est elle qui a aménagé la maison. Et elle aime bien courir les brocantes. C'est de là que vient ce nécessaire à toilette.

— C'est vraiment joli, répéta Tina, puis ils restèrent un moment indécis au milieu de la pièce.

— Oui, dit enfin Mario, avant d'ajouter : Je t'apporte ta valise.

— Où est ta chambre ? s'enquit Tina d'un ton aussi anodin que possible.

— Juste au-dessous de la tienne, répondit Mario, puis il disparut.

Il revint avec la valise, demanda à Tina si elle voulait manger ou boire quelque chose et comme elle secouait la tête, il lui planta un baiser sur le front et lui souhaita bonne nuit. Elle entendit ses pas résonner dans l'escalier, puis une porte qui se fermait.

Elle vida sa valise, enfila une chemise de nuit et un peignoir, prit sa brosse à dents et descendit à pas feutrés à l'étage inférieur. Elle s'arrêta devant la porte de Mario. Aucun bruit ne lui parvint de l'intérieur, et pas un rai de lumière ne filtrait. Était-il déjà couché ? Il s'était peut-être effondré sur son lit tout habillé, sans même défaire ses bagages. Il devait être épuisé après avoir conduit aussi longtemps.

Tina gagna la salle de bains, se brossa les dents et les cheveux. Elle éteignit soigneusement toutes les lumières avant de remonter sous le toit. Une odeur de lavande, légère comme un souffle, imprégnait les draps. Quel bel endroit, elles allaient être super, ces vacances.

Elle s'enfonça dans les oreillers, confiante. Elle eut tout juste le temps de se dire qu'elle avait bien fait d'insister pour qu'ils partent.

Puis elle s'endormit.

Janet en avait gros sur le cœur de s'être chamaillée avec Andrew. Pendant la nuit, elle s'était rendu compte qu'elle était seule responsable de la dispute. Andrew avait bien le droit de l'interroger sur ses intentions. Et ce n'était pas un crime de s'enquérir de ses enfants ! Cela prouvait qu'il sentait bien les gens, qu'il avait un flair infaillible pour mettre le doigt sur ce qui clochait. Une qualité qui l'avait déjà frappée autrefois et qu'il avait certainement affinée au cours de ses années à Scotland Yard.

Quand il était finalement venu se coucher, tard dans la nuit, Janet avait fait semblant de dormir ; et elle avait fait de même ce matin, quand il s'était levé. Elle l'entendit se rendre dans la salle de bains puis revenir dans la chambre et s'habiller en faisant le moins de bruit possible. Le mal qu'il se donnait pour ne pas la réveiller la touchait, et elle faillit à deux reprises lui dire qu'elle était désolée. Mais elle ne parvint pas à se décider et garda les yeux fermés jusqu'à ce qu'elle entende sa voiture démarrer. Elle se leva alors, en se disant qu'elle était une belle garce de le laisser partir sans lui dire un mot précisément aujourd'hui, jour de l'audience principale contre Fred Corvey. Elle savait qu'il appréhendait cette journée.

Elle prit son petit déjeuner, s'habilla, puis décida d'aller au tribunal pour essayer de convaincre

Andrew de déjeuner avec elle. L'audience ferait certainement une pause à un moment ou un autre.

Elle quitta l'appartement vers dix heures, prit le métro jusqu'à la cathédrale Saint-Paul puis poursuivit à pied jusqu'à Newgate Street où se trouvait Old Bailey, la Cour criminelle centrale. C'était une belle journée, chaude et ensoleillée. Rassérénée à l'idée de se réconcilier avec Andrew, Janet se sentait pousser des ailes. Mais sa belle humeur s'émoussa à mesure qu'elle approchait des bâtiments du tribunal, laissant place à la peur.

Elle allait voir Fred Corvey. Un tueur en série. Un monstre. Qu'avait-il donc vécu ? Que s'était-il passé dans sa tête pour qu'il ait besoin de tuer ? Janet avait devant les yeux l'image d'innombrables petits rouages qui tournaient au même rythme et s'encastraient les uns dans les autres au dixième de millimètre près, pour actionner une grosse machine et assurer son bon fonctionnement. Mais une de ces minuscules roues cessait tout d'un coup de tourner à l'unisson des autres et tout l'engrenage déraillait, le chaos s'installait dans la machine. Qu'est-ce qui avait coincé la petite roue ? Un mot, un regard de travers ? Des années de maltraitance ? Le saurait-on un jour ou finirait-on par avoir une armoire entière d'expertises psychologiques de Fred Corvey, qui toutes défendraient une théorie différente ?

Janet avait presque envie de faire demi-tour, mais elle se trouvait déjà devant le tribunal, un imposant bâtiment couronné d'un dôme surmonté d'une statue de la Justice dont l'or brillait au soleil. Elle eut l'impression que des mains la happaient pour l'entraîner à l'intérieur. Elle franchit le porche. La première chose qu'elle vit fut une meute de journalistes bardés de micros et d'appareils photo, qui parlaient de Fred Corvey.

« ... un sacré coup, quand même... », « ...ça va être chaud si maintenant... », « ... les experts vont devoir... ».

Elle fit un pas vers un jeune homme assis sur les marches qui mangeait une banane. Un appareil photo était posé à côté de lui.

— Excusez-moi... L'audience contre Fred Corvey... savez-vous où elle se tient ?

Le jeune homme répondit, la bouche pleine :

— Premier étage, troisième porte à gauche. Mais ils ont interrompu la séance il y a une demi-heure.

— Ça prend quelle tournure ?

— Corvey a balancé un « non coupable » bien clair en réponse à la question sur sa culpabilité. Ça les a tous pris de court.

— Mais ce n'est pas possible ! Il ne peut tout de même pas s'en sortir comme ça !

Le jeune homme haussa les épaules.

— Allez savoir. En tout cas, l'accusation a un problème, maintenant.

— Mais il a avoué ! Et en étant en pleine possession de ses moyens.

— Eh, je ne suis pas en train de dire qu'il est en excellente posture ! N'empêche que...

Il laissa sa phrase en suspens, signifiant ainsi que l'avenir immédiat de Corvey était ouvert. Et impossible à prévoir.

Janet s'assit à côté de lui. Le jeune homme sortit une seconde banane de son sac.

— Je vous en offre la moitié ?

— Non, merci.

Il éplucha consciencieusement sa banane.

— Au fait, je me présente : Paul Fellowes, du *Nottingham Daily*. Un canard de province, mais cette affaire Corvey intéresse tout le monde. Vous travaillez pour qui ?

— Pour personne. Je... je suis une amie de l'inspecteur Davies. Je m'appelle Janet, ajouta-t-elle, jugeant plus simple de laisser tomber son nom allemand.

Paul la dévisagea avec un regain d'intérêt.

— Ah, une amie de Davies ? Du redoutable Davies ?

Janet plissa le front.

— Comment ça, « redoutable » ?

— Eh bien, il a la réputation de n'être pas tendre avec les gens qu'il veut coller derrière les barreaux. Pour être passé d'avocat à flic, il doit avoir un instinct de chasseur exacerbé. Et il est dévoré d'ambition. À chaque fois qu'il doit laisser filer quelqu'un, il en fait un drame personnel.

Paul ferma un instant les yeux pour mordre avec gourmandise dans sa banane.

— Il paraît qu'il n'a aucun scrupule. Enfin, ce ne sont peut-être que des racontars d'envieux.

— Sûrement, acquiesça Janet, mal à l'aise.

Le redoutable Davies...

— Si vous connaissez Davies, vous devez avoir des infos de première bourre sur l'affaire ? avança

Paul plein d'espoir. Je veux dire, vous êtes peut-être au courant de détails qui ne sont encore parus nulle part.

Le journaliste s'était réveillé, alléché par l'éventualité d'un scoop.

Janet eut une moue désolée.

— Je crains d'en savoir encore moins que vous. Andrew m'en a à peine parlé.

— Dommage. Ç'aurait été bien que le *Nottingham Daily* ait une longueur d'avance sur ses confrères.

— Aucun autre témoin ne s'est manifesté ?

— Non. Il n'y en a toujours qu'un seul. Cette femme qui…

— … qui n'est pas très fiable. Je sais. Corvey a de la chance.

— Et Davies n'en a pas de trop. Il est sûr d'avoir mis la main sur le coupable. Et l'affaire est en train de lui péter entre les doigts.

— Corvey a signé des aveux sur lesquels il n'est pas revenu pendant des semaines. On devrait pouvoir le mettre face à ses contradictions, non ?

— Bien sûr. Mais il va prétendre qu'il n'était plus tout à fait lui-même. Qu'il était intimidé, bouleversé, que tout se mélangeait dans sa tête… n'importe quoi. Dans le genre, il va tout essayer, ou plutôt : son avocat va tout essayer.

À cet instant, une jeune femme blonde vêtue d'un jean dévala les marches en lançant à la cantonade :

— Corvey arrive ! L'audience a été reportée !

Une folle effervescence s'empara de la nuée de journalistes. Paul bondit sur ses pieds, fourra sans plus de façon le reste de sa banane dans son sac et entreprit de vérifier son appareil photo. Chacun s'activait à allumer un magnéto, tester un micro ou changer de pellicule... puis tous se ruèrent sur les marches en se bousculant pour décrocher les meilleures places.

Janet se leva vivement pour ne pas se faire marcher dessus et se plaqua contre la balustrade en pierre. Son cœur se mit à battre à cent à l'heure. Fred Corvey allait passer tout près d'elle – à moins qu'il ne veuille éviter la meute de journalistes et demande à être évacué par une porte dérobée, ce qui était son droit le plus strict. Mais quelque chose lui disait qu'il allait au contraire vouloir se montrer, rechercher le contact avec la presse afin de ne pas manquer cette occasion de jouir de sa nouvelle popularité.

Elle se sentit si mal à l'aise qu'elle voulut partir, mais la masse de journalistes formait un mur infranchissable et aucun n'aurait risqué de perdre une place emportée de haute lutte pour la laisser passer. En haut des marches surgirent alors le public de la salle d'audience et des policiers, rendant une échappée dans cette direction tout aussi illusoire. Elle fut obligée de rester à sa place.

Fred Corvey portait des menottes reliées par une chaîne à un policier à sa gauche. Ses deux avocats, qui se pressaient à sa droite, et qui affichaient un air satisfait ne purent cacher leur stupéfaction en voyant la foule qui les attendait. Corvey en revanche n'eut pas un tressaillement. Il redressa les épaules, secoua sa chevelure blonde et avança le menton, comme pour se donner un air plus avantageux sur les photos qui paraîtraient dans la presse. Il portait un pantalon beige, des chaussures marron, un tee-shirt blanc et une veste brune. Sa coupe de cheveux ne ressemblait à rien mais il s'était visiblement appliqué à dégager son front et à discipliner sa coiffure avec du gel. Un homme moyen, normal jusqu'à la caricature ; quelqu'un que l'on ne remarquait pas et dont les traits ne laissaient aucun souvenir. Il était plutôt grand, ses jambes courtes étant compensées par un torse tout en longueur, et de toute évidence il ne pratiquait aucun sport : quand il ne pensait pas à redresser les épaules, il avait le dos voûté et la poitrine creuse. Il était de surcroît très maigre et son teint était d'une pâleur cireuse malsaine.

L'idée qu'il puisse être réellement innocent traversa l'esprit de Janet. Il paraissait si inoffensif. Cet homme aurait torturé et tué quatre femmes ?

Corvey s'était immobilisé en haut des marches, savourant l'instant, laissant son regard se promener sur la foule comme un général passant ses troupes en revue. Puis il commença à descendre lentement. Les flashes crépitèrent. Paul lui tendit son micro.

— Monsieur Corvey, dans quel état d'esprit êtes-vous ? Pensez-vous être acquitté ?

Pour toute réponse, Corvey se contenta de sourire.

— Pas de questions ! intervint le policier qui l'accompagnait. Et écartez-vous, s'il vous plaît. Laissez-nous passer !

Corvey était à présent à la hauteur de Janet. Il s'immobilisa sur une marche, tourna la tête dans sa direction et la regarda.

Pétrifiée, elle soutint son regard. Autant il lui était apparu inoffensif et insignifiant quelques secondes auparavant, autant ses yeux froids et totalement inexpressifs l'épouvantaient maintenant. Des yeux presque noirs, vides et ternes. Pas la moindre trace d'émotion n'y était décelable. Un regard de psychopathe.

Janet sut à cet instant qu'il était coupable. Il avait commis chacun des meurtres dont il était accusé et probablement bien d'autres encore. Le doute n'était pas possible. Elle comprit la colère impuissante d'Andrew, en même temps qu'elle éprouvait une immense pitié pour les victimes de cet homme. Devoir mourir sous ce regard...

Corvey ricana. Il avait d'instinct compris le cheminement de ses pensées et remarqué qu'elle luttait pour réprimer une nausée. Ça lui plaisait. Ça pimentait un peu plus l'affaire.

Il se remit en mouvement. Ses avocats s'évertuaient à repousser la forêt de micros qui se dressait devant eux, répétant à qui mieux mieux qu'aucune déclaration ne serait faite. Mais il en fallait plus pour décourager les journalistes qui continuèrent à les bombarder de questions, espérant provoquer une réponse. Corvey finit par ouvrir la bouche mais se contenta de confirmer qu'il ne dirait rien.

Sa voix surprit Janet. Au lieu de la voix de fausset nasillarde et un peu hystérique à laquelle elle s'était préparée, elle était grave, profonde et mélodieuse. Une belle voix chaude, qui mettait en confiance. À la réflexion, ce n'était pas si étonnant que cela. Ce type avait forcément quelque attrait pour que tant de femmes tombent si volontiers dans le panneau.

Cette voix, qui éveillait la sympathie et étouffait toute méfiance dans l'œuf, était un formidable atout.

La meute de journalistes se mit en mouvement pour suivre Corvey qui avait atteint la rue où une voiture l'attendait. Andrew surgit soudain à côté de Janet et glissa un bras sous le sien.

— Qu'est-ce que tu fais là ?

Il était pâle et paraissait découragé.

Janet l'embrassa.

— J'avais envie de te voir, dit-elle simplement.

Il sembla s'en réjouir mais ne se détendit pas pour autant.

— Ça te dit de déjeuner ensemble quelque part ? demanda-t-il.

— Volontiers. Andrew, il n'est pas encore acquitté !

Andrew hocha la tête.

— Je sais. Mais je crains qu'il ne le soit bientôt. Et ça me rend malade.

Ils sortirent dans la rue. Le chaud soleil de juin était un bonheur après la pénombre et la fraîcheur du vieux bâtiment.

— J'ai vu ses yeux, dit Janet alors qu'ils traversaient la chaussée. Maintenant, je sais que c'est lui qui a tué ces femmes.

— Oui, répondit Andrew. Malheureusement, le regard de quelqu'un n'a jamais eu valeur de preuve devant un tribunal.

— Tu penses qu'il va faire quoi, s'il est acquitté ?

— Pour commencer, se tenir à carreau. Je suis sûr qu'il sait que je ne vais pas renoncer aussi facilement,

— Tu ne peux tout de même pas le faire surveiller nuit et jour ?

— Exact. On ne m'accordera jamais les effectifs nécessaires. Manque de budget.

Ils étaient arrivés devant un petit restaurant italien dans lequel ils entrèrent. Le personnel salua Andrew en habitué, et leur proposa une table d'angle d'où ils pouvaient voir toute la salle. Ils étudiaient le menu quand une femme d'une soixantaine d'années pénétra dans le restaurant, un jeune homme à l'air particulièrement stressé sur les talons. La femme s'arrêta au milieu de la salle, vraisemblablement perdue et mal à l'aise. Elle semblait prête à prendre ses jambes à son cou.

— Regarde, dit Andrew à mi-voix. C'est Mme Corvey. La mère de Fred Corvey.

Janet, qui ne leur avait accordé qu'une attention distraite, leva les yeux de la carte, comme électrisée. Aucun détail ne lui échappa : la petite silhouette un peu ronde, les cheveux bruns soigneusement coiffés, la robe à fleurs qui devait venir d'un magasin bon marché et dont la jupe godaillait. Ses jambes trahissaient un problème de rétention d'eau et elle avait de grosses varices. Elle portait des sandales orthopédiques et s'accrochait à un immense sac à main en vinyle. L'image même de la brave femme, foncièrement honnête. Elle semblait dans une sorte d'état second. Depuis quelques semaines, elle ne devait plus savoir ce qui lui arrivait.

— Elle a l'air d'une gentille femme de ménage qui travaille dur pour gagner sa vie, remarqua Janet.

— Elle fait effectivement des ménages, répondit Andrew. C'est ce qui lui a permis d'élever son fils.

— Il n'y a pas de père ?

— Si. Handicapé à cent pour cent à la suite d'un accident du travail. Ça fait vingt ans qu'il est en fauteuil roulant, il touche une pension de misère.

Le jeune homme qui accompagnait Mme Corvey portait un costume parfaitement coupé dans une belle matière. Il parlait avec l'un des serveurs. Il secoua la tête pour refuser la table que ce dernier lui désignait. Il souhaitait manifestement être placé à l'écart, à une table plus discrète.

— Tu parles, marmonna Andrew. Après le mal qu'il a dû avoir à se débarrasser de la presse, il n'a pas envie de se faire repérer.

— Qui est-ce ?

— Le collaborateur de l'un des avocats de Corvey. Apparemment chargé de chaperonner Mme Corvey.

— Ce n'est pas un peu risqué de déjeuner avec elle dans un restaurant aussi proche du tribunal ?

— C'est plutôt malin au contraire. Il ne viendrait à l'idée de personne de venir les chercher là.

Janet continuait d'observer la femme qui se présentait maintenant de profil. Mme Corvey regardait fixement la carte sans savoir que choisir. Puis soudain, comme si elle avait senti son regard brûlant, elle tourna la tête et regarda Janet ; celle-ci soutint son regard dans un bref échange muet. Mme Corvey lut sur le visage de Janet de la compréhension et de la compassion, Janet de la douleur et du désarroi sur celui de Mme Corvey. Le jeune homme qui l'accompagnait suivit son regard et reconnut Andrew. Il eut un infime mouvement de recul puis le salua d'un imperceptible hochement de tête. Il se pencha vers la femme qu'il accompagnait et l'éclaira sur l'identité d'Andrew. Aussitôt l'expression de Mme Corvey se durcit. Scotland Yard, les responsables de tous ses maux, les gens qui avaient transformé sa vie en enfer. Ceux-là même qui accusaient son Freddy, l'être qui lui était le plus cher au monde, de crimes épouvantables, inconcevables.

Elle se leva si brutalement qu'elle manqua de renverser sa chaise et empoigna son sac à main. Le jeune homme lui parla, essayant vraisemblablement de la calmer. Sans succès. Mme Corvey s'enfuit littéralement du restaurant et il n'eut d'autre choix que de lui emboîter le pas. Le serveur les suivit des yeux sans comprendre.

— Elle est très affectée, dit Janet.

— À vrai dire, je n'ai pas beaucoup de sympathie pour cette femme, répondit Andrew. Elle a fourni un alibi à son fils pour l'heure du dernier crime, et je suis convaincu qu'il est faux. Je parierais qu'elle n'a jamais menti de sa vie auparavant, mais elle serait prête à tuer pour lui.

— Elle l'aime beaucoup, non ?

— Tu veux dire qu'elle l'idolâtre. Et son mari aussi. On est loin du cliché du criminel à l'enfance malheureuse. Ils n'étaient certes pas riches, mais le gamin n'a jamais manqué ni d'amour ni de soins.

Janet reposa la carte sur la table. Elle n'avait plus faim. En dépit de la douceur de la température, elle frissonna.

Leurs vacances à deux avaient pris un mauvais départ et ce premier jour ne semblait pas vouloir arranger les choses. Après que Mario lui avait imposé cet horrible voyage d'une seule traite, voilà que Tina réalisait qu'il n'avait pas été honnête avec elle.

Elle avait dormi d'un sommeil lourd et sans rêve, et ne s'était réveillée que vers dix heures. Il lui avait fallu un moment pour se souvenir de l'endroit où elle se trouvait. Des murs en soupente, un papier peint à fleurs, une commode ancienne en bois clair : ce n'était pas sa chambre. Le soleil inondait la pièce d'une lumière crue. Un chaud soleil du Sud.

Tina se leva d'un bond, courut à la fenêtre, l'ouvrit et se pencha au-dehors. Il faisait chaud, beaucoup plus chaud qu'elle ne s'y attendait. L'air était sec, chargé de senteurs inconnues. Tina, cependant, s'en rendit à peine compte car la vue la frappa de stupeur : pas le moindre petit bout de Méditerranée, aussi loin que le regard portait. Et pas l'ombre d'un clocher de Nice. Un paysage de garrigue avec des touffes d'herbe sèche s'étendait à perte de vue. Des pierres blanches, un champ de lavande d'un côté, de coquelicots en fleur de l'autre. La ligne sombre d'une forêt fermait l'horizon. Des cigales chantaient. À quelque distance de la maison, un hameau de pierres sèches se blottissait à flanc de colline, au milieu de restanques. Elle se trouvait dans un minuscule village perdu au beau milieu de la Provence. Et non tout près de Nice, comme Mario l'avait prétendu.

Mario avait dressé la table du petit déjeuner sur la terrasse à l'ombre d'amandiers. Lorsqu'il aperçut Tina, il se précipita à la cuisine pour mettre la cafetière électrique en marche. Il était allé faire les courses au village dès la première heure, annonça-t-il. C'était jour de marché, il avait acheté tout ce dont ils avaient besoin.

— Ah bon. Au village, bougonna Tina en s'asseyant.

C'était un peu minable de se chamailler dès le premier matin, elle en avait conscience, mais il fallait que ça sorte.

— Ça met combien de temps pour aller à la plage ? demanda-t-elle.

Mario s'empressa de lui tendre un verre de jus d'orange. Elle ressentit une bouffée de culpabilité, il s'était donné tant de mal pour lui faire plaisir. Embrayer sur des reproches ne lui semblait pas très loyal, mais faire montre de loyauté lui paraissait impossible.

— La mer... n'est pas tout près..., répondit Mario d'un ton prudent.

— Ah bon ? Et elle est où ?

— Comment ça, elle est où ?

— Il faut marcher pendant combien de temps pour y arriver ?

— À pied, ce n'est pas possible. Mais on pourra y aller en voiture un jour.

Tina repoussa sa tasse, son verre et son assiette avec ostentation.

— On pourra y aller en voiture un jour ?! s'exclama-t-elle. Non mais, Mario, pour autant que je sache, Nice est au bord de la mer !

— Nous ne sommes pas à Nice.

— Sans blague ! Sauf que ce n'est pas ce que tu disais avant qu'on parte !

— Je t'ai dit : dans les environs de Nice, se défendit faiblement Mario.

— Tu as dit très exactement « en bordure de Nice ». Mais on est… au milieu de nulle part !

Mario posa la main sur le bras de Tina.

— Est-ce que le lieu où nous sommes est si important ?

Tina retira son bras.

— C'est important que tu m'aies menée en bateau. Je n'arrive pas à le croire. Tu savais que j'avais envie d'un endroit où il se passe un peu quelque chose. Et tu m'amènes dans un trou paumé !

— Je ne pensais pas que tu faisais partie de ces filles qui passent leurs soirées en boîte ou dans des bars pour se trémousser devant les mecs.

— Eh bien, si tu ne le pensais pas, tu pouvais me dire la vérité tout de suite, répliqua Tina du tac au tac.

Mario se leva pour aller chercher le café. Tina se laissa aller contre le dossier du fauteuil en rotin blanc. Le soleil brillait, et l'endroit était beau, réellement beau. Simplement, c'était différent de ce à quoi elle s'attendait. Elle n'aurait peut-être pas dû se laisser aller à la colère. Mais ce n'était pas la première chose qui ne se passait pas comme prévu : le long voyage d'une seule traite, les chambres séparées, et maintenant la découverte que Mario ne lui avait pas dit la vérité.

Ça fait trop d'un coup, songea-t-elle en fermant les yeux. Quand le téléphone sonna, elle devina que c'était son père, mais elle se sentait trop fatiguée et trop frustrée pour aller décrocher. Il aurait deviné à sa voix que quelque chose clochait et il n'aurait eu de cesse de l'interroger. Or elle n'avait aucune envie de parler pour le moment.

Quand Mario revint, elle prit un peu de café et ne toucha ni au pain frais, ni aux œufs, ni à la confiture de cerises. Ils restèrent assis sous les amandiers jusqu'au début de l'après-midi, sans décrocher un mot, à écouter le chant des oiseaux et les bêlements discrets des quelques chèvres qui paissaient en liberté, à quelques mètres du jardin. Tina emplissait ses poumons des senteurs des champs chauffés par le soleil.

Michael était à son bureau, au parquet. Il savait que c'était ridicule de s'inquiéter pour un téléphone qui sonnait dans le vide. Tina et Mario n'étaient sans doute pas encore arrivés à Duverelle, voilà tout. Ils avaient dû faire halte quelque part pour la nuit, avaient fait la grasse matinée, pris un bon petit déjeuner et peut-être fait un peu de tourisme. Ils n'arriveraient sans doute qu'en fin de journée.

Il jeta un coup d'œil à sa montre. Bientôt trois heures. D'où lui venait cette nervosité ? Il avait bien assez de problèmes à gérer par ailleurs et ne pouvait se permettre de penser continuellement à sa fille. Son bureau était encombré de dossiers. Ce matin, il avait perdu une affaire importante ; du moins le jury avait-il obtenu une condamnation si inférieure à ce qu'il avait requis qu'il ne pouvait considérer le jugement que comme un échec. Il avait téléphoné une première fois en France pendant la pause, entre les deux séances de délibération. Sans résultat.

Il est grand temps que je laisse Tina prendre son indépendance, songea-t-il, vraiment grand temps. Que je me fasse autant de souci pour elle n'est pas normal. Je vais être un paquet de nerfs jusqu'à son retour.

Il ouvrit un dossier, essaya de se concentrer, puis releva la tête et fixa le téléphone. N'y tenant plus, il souleva le combiné et composa une nouvelle fois le numéro de Duverelle.

Toujours pas de réponse. Sans tergiverser, il appuya sur la fourche puis composa le numéro de Dana.

Le téléphone sonna longtemps avant que quelqu'un décroche.

— Oui ? grogna une voix endormie.

— Excusez-moi, dit Michael, j'aurais aimé parler à Dana… euh…

Impossible, même avec la meilleure volonté du monde, de se souvenir du nom de famille de Dana.

— J'aurais aimé parler à Dana, répéta-t-il, conscient de passer pour un idiot.

— Je suis Karen, dit la voix rauque et grasse, sans dissimuler un bâillement. La mère de Dana.

— Excusez-moi, je crois que je vous ai réveillée, bafouilla Michael.

Il était trois heures de l'après-midi ! Comment cette femme pouvait-elle dormir en pleine journée ?

— Y a pas de mal. Vous ne pouviez pas savoir. Je n'ai pas de boulot, en ce moment, alors je dors, vous comprenez…

— Euh… Je suis désolé… Je veux dire, de vous avoir réveillée…

Je bafouille comme un gamin pris en faute, songea-t-il avec agacement. Il n'y a pourtant pas de quoi s'émouvoir. Puis il se souvint qu'il ne s'était pas présenté.

— Je suis Michael Weiss, dit-il, le père de Tina.

Nouveau bâillement à l'autre bout du fil.

— Monsieur le procureur, le salua Karen d'un ton ironique, mais c'est un honneur !

C'est un autre monde, se dit-il. Elle n'a pas de travail, dort jusqu'à pas d'heure et me prend sûrement pour un vieux croûton réactionnaire. Je suis procureur, je ne pense qu'à une chose dans la vie, faire mon devoir, et pour moi elle est une bonne à rien de gauchiste. Si nos filles n'étaient pas amies, on prendrait grand soin de s'éviter.

— Est-ce que je pourrais parler à Dana ? demanda-t-il.

— À vrai dire, je ne sais absolument pas où elle est, répondit Karen qui paraissait maintenant plus éveillée, même si elle avait toujours une voix de rogomme. Mais je peux peut-être vous aider ?

— Non, je me…, commença Michael qui se sentit encore plus ridicule. Dana est venue me voir hier soir, finit-il par lâcher. Nous avons parlé de Mario Beerbaum. Vous savez, c'est le jeune homme avec qui…

Il entendit Karen soupirer légèrement.

— Oui, je sais qui c'est. Difficile de l'ignorer. Dana n'arrête pas de parler de lui. Et à vous aussi elle a raconté qu'elle « ne sentait pas » ce voyage ?

— Quelque chose de ce genre, oui.

— Ne vous laissez pas impressionner par ce qu'elle dit. Dana se monte le bourrichon. Il doit y avoir de la jalousie derrière tout ça. Elle n'a plus Tina pour elle toute seule.

— Elle m'a dit, en effet, que c'était votre théorie. Il est néanmoins possible qu'il ne s'agisse pas de jalousie mais d'une saine intuition à prendre tout à fait au sérieux.

— Je crois, cher monsieur le procureur, que vous avez tout bonnement du mal à avaler que votre fille prenne du bon temps avec un charmant jeune homme quelque part dans le Midi de la France, répliqua Karen avec agacement. Et Dana a le même problème que vous. Vous avez l'un et l'autre vécu avec l'idée que Tina ne grandirait jamais et maintenant qu'elle semble être en passe de le faire, ça vous choque. Et vous vous en prenez à ce pauvre Mario qui est certainement un jeune homme amoureux tout à fait normal, et qui ne se doute pas une seconde du remue-ménage qu'il provoque.

— Vous avez peut-être raison.

— Bien sûr que j'ai raison. Je vous le dis, vous allez bientôt pouvoir à nouveau serrer votre Tina dans vos bras, et vous ne comprendrez même pas comment vous avez pu vous faire tant de mauvais sang. Vous voulez que Dana vous rappelle ?

— Non, je vous remercie, ce n'est pas nécessaire. Je voulais reparler de Mario avec elle, mais ça n'avancera pas à grand-chose.

— Allez, oubliez votre fille, installez-vous dans un transat au soleil et flemmardez une bonne journée !

Michael se demanda depuis quand il n'avait pas « flemmardé une bonne journée », mais ne s'en souvint pas. C'était certainement un des remèdes favoris de cette femme.

Il garda ses impressions pour lui et dit à haute voix :

— Excusez-moi de vous avoir dérangée. Et dissuadez Dana de descendre en auto-stop retrouver Tina. Elle m'a dit, hier soir, qu'elle en avait l'intention.

— Grand Dieu, ce serait bien la dernière chose dont Tina et Mario auraient envie !

— Je pensais surtout à Dana. Ce qu'elle veut faire est vraiment dangereux. Tous les ans, des…

Karen ne le laissa pas poursuivre.

— Dana est assez grande pour savoir ce qu'elle fait. Mais je vous remercie du conseil.

Son ton donnait clairement à entendre qu'elle tenait Michael pour quelqu'un de passablement étroit d'esprit, et qui de surcroît se mêlait de ce qui ne le regardait pas. Il commençait à lui taper sur le système. Exactement le genre d'homme que le juge pour enfants vous collait aux fesses pour négligence du devoir parental ou autre chose du même acabit. Une chance que Dana ait dix-huit ans. Les éteignoirs comme ce zélé procureur ne pouvaient plus l'embêter avec leur cinéma.

Après qu'ils eurent – plutôt fraîchement – mis un terme à cette conversation, Michael ne put s'empêcher de composer une nouvelle fois le numéro de Duverelle qu'il connaissait désormais par cœur.

Toujours pas de réponse.

Il tournait en rond dans sa chambre depuis des heures, allant d'un mur à l'autre, s'arrêtant devant la fenêtre, regardant dehors, marchant jusqu'à la porte, voulant l'ouvrir et s'enfuir pour échapper aux pensées qu'il ne supportait plus. Puis il retirait sa main de la poignée. Il savait bien qu'il n'y avait pas de fuite possible, qu'on n'échappait pas aux images qu'on avait dans la tête.

Maximilian voyait sa mère dans les bras d'Andrew Davies.

Il avait eu la certitude que Janet était chez Davies depuis l'instant où son frère lui en avait parlé. Il le savait, car bien avant d'être seulement capable de comprendre de quoi il s'agissait, il avait perçu, de toutes les fibres de son corps, le lien indéfectible qui unissait sa mère à cet homme. Un enfant n'a pas la notion de ce que peuvent être le désir, la passion ou la soumission à l'autre, pourtant il avait eu conscience très tôt du désir obsessionnel de sa mère pour Andrew Davies. Et alors que les images avaient dormi au fond de lui des années durant, à tel point qu'on aurait pu croire qu'elles avaient sombré définitivement dans l'oubli, voilà qu'elles resurgissaient comme si elles dataient de la veille.

Il revoyait la pièce plongée dans la pénombre. Les fenêtres avaient été fermées – modeste concession à la pudeur d'éventuels et involontaires témoins auditifs – mais comme elles étaient restées ouvertes toute la journée, la chambre était encore fraîche et sentait la pluie. Dans son souvenir, la chambre avait toujours senti la pluie, pourtant il ne pouvait pas avoir plu chaque fois que Janet et Andrew avaient couché ensemble. Mais les souvenirs s'enracinaient dans la mémoire selon des lois propres, lesquelles n'étaient pas obligées d'être rigoureusement fidèles à la réalité.

Il avait donc plu, et une odeur de mousse humide, d'herbe et d'écorce mouillée flottait dans l'air. Les stores n'avaient pas été baissés, mais les rideaux avaient été tirés. Parfois, ils allumaient des bougies.

Andrew Davies était grand, plus grand que Phillip, et certainement plus lourd, bien que très mince. Comment Janet, qui était si menue, supportait-elle son poids sur elle ? D'autant qu'il ne restait pas immobile. Pour commencer, il se pressait contre elle, enfouissait son visage dans ses longs cheveux répandus sur l'oreiller, puis ses hanches se soulevaient et s'abaissaient et Janet gémissait doucement. Il lui faisait mal, cet homme, pourquoi ne se défendait-elle pas ? Le petit garçon commençait à trembler et aujourd'hui encore, des années plus tard, il tremblait en y repensant. Elle murmurait des mots dont il ne connaissait pas le sens à l'époque, mais qu'il comprenait aujourd'hui et qui le rendaient malade de honte. Des mots pour inviter Davies à l'éperonner plus profondément, à la chevaucher plus vite, plus brutalement qu'il ne le faisait déjà. Davies se redressait en prenant appui sur ses bras et se mouvait alors avec une telle violence que leurs deux corps claquaient bruyamment l'un contre l'autre, et Janet s'agrippait à ses bras, prononçait en alternance le nom Andrew lui-même et celui du Seigneur, ou râlait comme un animal à l'agonie, et c'était exactement ce que pensait le petit garçon :

Andrew était en train de tuer Janet. Il aurait dû se précipiter pour la défendre, mais c'était comme si la peur et l'horreur le paralysaient, il avait les jambes coupées, les paumes moites, son cœur battait si fort qu'il lui semblait que sa poitrine allait exploser. Janet poussait un cri, et Andrew s'immobilisait, dressé au-dessus d'elle, tel un rapace sur le petit animal qu'il vient de terrasser, puis il s'effondrait sur elle et ils demeuraient ainsi, leurs deux corps emmêlés. Dans les oreilles du petit garçon, les bruits étaient si stridents qu'il ne les entendait pas haleter. Il se persuadait alors qu'ils étaient tous les deux morts. Et chaque fois, à l'instant où Janet poussait cet affreux cri, il faisait pipi dans sa culotte. À tout le reste s'ajoutait ainsi la honte brûlante de cette déconvenue, de la régression au stade de la prime enfance qu'il avait pourtant quittée depuis longtemps. Au début, il avait caché ses vêtements souillés, mais Janet finissait inévitablement par les chercher et soit elle les trouvait elle-même, soit elle le pressait de questions jusqu'à ce qu'il révèle où il les avait fourrés. Alors elle ne manquait jamais de souligner qu'elle n'était pas fâchée à cause de ce qui lui était arrivé, mais parce qu'il avait essayé de le lui cacher.

« N'as-tu donc pas confiance en moi ? Enfin, Maximilian, réponds ! Qu'est-ce qui se passe ? »

Mais c'était l'époque du mutisme. Les mots lui manquaient pour dire ce qu'il ressentait. Il ne parvenait pas à exprimer sa honte, ni sa peur. Il ne pouvait pas parler du grand monsieur auquel Janet permettait encore et encore de lui faire du mal, ni de la frayeur qui était la sienne quand il croyait les voir tous les deux mourir sous ses yeux dans d'atroces souffrances.

« Vous ne pouviez pas en parler avec votre père non plus ? » lui avait un jour demandé le professeur Echinger.

Il avait longuement réfléchi. À l'époque, en parler avec Phillip ne lui était pas venu à l'esprit.

« Non, je ne pouvais pas. Au sens strict du terme. Je veux dire, quand il s'agissait de ce sujet, j'étais quasiment dans l'incapacité physique de parler.

— Votre mère ne prenait pas réellement de précautions. Elle aurait dû craindre que vous ou votre frère la trahissiez, ne serait-ce qu'involontairement, sans penser à mal. »

Cela avait encore ajouté au trouble de l'enfant.

« Oui… Elle ne semblait pas du tout avoir peur. Par la suite, j'y ai réfléchi. Je me suis dit que…

— … que votre père était au courant ?

— Oui. Il savait. Et il acceptait. »

Phillip avait-il su dans le moindre détail ce qu'ils faisaient quand il n'était pas là ? Toutes les positions possibles de l'amour avaient défilé devant les yeux écarquillés d'horreur du petit garçon accroupi derrière la porte entrebâillée, tandis qu'il regardait les scènes extatiques qui se déroulaient sur le lit parental, le souffle chaud de son frère dans son cou, ses hoquets de peur dans son oreille, son petit corps figé contre le sien. Des années plus tard, il s'était demandé pourquoi Janet n'avait jamais complètement fermé la porte. Une seule explication lui avait paru plausible : parce qu'il y avait ses enfants. Elle voulait pouvoir les entendre s'ils l'appelaient. Et elle avait fait en sorte qu'ils ne l'appellent plus jamais.

Un jour, alors qu'ils les observaient, il s'était senti soulagé. Pour la première fois, les rôles étaient inversés. Enfin. Enfin Janet se vengeait de toutes les humiliations qu'elle avait subies. Il aurait voulu pousser de grands cris d'encouragement à sa mère, puis, les minutes passant, il avait compris que de cette façon aussi cela se terminait par des cris et des gémissements. Il en était presque venu à redouter cette position plus que les autres car à tout le reste s'ajoutait la perte de dignité de sa mère. Jusque-là, elle n'avait été qu'une victime, à présent, elle devenait elle-même active et ça la rendait sale et repoussante. Elle était laide avec son visage luisant de sueur, ses traits déformés, ses seins qui ballottaient. Ce n'était pas sa maman. Sa maman portait de beaux vêtements, et ses cheveux étaient soyeux et bien coiffés. Elle sentait bon et avait le sourire le plus doux de la terre. Le soir, elle s'asseyait au chevet de ses enfants, les prenait dans ses bras et leur donnait le sentiment de n'appartenir qu'à eux, de les protéger de toutes les méchancetés du monde, du fait de sa seule existence, parce que rien de ce qui n'était pas infiniment pur ne l'avait jamais touchée. Elle avait détruit cette illusion. Peu de temps après le début de sa liaison avec Andrew Davies, ses fils commencèrent à l'appeler « Janet » et elle eut beau demander, prier, gronder, pleurer, jamais plus ils ne l'appelèrent « maman ».

Il se trouvait de nouveau devant la fenêtre. Il était vingt-deux heures mais le jour ne voulait toujours pas finir. Il n'aimait pas beaucoup ces nuits claires d'été de la Saint-Jean, là-haut, à l'extrême nord du pays. La lumière, les voix, l'absence de sommeil le rendaient nerveux. Il aimait les longues nuits d'hiver silencieuses et noires, les étoiles qui piquetaient le ciel, l'obscurité et la neige qui recouvraient les blessures et les peurs de leur manteau protecteur. Comment était la nuit à Duverelle ? Certainement plus sombre qu'ici, d'un vrai noir de velours.

Il se sentait si proche de son frère. Il en avait toujours été ainsi, aussi bien lorsqu'ils étaient enfants qu'aujourd'hui, alors qu'ils ne vivaient plus ensemble. Peut-être que rien ne pourrait jamais les séparer, depuis ce temps lointain où leur vie avait commencé, serrés l'un contre l'autre, dans le ventre de Janet. Parfois, la nuit, Maximilian percevait les battements du cœur de Mario. À leur régularité et leur vitesse, il savait si son frère dormait paisiblement, s'il se débattait dans un cauchemar ou se tournait et retournait dans son lit sans trouver le sommeil. À aucun moment il n'avait eu l'idée de vérifier cette intuition, mais il était arrivé qu'ils se voient ou se téléphonent le lendemain, et jamais Maximilian n'avait été surpris que son jumeau confirme ce qu'il avait ressenti.

« Je n'ai pas fermé l'œil de la nuit, ça tient peut-être à la pleine lune. Pas une seconde je n'ai été fichu de dormir…

— Je sais. »

En ce moment, Mario ne dormait pas. Il était certes encore tôt, mais il ne dormirait pas de la nuit, Maximilian le sentait. Mario avait devant les yeux la même vision que lui de Janet dans les bras d'Andrew, une vision infernale qui l'empêchait de trouver le sommeil.

Peut-être y avait-il aussi autre chose.

Maximilian était sûr que Mario n'était pas seul. Quand il avait parlé de descendre en Provence, Maximilian avait immédiatement compris que son frère lui dissimulait quelque chose. À sa façon de le regarder, de parler. D'infimes détails, mais les deux frères fonctionnaient l'un pour l'autre comme des sismographes extrêmement sensibles. Ainsi, même s'il n'en avait aucune preuve tangible, Maximilian était-il sûr que Mario était avec une fille.

Il n'avait aucune difficulté à l'imaginer : menue, douce. Les traits fins. De longs cheveux blonds. Donnant une impression de fragilité et d'innocence, un peu comme Janet à vingt ans. Mais cette apparence cachait un appétit de vivre difficile à discerner de prime abord, une envie de goûter à tout, même aux fruits défendus. Elles étaient *toutes* comme ça. Il le savait. Son frère le savait-il ? Et si non, quand s'en rendrait-il compte ?

Il ouvrit la porte donnant sur le couloir, cédant malgré tout à l'espoir d'interrompre les tumultes de son imagination. Il était peut-être fou. Peut-être y avait-il longtemps qu'il aurait dû cesser de se fier à ses sensations. On lui faisait prendre des médicaments, des psychotropes, en d'autres termes, des tranquillisants. Il détestait ces préparations. C'était comme si un voile lourd et épais se plaquait sur son cerveau et l'embrumait. Elles ne le coupaient pas complètement de ses perceptions, mais tout semblait se jouer derrière un rideau qui l'empêchait d'avoir accès à ses émotions. À croire que sa conscience avait été séparée de son corps. Il avait cru devenir fou. On lui avait alors administré des injections, et le résultat avait été pire encore. Et maintenant, sans médicaments, il suffisait de quelques heures pour qu'il soit pris de tremblements incontrôlables. Il se demandait combien de patients achevaient leur cure plus malades encore qu'à leur arrivée, à force d'ingurgiter ces médicaments. Il avait passé des nuits entières à essayer de percer le brouillard qui l'empêchait d'aller au fond de lui-même, de retrouver ses propres questionnements et ses propres angoisses ; ce qu'il avait éprouvé alors, il ne le souhaitait pas à son pire ennemi.

Hormis le halo bleuâtre d'une veilleuse, le couloir était plongé dans l'obscurité. Tout le monde devait déjà dormir. La distribution des somnifères avait lieu à vingt et une heures. La plupart du temps, il suffisait de quelques minutes pour que le bâtiment soit silencieux. Echinger était probablement encore en train de travailler, ainsi, peut-être, que l'un ou l'autre des médecins de garde. Ceux qui n'étaient pas de service les jours prochains et n'habitaient pas sur place étaient rentrés chez eux.

Maximilian regarda sa montre. 22 h 30. Son inquiétude grandissait. Il ne pouvait pas s'en aller, pas maintenant. Il y avait bien un arrêt de bus à environ trois kilomètres, mais pas de service de nuit. Le premier car passait à sept heures. Il desservait tous les villages alentour jusqu'à Niebüll – Niebüll, sa gare et ses trains pour Hambourg.

Il réintégra sa chambre et ferma la porte derrière lui. Les mains tremblantes, il ouvrit son armoire et glissa une main sous une pile de sous-vêtements. Depuis qu'il était autorisé à sortir, on lui donnait de petites sommes d'argent, il devait scrupuleusement justifier ses dépenses. Mais à force de demander de l'argent pour se payer un café, puis de se faire inviter par son frère ou de renoncer à consommer, il avait réussi à mettre deux cents marks de côté en un an. Cela représentait une véritable fortune. Il possédait par ailleurs un bien autrement plus précieux : un passeport. Certes, il était périmé, mais la photo était la sienne. Le document était établi au nom de Mario Beerbaum. C'était son frère qui le lui avait apporté un jour.

Il ne savait pas quand le plan d'aller à Duverelle avait germé dans son esprit. À vrai dire, cette idée tenait moins de la décision que d'une impulsion. Il suivait un instinct, répondait à une voix. L'angoisse diffuse qui avait pesé sur lui toute la journée, les vieilles images qu'il n'avait pu chasser de son esprit, avaient cédé la place à l'éclatante certitude de ce qu'il devait faire. Coûte que coûte. Les conséquences seraient lourdes, il en avait conscience. Huit semaines le séparaient de sa sortie de clinique. S'il partait maintenant, il remettait tout en question. Echinger avait l'obligation de signaler immédiatement toute disparition car il risquait d'être lui-même poursuivi en justice et dans le pire des cas, de se voir retirer son autorisation d'exercer. Il retarderait le moment de décrocher son téléphone, mais il lui faudrait bien se décider à mentionner sa disparition. Dès cet instant, Maximilian serait recherché par toutes les polices et il pourrait faire une croix sur sa libération en août. Mais il devait partir.

Il s'assit près de la fenêtre et attendit que le jour se lève.

Mercredi 7 juin 1995

Tina se réveilla alors qu'il faisait encore nuit noire. Elle alluma sa lampe de chevet pour regarder l'heure : trois heures du matin. Elle se demanda ce qui l'avait réveillée. Puis elle entendit de la musique quelque part dans la maison, en sourdine. C'était une musique dramatique, bouleversante, une musique qui donnait des frissons. Elle avait quelque chose d'incongru, de déchirant dans cette nuit de velours provençale…

Tina se leva, enfila son peignoir et ouvrit la porte de sa chambre. Elle descendit lentement au premier étage. Arrivée devant la porte de Mario, elle s'arrêta. Elle avait tout d'abord cru que la musique venait de là, mais elle se rendit compte qu'elle montait de la salle de séjour, au rez-de-chaussée. Elle descendit en hésitant un étage de plus.

La porte du salon n'était pas complètement fermée, un rai de lumière éclairait le couloir. La musique se fit plus forte.

— Mario ?

Pas de réponse.

Elle poussa la porte. Mario lui tournait le dos, il scrutait la nuit, debout devant la fenêtre. Il était complètement habillé – jean, tee-shirt, chaussettes, chaussures. Seul une lampe était allumée, jetant plus d'ombre que de lumière dans la pièce. La musique provenait d'un lecteur de CD. Un frisson parcourut Tina.

— Mario, dit-elle à nouveau.

Il ne l'entendit toujours pas. Elle s'éclaircit la gorge.

— Mario !

Enfin il se retourna. Il était très pâle et, par contraste, ses yeux paraissaient encore plus foncés, ses sourcils plus marqués sur la peau blanche.

— Qu'est-ce que tu fais là ? demanda-t-il une fois fut revenu de sa surprise.

— Ce serait plutôt à moi de poser la question ! Il est trois heures du matin. Tu ne t'es pas couché du tout ?

Il baissa les yeux et se regarda, comme si sa tenue vestimentaire allait l'aider à se souvenir.

— Non, dit-il alors, mais je me couche souvent tard. J'ai du mal à m'endormir.

— Mais trois heures du matin, c'est très très tard, non ?

Mario ne sut quoi répondre. Il s'approcha du lecteur de CD et l'éteignit. Le silence fut si soudain qu'il en devint oppressant.

Mario se passa les doigts dans les cheveux. Il avait l'air épuisé, comme après un marathon.

— Cela fait des années que c'est comme ça, s'excusa-t-il. Je veux dire, que je suis insomniaque. Et quand je ne dors pas, il faut que je fasse quelque chose, alors j'écoute de la musique. Je suis sincèrement désolé de t'avoir réveillée.

— Tu n'as pas à t'excuser. C'est simplement que… Tu as déjà essayé de savoir d'où ça venait ? À ton âge, ce n'est pas normal de ne pas pouvoir dormir.

— Je… je crois que je suis nerveux de nature, c'est tout.

Il se dérobait, lui manifestant ouvertement que la discussion lui déplaisait. Tina eut l'impression qu'elle l'agaçait. Il se sentait piégé. Elle préféra ne pas insister.

— Bon, eh bien moi, je remonte me coucher, annonça-t-elle d'un ton léger.

Mais il semblait si fatigué, si triste… La culpabilité l'envahit. Toute la journée elle s'était montrée froide et distante, et ils s'étaient dit bonsoir sans plus de chaleur. Elle lui effleura le bras.

— C'est très beau, ici, dit-elle. Un peu isolé, mais vraiment beau. J'étais énervée parce que j'avais imaginé autre chose mais maintenant, ça va. Tout va bien.

Il sourit.

— C'est gentil de dire ça, Tina.

Ils se tenaient à quelques centimètres l'un de l'autre, Mario, pâle et vulnérable, Tina très jeune et timide. Pourtant ce fut elle qui tendit la main, caressa sa joue puis plongea les doigts dans ses cheveux noirs.

— Mario, dit-elle à mi-voix.

Le besoin physique de se sentir très proche d'un homme venait de la frapper pour la première fois de sa vie. Elle commençait à comprendre ce qu'était le désir pour un homme – son âme, son corps, ses sens, tout son être.

« Quand tu l'as fait une fois, lui avait toujours dit Dana, tu ne peux plus t'en passer. »

Elle devait avoir raison. Jamais elle n'avait éprouvé un sentiment de cette intensité. Elle vit dans les yeux de Mario le reflet de la flamme qui brûlait en elle et sut qu'à cet instant, quoi qu'il se soit passé avant et quoi qu'il puisse arriver après, il ressentait le même désir qu'elle, et qu'il ne pourrait pas y résister.

Ils s'embrassèrent sans la timidité ni la réserve qui les avaient freinés jusque-là. Les mains de Mario entrouvrirent le peignoir de Tina. Dessous, elle ne portait qu'un slip et un tee-shirt si court qu'il découvrait son ventre. Quand les mains de Mario effleurèrent sa peau, tous ses poils se hérissèrent.

Elle ôta à Mario le tee-shirt qu'il portait. Sa peau était chaude et souple et fleurait bon le savon au pin. Son cœur battait à se rompre. Il entraîna Tina par terre, l'embrassant et la caressant sans dissimuler son désir. Lorsqu'il pesa sur elle de tout son poids et qu'elle sentit son souffle sur son visage, elle se dit que plus jamais elle ne revivrait quelque chose d'aussi extraordinaire, d'aussi…

À cet instant Mario se redressa et la dévisagea. Il y avait dans ses yeux de l'effroi et… du dégoût. Et en un éclair, elle sut ce qu'elle ne revivrait jamais : jamais personne ne la regarderait plus avec une telle expression de répugnance, avec autant de mépris, avec cette aversion.

Mario roula sur le dos et resta allongé à côté d'elle, le souffle court.

Elle ne comprenait pas ce qui s'était passé. Ils n'avaient pas parlé, elle ne pouvait pas avoir dit quelque chose de travers. Qu'est-ce qui avait déraillé ? Elle s'assit, rabaissa son tee-shirt, serra son peignoir autour de ses épaules et remis un peu d'ordre dans sa chevelure. Elle regarda alors Mario qui fixait le plafond, les yeux grands ouverts, s'efforçant de reprendre son souffle.

— Mario…

Elle n'osait pas le toucher.

— Mario, qu'est-ce qui se passe ?

Il ne répondit pas.

— Mario, qu'est-ce qui se passe, tout d'un coup ? répéta Tina d'un ton plus pressant.

Le regard de Mario se détacha du point imaginaire au plafond et se posa sur elle. Il n'y avait plus de tendresse dans ses yeux, plus de désir. Seulement de la colère et de l'hostilité.

— Qu'est-ce qui se passe tout d'un coup ? Tu le demandes ? Tu sais ce qui a failli se passer, là ?

— Oui, je le sais… Bien sûr que je le sais.

Elle était déconcertée.

— Ah. Et ça ne te trouble pas une seconde !

Il s'assit à son tour. Son torse nu était luisant de sueur. Ses yeux jetaient des éclairs.

— Tu aurais trouvé ça super, hein ?

— Mario… Je t'aime. Je croyais que…

— Quoi ? Qu'est-ce que tu croyais ?

— Je croyais que ça faisait partie de l'amour de…

Elle était à présent si effrayée et si désemparée qu'elle cherchait désespérément une formulation élégante pour ce qui, dit sans fioritures, risquait de pousser la colère de Mario à son paroxysme.

— … de se… d'être très proches…

— Et jusqu'où avais-tu l'intention d'être proche de moi ? questionna Mario en guettant sa réponse.

Tina avait l'impression qu'un seul mot inapproprié pouvait déclencher une explosion.

— Mario, je voulais… je voulais…

— Tu voulais me séduire ! Et tu as bien failli réussir. De qui tiens-tu ta science ? De ta chère Dana, cette… cette traînée ?

Il avait littéralement craché le mot. Tina redressa les épaules. Peu à peu la colère la gagnait, prenant le pas sur son désarroi. Qu'est-ce qu'il s'imaginait ? Et comment osait-il traiter Dana de cette façon ?

— J'aimerais bien que tu ne parles pas d'elle comme ça, dit-elle sèchement.

— Elle a couché avec tous les types de Hambourg et des environs, répliqua Mario avec mépris. Tout le monde le sait.

— Ça ne regarde qu'elle.

— Eh bien, non. Parce qu'elle a manifestement déteint sur toi, et du coup, ça me regarde aussi.

Tina se leva. Elle était livide de rage.

— Mais tu n'es pas normal !

Mario se leva à son tour.

— J'aurais dû m'en douter, dit-il.

— Te douter de quoi ?

— Que tu étais comme les autres. Exactement comme les autres.

— Pourrais-tu m'expliquer ce que tu veux dire ?

— Tu as l'air d'un ange. Mais c'est un leurre. Tu n'as jamais cherché autre chose qu'à avoir une aventure avec moi. C'est pour ça que tu voulais absolument qu'on parte ensemble. Tu avais un but bien précis en tête.

Il paraissait blessé, amer et déçu.

C'est tellement grotesque, songeait Tina. Elle avait l'impression d'être dans un rêve absurde, de se voir dans un miroir déformant. Puis d'un coup elle se sentit submergée de fatigue, de tristesse, et d'impuissance.

— Mario, je crois que ça n'apportera rien de continuer à discuter maintenant, dit-elle. On devrait aller dormir et voir demain si on prolonge ces vacances ensemble ou pas. Je… je ne sais plus du tout où j'en suis.

Mario ne répondit pas. Il la regardait avec un air de chien battu. Oui, c'était exactement cela, un air de chien battu.

Finalement, il leva une main, souleva une mèche de ses cheveux et la fit lentement glisser entre ses doigts.

— Je t'aime vraiment beaucoup, Christina, dit-il doucement.

S'entendre appeler par son prénom complet sonnait étrangement aux oreilles de Tina.

— C'est toi l'image cachée en mon cœur !

Elle ne comprit pas ce qu'il voulait dire.

— Quoi ?

— La musique, dit-il. C'est cette musique.

— C'est une phrase extraite de la musique que tu écoutais ? demanda-t-elle, troublée et perplexe.

C'est toi l'image cachée en mon cœur. Qu'est-ce que ça veut dire ?

Il ne répondit pas. Se contenta de tourner les talons et quitta la pièce. Elle entendit ses pas dans l'escalier, puis la porte de sa chambre, qu'il fermait avec ostentation.

Il fallut à Tina cinq minutes pour se ressaisir avant d'être à son tour capable de monter se coucher.

Mais elle chercha vainement le sommeil.

— Je peux vous déranger un instant, professeur ? demanda le docteur Rosenberg, un collaborateur d'Echinger, en glissant la tête dans l'entrebâillement de la porte du bureau de son supérieur.

Le professeur Echinger était assis à sa table de travail. Il jeta un regard distrait par-dessus la monture de ses lunettes de lecture.

— Oui ? Je vous écoute ?

— C'est peut-être sans importance..., fit Rosenberg en entrant. Maximilian Beerbaum a disparu, sans explication.

Echinger, qui comptait expédier l'importun le plus rapidement possible, se fit attentif.

— Depuis quand ?

— Il n'est pas apparu au petit déjeuner. Et depuis, personne ne l'a vu nulle part.

À l'heure du petit déjeuner que patients et soignants prenaient en commun, Echinger travaillait déjà dans son bureau. Il plissa le front.

— Ça ne lui arrive jamais de le manquer ?

— Si, mais il était inscrit à un groupe de parole, juste après. Et il n'a encore jamais manqué ce rendez-vous.

— Vous êtes allé voir dans sa chambre ?

Rosenberg hocha la tête.

— Bien sûr. Il n'y est pas.

Echinger regarda la pendule.

— Il a rendez-vous avec moi à onze heures. Il a peut-être eu envie d'aller faire un tour en attendant, et il a oublié de signaler qu'il sortait. Auquel cas il sera de retour d'ici à onze heures. Il n'a encore jamais manqué de séance.

— Il n'a encore jamais oublié de faire une déclaration de sortie, non plus, observa Rosenberg. Il sait ce qu'implique un manquement à la règle.

Les deux hommes se regardèrent.

— S'il ne se montre pas à notre rendez-vous, nous irons dans sa chambre voir s'il manque quelque chose, dit Echinger.

— Nous sommes tenus de signaler son absence d'ici à ce soir, rappela Rosenberg.

Echinger se leva et jeta son stylo-bille sur le bureau.

— Je ne peux pas imaginer qu'il ait fichu le camp. Ce serait tellement idiot. Il lui reste à peine huit semaines à tenir ! C'est quoi, huit semaines ? Dieu sait qu'il peut bien attendre jusque-là !

— Il m'a paru très tendu, ces derniers jours. Quelque chose le préoccupe.

— Sa mère, marmonna Echinger. Elle est en Angleterre, probablement chez son ancien amant.

Et son frère est descendu en Provence, soi-disant seul.

— Deux paramètres critiques..., dit Rosenberg qui connaissait le cas Beerbaum.

— S'il est parti..., réfléchit Echinger à haute voix. S'il est parti... c'est pour aller quelque part. Mais où ?

— Chez sa mère ?

— À vrai dire, j'en doute.

— Pour essayer de la convaincre de rentrer au bercail ?

Echinger secoua la tête.

— Cela fait six ans que je le suis. Ça m'étonnerait beaucoup que...

— Que quoi ?

— Je ne crois pas qu'il veuille se mêler des histoires de ses parents. Il a pris de la distance par rapport à sa mère. Ça ne l'enthousiasme sûrement pas qu'elle soit allée retrouver son amant, mais il n'interviendra pas.

— Hm...

Rosenberg n'aurait pas été aussi affirmatif. Pour lui, on ne pouvait jamais vraiment savoir.

— Vous êtes son thérapeute, dit-il, vous êtes plus à même de juger que moi.

Echinger s'approcha de la fenêtre dont un des battants était ouvert. Il faisait particulièrement chaud et lourd en ce début de matinée. Il y aurait sûrement de l'orage dans l'après-midi.

— Un lien extraordinairement fort l'unit à son frère, dit-il lentement.

— Pas si extraordinaire que ça chez des jumeaux.

— Oui, c'est étrange, ce phénomène entre jumeaux, n'est-ce pas ? Ce mystérieux lien indestructible. C'est de fait très fréquent, mais entre les frères Beerbaum, il semble particulièrement fort. Ils sont en dialogue permanent, au-delà des kilomètres et après des mois de séparation. J'ai rarement rencontré un couple gémellaire à ce point fusionnel. Ils sont en parfaite communion, identiques et interchangeables. Ils ne se perçoivent pas comme deux individualités distinctes.

— Il existe néanmoins une différence de taille, corrigea Rosenberg : Maximilian a été malade. Pas Mario.

— C'est vrai, concéda Echinger, cela les différencie.

Il se détourna de la fenêtre et regarda son confrère.

— Bien, nous faisons ce que nous avons dit. Nous attendons jusqu'à onze heures. Ensuite, nous fouillons sa chambre.

— Et la police ?

— Il sera toujours temps de s'en occuper plus tard, dit Echinger d'un ton impatient. Inutile d'enclencher tout de suite le branle-bas de combat. S'il n'est pas rentré ce soir...

Il n'acheva pas sa phrase. Rosenberg comprenait sa réticence à intervenir. L'échec thérapeutique du cas Beerbaum serait une défaite personnelle pour le professeur Echinger. L'analyste chevronné qu'il était ne se pardonnerait jamais d'avoir mal évalué l'état psychique du jeune homme.

— Dana, c'est toi ?

La voix de Karen était inhabituelle, grasseyante, traînante. Elle provenait du séjour. Dana, qui sortait de la douche enveloppée dans un drap de bain, s'immobilisa dans le couloir. Elle avait cru sa mère encore au lit. Elle ouvrit la porte du salon.

— Maman ? Tu es déjà réveillée ?

Karen, étendue de tout son long sur le canapé, ne s'était visiblement pas couchée de la nuit. Elle portait un jogging bleu constellé de taches et des chaussettes en laine vermillon. Ses cheveux étaient ébouriffés, elle était blême, bouffie et avait l'air d'une vieille femme. Des bouteilles et des verres gisaient par terre, à côté d'elle. La pièce empestait l'alcool.

— Ah, maman, tu as recommencé ! fit Dana d'un ton résigné.

Elle alla ouvrir la fenêtre tout en retenant le drap de bain noué sur sa poitrine. Le vacarme de la ville emplit brusquement l'espace. Des nappes d'air moite et lourd mêlé aux gaz d'échappement pénétrèrent lentement dans l'appartement.

Karen se prit le front dans la main et gémit doucement.

— J'ai un mal de crâne épouvantable… Y a de l'aspirine quelque part ?

— Qu'est-ce que tu as dû descendre ! constata Dana.

Elle retourna dans sa chambre, enfila une robe de chambre puis alla dans la cuisine et fit tomber un comprimé effervescent dans un verre d'eau. La veille, le parcours santé avec gymnastique, carottes crues et thé vert de sa mère avait débouché sans transition sur une phase dépressive. Au cours de l'après-midi, Karen avait soudainement balancé ses livres de gymnastique dans un coin et filé au supermarché le plus proche, dont elle était revenue avec des montagnes de nourriture et un stock impressionnant d'alcools en tout genre. Elle s'était ensuite attelée à la confection d'un repas digne de ce nom, qu'elle avait de toute évidence arrosé bien au-delà du raisonnable. Dana en avait l'habitude. Quand le poids du monde s'abattait sur ses épaules, Karen pouvait boire jusqu'à en perdre conscience.

Elle apporta le verre à sa mère et l'aida à s'asseoir en lui calant des coussins dans le dos. Karen avait les lèvres grises et l'air d'une quinquagénaire fatiguée.

— Pas terrible, hein, marmonna-t-elle, de trouver sa mère dans cet état en se levant ?

— Qu'est-ce qui s'est passé, hier soir ? Tu voulais te faire un bon petit dîner devant la télé et te mettre au lit !

Quand elle était rentrée de discothèque au milieu de la nuit, Dana s'était faufilée dans sa chambre sur la pointe des pieds sans imaginer une seconde que sa mère n'était pas couchée.

— Bah, j'ai commencé à ruminer, dit Karen. Je me sentais si seule.

— Je suis désolée. Je ne savais pas que…

— Tu n'y es pour rien. Tu n'es pas tenue de rester à la maison pour faire la conversation à ta vieille mère.

— Tu n'es pas vieille, maman.

— Allons, regarde-moi donc.

En son for intérieur, Dana se dit qu'elle avait raison. Elle vieillissait à grands pas. La solide gueule de bois de ce matin n'expliquait pas tout. Derrière les rides, les sillons profonds qui marquaient son visage, la chair qui commençait à s'affaisser autour de la bouche, il y avait des années de frustration et trop d'heures de solitude. Sur le plan professionnel elle avait enchaîné les galères, elle n'avait pas de compagnon et pas même d'amis. Mais dans un sens, songea Dana avec une soudaine bouffée de tendresse, elle maintenait courageusement le cap.

Elle se pencha vers Karen et lui piqua un baiser sur la joue.

— T'es super, maman, dit-elle, parole !

— Je suis nulle, répliqua Karen. Je n'ai pas de boulot, pas de mec, et je ne peux même pas payer le loyer.

— Depuis combien de temps ?

— Deux mois. Hier, j'ai reçu une lettre recommandée du bailleur. Il menace de nous flanquer dehors.

— Et le virement de mon père pour le mois de juin ?

— Je m'en suis servie pour payer deux-trois dettes, et le reste est parti dans la nourriture et les boissons.

Dana ramassa une par une les bouteilles qui gisaient à côté du canapé et lut les étiquettes.

— Maman, ces trucs sont hors de prix. Tu pourrais déjà économiser là-dessus !

— Je refuse de me restreindre en permanence. On a besoin de se faire un peu plaisir dans la vie.

— Mais ça, ce n'est pas un plaisir ! Pas quand on finit dans un état pareil ! s'exclama Dana.

Elle se laissa choir dans un fauteuil et posa ses pieds sur la table. Les ongles de ses orteils étaient couverts d'un vernis orange vif.

— Il faut que tu retravailles, maman. Pas seulement pour l'argent. Parce que c'est important pour toi.

— Personne ne veut de moi.

— Parce que tu n'es pas prête à faire des concessions. Il est là, le problème, pas ailleurs. La façon dont tu t'habilles ! Tu...

— Ah ! Parce que tu préférerais que j'aie une permanente, un twin-set et un collier de perles ?

— Tu sais bien que non. Mais tu n'es pas obligée non plus de porter en permanence des couleurs criardes. Et – ne le prends pas mal – mais tes fringues, on voit à cent mètres qu'elles viennent de chez un fripier. J'imagine la réaction d'un rédac' chef quand tu entres dans son bureau ! Tu dois les effrayer.

— Parce que ce sont tous des merdeux superficiels en costard.

— N'empêche qu'il faut que tu t'en accommodes si tu veux qu'ils te fassent bosser, maman.

— Mais dis donc, j'ai fabriqué une parfaite petite conformiste, attaqua Karen d'un ton agressif.

Dana haussa les épaules.

— Je suis peut-être simplement un brin plus maligne que toi. Je n'ai aucune envie de vivre au jour le jour comme toi, et de me demander comment je vais payer mon loyer. Et il y a autre chose. Tes excentricités vestimentaires passeraient sûrement mieux si tu étais une journaliste vraiment géniale, qui...

— Ah, voilà que tu remets mes capacités professionnelles en question ?

— Je ne parle pas de ton style. Mais de la façon que tu abordes ton travail. Tu n'as jamais rendu un article à l'heure. Tu ne t'es jamais tenue à ce qui avait été convenu. Pour l'essentiel, ton boulot a consisté à rater tes avions, à faire attendre tes rendez-vous dans des bars d'hôtel et à méditer dans tes apparts successifs pendant que d'autres enquêtaient et remettaient leurs articles à temps pour le bouclage. Aucun journal ne peut accepter ça, maman.

— Tandis que toi au contraire, tu t'es remarquablement adaptée à l'ordre établi de notre cher pays. Fiabilité, ponctualité, et pas un cheveu qui dépasse ! Pas besoin de se faire du souci pour toi. Une belle carrière lisse et sans aspérités t'attend. Prends garde à ne pas user toute ta salive à lécher des bottes pour grimper les échelons !

Dana se leva.

— D'accord. Tu as décidé de cracher ton venin. Et d'être de mauvaise foi. Tu sais pertinemment que je me fais remarquer où que j'aille, et tu es au courant de ce qu'on raconte sur moi. Seulement moi, je m'en fiche. Toi, tu es une geignarde et une pseudo-inadaptée. Tu veux vivre comme ça te plaît, tu ne veux te plier à aucune convention et aucune règle et tu en es fière, mais quand il s'agit d'assumer les conséquences de ton mode de vie, tu t'effondres. Et là, tes grands idéaux, eh bien, ils ne sont plus très crédibles. Si tu veux mon avis, la façon dont tu pratiques la rébellion n'impressionne personne.

— Tu as fini ? demanda Karen d'un ton glacial.

Sa froideur était simulée, Dana s'en rendit compte. Elle avait peut-être tapé un peu fort, parlé trop franchement. Pour l'heure, sa mère n'était pas en état de réfléchir sérieusement à son mode de vie.

— Je suis désolée. Je ne voulais pas te faire de peine.

— Tes amis t'ont joliment retournée, remarqua Karen qui commençait à reprendre des couleurs mais avait toujours l'air au trente-sixième dessous. Les grands préceptes de monsieur le procureur te font de l'effet.

— Pour toi, il n'y a que le blanc et le noir. Quand on n'est pas comme toi, on est un affreux petit-bourgeois réactionnaire et un lèche-bottes. Entre les deux, il n'y a rien !

— Heureusement que tu es subtile, toi !

Dana soupira. Impossible d'avoir une discussion avec sa mère aujourd'hui. Le moindre échange tournait au vinaigre. Quand Karen voulait la bagarre, il n'y avait pas moyen d'y échapper.

— Je ne serai pas là pendant quelques jours, dit-elle.

Karen la dévisagea d'un œil morne.

— Ah bon ?

— Je vais en France.

— Ah !

Un sourire passa sur le visage de Karen et pour la première fois de la matinée, elle parut un peu moins vieille.

— Tu ne peux pas t'en empêcher, hein ? Cette pauvre Tina va voir débarquer sa baby-sitter, même si elle n'en veut pas !

— C'est idiot, ce que tu dis. Je ne me prends pas pour sa baby-sitter. Et je n'ai pas l'intention de les embêter. On se verra de temps en temps, on sortira un peu ensemble, c'est tout.

— Ce cher procureur m'a déjà informée de tes projets. Il est très inquiet. Je ne dois surtout pas te laisser faire du stop, m'a-t-il dit. C'est beaucoup trop dangereux, d'après lui.

Dana haussa les épaules.

— Il dit ça pour mon bien. Mais il ne m'est encore rien arrivé. De toute façon, je n'ai pas d'argent pour prendre le train.

Karen posa son verre vide par terre, se cala dans les coussins et ferma les yeux.

— J'ai l'impression que ma tête va exploser, murmura-t-elle. Tu penses partir quand ?

— Dans la journée. Bon, je vais m'habiller.

Dana se dirigea vers la porte puis s'arrêta sur le seuil et se retourna.

— Je peux te laisser seule, maman, ça ira ?

Avec son teint blême et ses yeux clos, Karen avait l'air d'une morte. Elle répondit lentement, en remuant à peine les lèvres :

— Naturellement. Ça ira très bien. Pars donc.

Dana hésita encore un instant puis quitta la pièce. Elle avait mauvaise conscience mais pour l'avoir maintes fois expérimenté au cours de sa jeune vie, elle savait qu'elle ne pouvait pas aider sa mère. Karen devrait se débrouiller seule pour se remettre d'aplomb.

Était-ce une impression ou était-elle particulièrement désordonnée ? Ils n'étaient pas là depuis deux jours que la maison ressemblait déjà à un champ de bataille. Deux paires de chaussures traînaient dans l'entrée, comme mises là exprès pour que l'on trébuche au passage. Dans la salle de bains, ses affaires – une collection de flacons et tubes de produits de beauté – encombraient la totalité de l'étagère sous le miroir. Jamais elle n'accrochait ses serviettes mouillées qui gisaient en tas dans un coin de la pièce. Quand elle se faisait une tartine dans la cuisine, elle laissait systématiquement couteau et assiette sur la table ; elle oubliait même souvent de ranger le beurre dans le frigo. Un de ses tee-shirts traînait sur le canapé du salon et un pull-over en laine avait passé la nuit dehors sur une chaise longue où il s'était gorgé de rosée.

Quand je pense que je la croyais soigneuse, songea Mario.

Il se demanda pourquoi cette découverte le mettait dans une telle colère. Il n'avait jamais été très pointilleux en matière de rangement, pourquoi y attachait-il soudain de l'importance ? Puis il comprit, et l'idée l'angoissa, qu'il cherchait en réalité une raison de *s'autoriser* à être en colère contre elle. Il avait besoin d'un exutoire, une raison d'exploser, de lâcher la pression. Soit il laissait libre cours à l'agressivité qu'il nourrissait envers elle, soit il allait étouffer.

Il s'était fait d'elle une image qui avait volé en éclats la nuit précédente, après que plusieurs fêlures l'eurent d'ores et déjà endommagée. Qu'avait-il vu en elle ? Une créature merveilleuse ? Une bonne fée ? Un ange descendu du ciel ? Il l'avait placée sur un piédestal dont elle ne voulait pas. Il s'en était rendu compte au cours du voyage : la minijupe, le rouge à lèvres criard. Il avait eu la nausée en voyant ce type la regarder. Puis l'incident de la nuit dernière : s'il l'avait voulu, elle se serait donnée à lui sur-le-champ. Sans honte et sans pudeur. Était-ce ce qu'elle cherchait depuis le début ? Était-ce pour cette raison qu'elle avait tant insisté pour partir en vacances avec lui ?

Il se prit le front à deux mains dans le vain espoir de chasser de son esprit les pensées qui l'obsédaient : il ne devait pas la diaboliser. Elle avait eu un moment de faiblesse, mais lui-même n'avait pas été loin de céder. Elle n'était pas la seule à blâmer.

Il s'efforça de penser à autre chose, rassembla ses affaires dispersées dans la maison et fit une liste des achats à faire. Il arrosa les plantes, retira les cheveux de Tina du lavabo de la salle de bains. Sa colère retomba aussi soudainement qu'elle était apparue, mais il savait qu'elle ne s'était pas évanouie. Elle était susceptible de rejaillir à tout instant et d'enfler sans qu'il puisse la maîtriser.

Il traversa la cuisine pour rejoindre la terrasse à l'arrière de la maison. Elle était ombragée et il y faisait plus frais que dans le jardin. Le carrelage au sol, identique à celui de la cuisine, donnait l'impression d'une pièce supplémentaire en plein air. Des fleurs multicolores s'épanouissaient dans des jarres en terre cuite et de la mousse poussait entre les pierres. En dépit des deux grands cerisiers qui tenaient le soleil à distance, contre le mur de la maison, le thermomètre affichait 28 degrés.

En bikini, Tina lisait sur une chaise longue. Mario s'efforça de ne pas laisser ses yeux descendre au-dessous de son menton. Elle était plongée dans sa lecture, l'air concentrée, et tressaillit quand elle découvrit Mario à côté d'elle. Comme il souriait, elle se détendit légèrement.

— Qu'est-ce que tu lis ? demanda-t-il.

Elle ferma à demi le livre pour lui montrer le titre. *Sita* de Kate Millett. Il ne connaissait pas le livre, mais il connaissait l'auteur. Il se demanda quel intérêt Tina trouvait à une féministe lesbienne.

Tina posa le livre à côté d'elle.

— C'est l'histoire d'une relation amoureuse entre deux femmes, dit-elle. C'est poignant.

— Ah.

Il lui sembla qu'elle attendait une remarque intelligente de sa part, mais rien ne lui venant à l'esprit, il se réfugia dans un silence censé être éloquent. Puis il lui proposa d'aller faire des courses.

— Viens donc avec moi au village. Il faut qu'on achète quelque chose pour le dîner.

— D'accord. Je m'habille et j'arrive, dit-elle en se levant.

Elle ne veut pas me provoquer, se dit-il, elle porte cette minuscule chose à fleurs parce que toutes les femmes portent ça. Elle n'a jamais réfléchi à l'effet que ça fait.

Comme s'il avait pensé tout haut, elle croisa brusquement les bras sur sa poitrine, gênée, et ses joues s'empourprèrent.

— Je n'ai toujours pas appelé mon père. Il doit être très inquiet.

— Tu lui as dit que tu lui téléphonerais ?

— Non, mais ça allait de soi, pour lui comme pour moi.

Elle leva les yeux vers la fenêtre du petit bureau où se trouvait le téléphone, au premier étage.

— C'est drôle que lui non plus n'appelle pas, non ?

— Personne n'appelle jamais ici. Il faut croire que personne ne veut nous déranger.

— De toute façon, je ne saurais pas quoi lui dire. Il se rendrait sûrement compte que je suis déprimée.

Mario comprit qu'elle lui tendait une perche. Il aurait dû embrayer sur le sujet et lui demander les causes de sa déprime. C'eût été l'occasion de parler de la veille. Il aurait pu expliquer ce qui s'était passé dans sa tête ; elle aurait peut-être compris. Mais il ne se sentait ni la force ni le courage de mettre le sujet sur le tapis.

— Oui, va t'habiller, Tina, se contenta-t-il de répondre. Il faut qu'on y aille.

Elle lui jeta un regard où se mêlaient autant d'agacement que de déception, mais elle ne dit rien, tourna les talons et entra dans la maison.

Les jours n'en finissent pas quand on n'a rien à faire. Boire et manger ne meublaient guère le temps, pas plus que les menus rangements qui lui incombaient dans une maison tenue par une femme de ménage d'une efficacité exemplaire. Pour couronner le tout, il pleuvait des cordes, et le jardin n'offrait aucune solution de repli.

J'aurais dû aller au bureau, songea Phillip, d'autant que je croule sous les dossiers.

Il avait capitulé. Seul, il ne pouvait absorber tout le travail en attente. Sa secrétaire était partie pour deux semaines aux Canaries, l'un de ses deux collaborateurs était souffrant et ne viendrait pas travailler, et Janet était toujours à Londres, plus précisément toujours dans le lit d'Andrew Davies. Il découvrait maintenant le rôle-clé qu'elle jouait au sein du cabinet. L'étudiant qu'elle avait pris sous son aile ne savait pas quoi faire de ses dix doigts, l'autre collaborateur ne cessait de se plaindre de la surcharge de travail. Phillip finit par les renvoyer tous les deux chez eux. Même s'il savait qu'aucune solution ne lui tomberait du ciel et que les choses ne feraient qu'empirer s'il branchait le répondeur et laissait tout en plan au lieu de s'activer, il ne se sentait pas capable de prendre le problème à bras-le-corps. Une sorte de léthargie s'était emparée de lui. Et rester assis dans un fauteuil, fixer le mur et se torturer en réfléchissant à sa situation était la seule chose dont il se sentait capable.

Il était seul. Il avait perdu Janet. Même si elle lui revenait, ils ne pourraient plus reprendre une vie commune normale, pas après la *deuxième* fois. Mario vivait sa vie. Et Maximilian, le seul susceptible de rester auprès de lui, était précisément celui dont il ne voulait pas.

Dans le silence, le tic-tac de l'horloge paraissait assourdissant. Dehors, la pluie tombait à verse.

Phillip se leva, alla dans la cuisine et mit de l'eau à chauffer pour faire du café. Pas de femme, pas d'enfants, une maison vide. Il se sentait seul et pitoyable. Il avait toujours eu l'arrogance de considérer la solitude comme la conséquence d'une incapacité personnelle à s'entendre avec les autres, et des sentiments de culpabilité confus et désordonnés l'assaillaient maintenant de toutes parts. Un loser, il n'était qu'un loser, le mot résonnait dans sa tête tandis qu'il contemplait la grisaille par la fenêtre, en attendant que l'eau frémisse. En même temps, une idée un peu folle se frayait un chemin dans son esprit : et s'il sautait dans le premier avion pour aller chercher Janet ? Un petit coup de force l'impressionnerait peut-être, peut-être même pourrait-il éveiller en elle des sentiments qu'elle n'avait pas montrés jusque-là. Apparemment, elle était sensible au style « je prends ce que je veux sans me poser de questions ».

« Je suis venu pour te ramener à la maison, Janet. » Ou plus agressif : « Décide-toi. Si tu *le* choisis, on divorce ; et je te promets que tu en baveras tellement que tu te demanderas s'il en vaut vraiment la peine ! »

À moins de tenter la méthode Andrew Davies. Je prends fermement Janet par le bras et je la traîne dehors : « Tu es ma femme, et à l'avenir je te conseille de ne pas l'oublier ! »

Phillip soupira. Il ne ferait rien de tout ça. Ce n'était pas son style. Il n'aurait pas l'air convaincant mais ridicule. Au moment décisif, il ne pourrait pas même compter sur la colère pour lui donner du courage. Il ne ressentirait qu'une immense honte, serait épouvantablement gêné – et si le but était de faire impression sur Janet et Davies, il ne pouvait y avoir de pire préalable.

À l'instant où l'eau commençait à bouillir, le téléphone sonna. Phillip hésita à décrocher, il voulait préparer son café en toute tranquillité. Mais il eut la vision de Janet l'appelant pour essayer de parler avec lui, et il courut au salon pour décrocher.

— Oui ? fit-il, essoufflé comme après un cent mètres.

— Michael Weiss à l'appareil, dit une voix sèche, d'un ton formel.

Le nom ne disait rien à Phillip.

— Oui ? répéta-t-il.

— Je suis le père de Christina Weiss.

— Ah… Monsieur Weiss, bonjour. J'ignorais que…

— Monsieur Beerbaum, je serai bref : je suis très inquiet. Je n'ai aucun signe de vie de ma fille. Nos enfants doivent pourtant être arrivés depuis longtemps. J'essaye continuellement de les joindre au téléphone mais personne ne répond.

Il y avait du reproche dans sa voix, comme s'il tenait Phillip pour responsable de la situation.

— Peut-être ne sont-ils pas encore arrivés, suggéra Phillip. Il serait plausible qu'ils se soient arrêtés en cours de route. Pour visiter une ville, ou une région.

— Mais pourquoi Christina ne m'appelle-t-elle pas ?

Comment le saurais-je ? songea Phillip avec agacement.

— Monsieur Weiss, commença-t-il néanmoins d'un ton rassurant, ils sont jeunes, ils sont amoureux. Appeler leurs parents doit être la dernière chose à laquelle ils pensent.

— Ce serait tout à fait nouveau chez ma fille, déclara Michael sur un ton qui ne laissait aucun doute sur ce qu'il pensait de l'influence de Mario.

Pauvre con prétentieux, pensa Phillip qui garda le silence, attendant la suite.

— J'étais contre ce voyage depuis le début, poursuivit Michael. Mais Christina n'a rien voulu entendre.

— Je suis sûr que vous allez la récupérer en pleine forme.

— Eh bien, vous êtes plus optimiste que moi. Quoi qu'il en soit, je vous serais reconnaissant, si jamais vous les avez au bout du fil, de leur demander de bien vouloir m'appeler.

— Je n'y manquerai pas, assura Phillip, se mettant au diapason du ton compassé et réservé de Michael.

Phillip n'avait pas raccroché qu'il priait intérieurement pour que Mario n'épouse pas cette fille. Quelle purge, un beau-père pareil !

Il était à peine de retour dans la cuisine que le téléphone sonnait de nouveau. Tout au long de cette sinistre et interminable journée, il avait obstinément refusé de troubler le silence. Et voilà qu'il ne voulait plus se taire. Phillip décrocha et se présenta, dédiant une pensée aux impondérables de la vie. Cette fois, c'était le professeur Echinger.

Andrew avait accumulé tant d'heures supplémentaires au cours des douze derniers mois que son supérieur hiérarchique fut heureux de lui accorder un jour de congé.

— Vous ne l'avez pas volé, Davies, fit le commissaire Brown. Après ce que vous avez investi dans l'affaire Corvey…

— Pour des prunes.

— Bien sûr que non. Tout le monde sait que vous avez coffré le bon numéro. On ne peut rien prouver, du moins pour le moment, mais ce n'est pas votre faute. On va y arriver. Croyez-moi.

— C'est moi qui ai mené cette affaire, chef. Et elle ne prend pas une tournure satisfaisante. L'acquittement pour faute de preuves nous pend au nez, vous le savez aussi bien que moi. J'en serai seul responsable. Et il n'y aura pas d'excuse qui tienne.

— Allons, Davies, ne soyez pas aussi dur avec vous-même. Croyez-vous qu'aucun de nous n'a jamais dû ravaler son orgueil quand un criminel avéré est sorti libre du tribunal, faute de preuves ? Nous les pistons pendant des semaines, et ils s'en vont en nous faisant un bras d'honneur. On est tous passés par là, Davies, et ce n'est pas fini.

— Oui, mais les sujets de Sa Gracieuse Majesté ne pouvant être jugés deux fois pour un même crime, il ne paiera jamais pour ces quatre meurtres. Ce qui me rend dingue, c'est que j'aurais dû me douter qu'il reviendrait sur ses aveux. J'aurais dû agir en conséquence. On n'aurait jamais dû aller jusqu'à l'inculpation. Pour commencer, je n'aurais pas dû l'arrêter. J'aurais dû le faire surveiller et…

— Aurais, aurais, aurais ! Arrêtez, Davies. Vous vous torturez inutilement.

Brown posa brièvement la main sur le bras d'Andrew, dans un geste d'amitié et de compréhension.

— Vous allez l'avoir, votre chance, croyez-moi. Corvey est un malade. Il peut se tenir sur ses gardes un moment mais tôt ou tard, il replongera. Et la chance ne lui sourira pas éternellement.

— Pour le moment, il semble avoir tiré de sacrées bonnes cartes.

— Pour le moment, oui. Ça ne veut pas dire que ça va durer. Le vent va tourner.

Brown observait attentivement Andrew. Il était normal que Davies soit démoralisé et déçu, l'inverse eût été surprenant. Mais il paraissait en colère, bien plus frustré que ne l'avaient été certains de ses hommes dans la même situation. Chez lui, la réaction avait quelque chose de démesuré. Pourquoi ? Par compassion pour les victimes, présentes et futures, de Corvey ? Ou était-il vexé de faire les frais des effets pervers d'un système judiciaire, par ailleurs loyal et incorruptible ? Prenait-il cette affaire pour une défaite personnelle particulièrement cuisante ? Brown était fin psychologue, et compte tenu de ce qu'il savait de son subordonné, il penchait secrètement en faveur de la dernière hypothèse. Davies digérait très mal les échecs, c'était d'ailleurs ce qui l'empêchait de grimper les échelons de Scotland Yard aussi vite qu'il l'aurait voulu. Il se voyait au moins commissaire divisionnaire, le poste le plus prestigieux, qui pouvait lui valoir un titre de noblesse.

Tout le monde, au Yard, s'accordait à reconnaître en lui un enquêteur hors pair. Et pourtant, personne ne l'aurait coopté ou pistonné sans y avoir mûrement réfléchi. Divers incidents avaient prouvé que Davies pouvait outrepasser les limites quand il encaissait un revers. Le pire avait toujours été évité, mais tous avaient le sombre pressentiment qu'un jour Davies provoquerait un drame.

— Allez, Davies, profitez au maximum de cette parenthèse sans boulot, dit Brown. Prenez un peu de bon temps et oubliez Fred Corvey.

Andrew sourit, sans parvenir toutefois à faire totalement disparaître le pli amer au coin de ses lèvres. Il lui était pour l'heure absolument impossible de ne pas penser à Corvey.

Quand il rentra chez lui, l'appartement était vide. Il découvrit un mot de Janet sur la table de la cuisine, l'informant qu'elle était partie « faire quelques courses ». Il alla se servir un whisky dans le séjour, le mot toujours à la main, et but lentement, debout devant la fenêtre, se laissant peu à peu gagner par les vertus apaisantes de l'alcool. Janet. Jeune homme, il l'avait associée au printemps, à l'herbe verte, à un ruisseau à l'eau claire. Quand il avait fait sa connaissance, c'était une jeune fille couvée par un père hyperprotecteur, elle était d'une naïveté et d'une innocence charmantes. Elle lui avait accordé la même confiance aveugle qu'elle avait dans la terre entière. Quand il était enfin parvenu à embobiner son père suffisamment pour pouvoir être seul avec elle, ils avaient couché ensemble. Il avait eu alors l'impression de commettre un sacrilège, de s'approprier quelque chose qui n'était ni pour lui ni pour personne. En même temps, sa façon de se donner à lui, sa tendresse puis l'attachement qu'elle lui avait manifesté l'avaient bercé de l'illusion qu'il ne perdrait jamais cette fille, quoi qu'il arrive. Il eut beau se rendre compte qu'elle souffrait de ses multiples aventures, pas un instant il ne craignit qu'elle le quitte. Ni quand elle avait seize ans ni quand elle en eut dix-sept. Il accusa violemment le coup lorsqu'elle partit pour l'Allemagne, à dix-huit ans à peine. Et quand, un peu plus d'un an plus tard, il se rendit en Allemagne et la découvrit avec une alliance au doigt et le ventre d'une femme enceinte de sept mois, il en fut sonné. Il avait alors perçu chez elle une détermination qu'elle n'avait pas auparavant, sa naïveté avait laissé la place à une réserve teintée de méfiance. Mais elle n'avait perdu ni son ingénuité, ni son enthousiasme, ni son goût des autres. À ceci près que, si elle croyait encore au bien, elle n'était plus crédule. Une différence ténue, qui la rendait encore plus attachante.

Mais aujourd'hui... Il faisait tourner son verre dans ses mains, contemplant pensivement le liquide ambré. Aujourd'hui, une expression tourmentée revenait sans cesse assombrir son visage. Andrew avait souvent affaire à des gens confrontés à des situations exceptionnelles. Il était trop familier de la part d'ombre de ce monde que l'on disait civilisé pour mettre ce qu'il discernait chez Janet sur le compte des frustrations liées à un mariage malheureux. Si déprimant que puisse être son quotidien avec Phillip, cela ne suffisait pas à expliquer cette tristesse douloureuse dans ses yeux. Une rupture dramatique avait dû se produire dans sa vie. Il semblait cependant inutile de la presser de questions, il venait d'en faire l'expérience. Elle ne dirait rien tant qu'elle ne l'aurait pas décidé.

Quand il entendit sa clé tourner dans la serrure, il alla à sa rencontre, lui prit le sac à provisions des mains et l'embrassa sur la joue.

— Je commençais à me sentir seul. Je ne suis plus habitué à rentrer dans un appartement vide.

— Je me suis brusquement rendu compte que nous n'avions rien à manger, s'excusa Janet dans un rire. Alors je suis vite descendue faire quelques courses.

Andrew porta le sac dans la cuisine et l'ouvrit.

— Ce sont des choses qu'on peut congeler ?

— Je suppose que oui, dit Janet. Tu veux m'inviter à dîner quelque part ?

— Je veux que tu mettes dans un sac de voyage ce dont tu as besoin pour vingt-quatre heures, que tu t'installes dans ma voiture et me laisses faire.

— Mais…

— J'ai pris un jour de congé. Et j'ai très envie de quitter Londres. C'est…

Il hésita puis reprit, presque à voix basse :

— L'acquittement de Fred Corvey doit être prononcé après-demain. Un petit break pour m'y préparer psychologiquement ne sera pas du luxe.

Une heure plus tard, ils étaient en route. Les embouteillages des heures de pointe commençant à se résorber, ils sortirent rapidement du centre-ville.

— East Anglia, lut Janet sur un panneau indicateur. C'est Cambridge, ton idée ?

— Il y a une éternité que je n'y suis pas allé. Ça te dit ?

— D'accord, mais pas de visites familiales !

Andrew secoua la tête.

— Pour une fois qu'on a une journée à nous, je ne vais pas la passer une tasse de thé à la main sur le canapé d'une de tes tantes. Non, je voulais faire un petit pèlerinage sur les lieux de notre jeunesse.

— Notre lointaine jeunesse !

Il lui jeta un regard de biais et sourit.

— C'est drôle que tu dises ça. Parce qu'aujourd'hui j'ai justement l'impression qu'elle n'est pas si lointaine. Il me semble même que c'était hier qu'on se rencontrait en cachette sur le campus. On trouvait ça très excitant.

Elle ne le regarda pas. Au lieu de cela, elle continua de contempler le paysage qui défilait, les maisons, les champs, les prairies. Le soleil donnait des reflets roux à l'herbe qui ondulait dans le vent du soir.

Ce n'est pas que ça, songea-t-elle, c'est mon pays, ici. Je suis chez moi.

Un sentiment de plénitude et de jeunesse l'envahit. Ce n'était pas une idée nouvelle née de la magie de l'instant, c'était une idée qui sommeillait en elle depuis longtemps et que la magie de l'instant avait réveillée.

— Je vais rester ici, dit-elle.

Andrew en oublia une fraction de seconde qu'il conduisait, puis il se ressaisit.

— Rester ici ? fit-il.

— Oui, ici, en Angleterre. Et si tu veux, avec toi. Je vais demander le divorce à Phillip, ajouta-t-elle toujours sans le regarder.

Dana eut de la chance. Une jeune femme qui allait à Fribourg la prit en stop dès Hambourg. Elle était étudiante, lui dit-elle, et rentrait d'un séjour chez ses parents qui possédaient une ferme dans le Schleswig-Holstein. Avec ses cheveux très courts teints en rouge et ses vêtements qui avaient connu des jours meilleurs, elle lui rappelait un peu sa mère. Elle s'appelait Patricia et finissait des études de lettres.

— Et tu veux aller jusque dans le sud de la France ? dit-elle. En stop ? C'est plutôt ambitieux, non ?

— Bah, je suis déjà allée jusqu'à la Costa del Sol, répliqua Dana. Et dans des tas d'autres endroits. J'ai toujours réussi à aller où je voulais.

— C'est tout de même un peu risqué, surtout…

Elle jeta un rapide coup d'œil à Dana mais n'acheva pas sa phrase.

Dana soupira.

— Oui ?

— Écoute, ne le prends pas mal, mais la façon dont tu es habillée peut t'attirer des ennuis.

Dana se regarda. Elle portait ce qu'elle portait d'ordinaire quand il faisait beau et chaud : une minijupe noire, un tee-shirt vert pâle barré d'un grand MONTE-CARLO sur la poitrine, des joncs dorés aux poignets, d'immenses créoles aux oreilles, des sandales noires à talons relativement plats par rapport à l'habitude. En quittant Hambourg, il avait commencé à pleuvoir et elle avait jeté un blouson en jean sur ses épaules, mais en descendant vers le sud, le temps s'était levé et son blouson avait réintégré son sac.

— Je ne me trouve pas provocante, dit-elle.

Patricia sourit gentiment.

— OK, c'est un point de vue. Je voulais seulement dire que… tu sais comment sont les mecs. Tu leur montres un petit bout de peau et ils s'imaginent tout de suite que tu ne demandes que ça.

— Ce n'est pas mon problème. Je mets ce que j'ai envie de mettre, c'est tout.

Patricia n'insista pas. Elle lui parla un peu de ses études et du mal du pays dont elle ne parvenait pas à se défaire. Le soir, alors qu'elles arrivaient à Fribourg, elle lui demanda :

— Tu comptes dormir où, cette nuit ?

— J'espère trouver quelqu'un pour continuer. Je dormirai dans la voiture.

— Tu es si pressée que ça ? Mon appart est microscopique mais je peux t'offrir un bon canapé. Ce sera toujours mieux qu'un fauteuil de voiture.

Dana hésita. L'idée d'un petit dîner tranquille avec cette fille sympathique et surtout d'un vrai lit ne manquait pas d'attrait. Puis elle pensa à Tina. Elle savait qu'on se moquerait d'elle si elle parlait de ce qui lui trottait dans la tête. Si elle racontait qu'elle avait l'impression que Tina l'appelait au secours. Qu'elle sentait un danger imminent. Qu'elle… Stop ! Elle s'interdit de continuer à gamberger. C'était ridicule. Elle était hystérique. Un psy aurait eu vite fait de mettre le doigt sur les mécanismes compliqués de dépendance et de projection liés à son amitié avec Tina. Elle s'était accrochée à cette amie parce qu'elle n'avait pas de père et que sa mère était instable, et maintenant, elle perdait les pédales parce qu'elle avait le sentiment d'être abandonnée par son seul vrai soutien... Du pain béni pour un analyste. Mais aussi irrationnel que cela puisse paraître, elle était incapable d'ignorer son intuition. Il lui parut soudain impossible de passer une nuit entière à ne rien faire.

— C'est vraiment gentil, Patricia, mais je dois absolument continuer. Tu pourrais peut-être me laisser sur une aire de repos pour les routiers. C'est toujours un bon plan.

— Si tu le dis...

Quelques minutes plus tard, Patricia s'engageait sur la bretelle d'une aire de repos où se trouvait un restaurant. Une rangée de semi-remorques multicolores encombrait le parking.

— C'est exactement ce qu'il me faut, constata Dana avec satisfaction. Je vais pouvoir manger et engager la conversation avec les routiers. Je trouverai sûrement quelqu'un qui va dans ma direction.

Patricia était tiraillée entre le désir de la mettre en garde une nouvelle fois et la crainte de passer pour une rabat-joie. Finalement, elle dit :

— Fais un petit peu attention à toi, promis ?

— Pas de souci. Et encore merci. Jusque-là, ça a bien mieux marché que prévu !

Dana descendit de voiture et se pencha pour attraper son sac à dos sur la banquette arrière.

— Salut !

Elle claqua la portière, agita la main une dernière fois puis pivota sur ses talons et se mit en marche en direction du restaurant. Ses cheveux dansaient sur ses épaules, ses bracelets dorés tintinnabulaient. Patricia la suivit des yeux dans le rétroviseur. Quelle gamine séduisante ! Elle démarra la voiture et poursuivit sa route.

Un sentiment oppressant la poursuivit toute la soirée.

Pendant ce temps, Maximilian était parvenu à Francfort, d'une façon plus traditionnelle que Dana puisqu'il avait pris le train. Mais il allait désormais devoir s'essayer au stop, lui aussi ; ses finances étaient en chute libre et il devait conserver le peu qui lui restait pour se nourrir.

Il était arrivé dans l'après-midi, épuisé par ce qu'il avait déjà accompli depuis le matin. Afin d'attraper le premier bus, il avait dû se lever à l'aube et se faufiler hors de la clinique. Pour un patient autorisé à circuler librement – son cas depuis un an – et qui de surcroît connaissait bien les lieux, la fuite en elle-même ne présentait pas de problème majeur. Il était exclu de passer par l'entrée principale où un gardien veillait toute la nuit. Mais il existait un vaste sous-sol, accessible par un escalier de service. Les fenêtres y étaient munies de barreaux, à l'exception de celle d'un lointain débarras où seul un léger grillage donnait l'illusion d'une protection. Un bon coup de pied suffit à l'enfoncer. Dévisser et soulever la grille du puits de lumière sur lequel donnait la fenêtre fut un jeu d'enfant. Chance supplémentaire, ce puits ne débouchait pas dans le secteur du parc sécurisé par un haut mur, mais dans une partie en accès libre. Restait à escalader le mur d'enceinte de la propriété et à sauter de l'autre côté, ce qui était largement à la portée d'un jeune homme en bonne condition physique. Maximilian, qui saisissait toutes les occasions de faire du sport depuis trois ans, se sentait en excellente forme. Ni son évasion ni les trois kilomètres à pied jusqu'à l'arrêt de bus ne lui posèrent de difficultés. Rien dans son apparence ne laissait deviner qu'il venait de la clinique psychiatrique. Il portait un tee-shirt bleu, un jean propre, des baskets et une veste en cuir vieilli comme le voulait la mode. Deux semaines plus tôt, il s'était fait couper les cheveux par le coiffeur de la clinique. Il n'avait pas pu se raser – pour limiter les tentatives de suicide, aucun patient n'avait le droit de posséder un rasoir – mais ce n'était pas ce qui le rendrait suspect. La plupart des jeunes étaient beaucoup plus négligés que lui.

Le jour s'était levé sur un petit matin froid, l'air était léger et transparent. Maximilian se sentait bien. Perdu au milieu de nulle part, l'arrêt de bus était matérialisé par un poteau indicateur, un Abribus et un banc. Un nombre surprenant de voyageurs attendaient déjà. Personne ne prêta attention à Maximilian. À l'évidence, on ne voyait ni les battements de son cœur qui semblaient vouloir faire exploser sa poitrine, ni le léger tremblement qui agitait tout son corps. C'était la première fois depuis des années, tant d'années, qu'il était *réellement* libre. Il n'avait jamais considéré la période transitoire des sorties temporaires comme un temps d'adaptation car il s'était constamment senti encadré et protégé. L'ombre sécurisante du professeur Echinger avait toujours été près de lui. L'horaire strict des sorties l'avait rassuré. Aujourd'hui, c'était le grand saut, le plongeon dans le vide, et il ne savait pas comment il allait atterrir. Monter dans un bus, payer le trajet, partir… À cette idée, il fut soudain pris de panique et se demanda s'il ne serait pas préférable de faire demi-tour et de réintégrer la clinique au lieu de pourchasser des chimères, de frôler la crise de nerfs et de voir sa libération officielle lui passer sous le nez.

Mais le bus surgit et vint se ranger sur le bas-côté. Sans même s'en rendre compte, Maximilian se posta devant le conducteur et s'entendit demander :

— Un aller simple pour Niebüll, s'il vous plaît.

Sa voix était mal assurée et enrouée, mais personne ne parut le remarquer. Quand le bus se remit en marche, Maximilian s'effondra sur le premier siège libre, près de la porte. Le siège voisin était occupé par une vieille femme plongée dans un journal. Elle ne leva même pas les yeux quand le jeune homme se laissa choir à côté d'elle. Personne ne le regardait. Personne ne s'intéressait à lui. Personne ne se rendait compte qu'il venait de s'enfuir d'une clinique psychiatrique. Il était comme les autres, un homme normal parmi des gens normaux.

Aujourd'hui, tout lui réussissait. Une fois à Niebüll, il put rapidement rejoindre Hambourg, où il monta dans le premier train en partance pour le sud. Il aurait pu aller jusqu'à Innsbruck, mais il préféra descendre à Francfort pour ne pas trop s'éloigner de sa route. Il lui restait cinquante marks qu'il lui parut judicieux de ne pas gaspiller dans un billet de train qui ne l'avancerait que d'une poignée de kilomètres. Il s'acheta une saucisse au curry, des frites et une canette de soda. Il n'avait pas éprouvé le besoin de manger de la journée mais la pression retombant, il avait maintenant l'impression d'avoir un creux à la place de l'estomac. Il se sentait sale, fatigué et avait perdu toute son assurance. Il avait bien remporté quelques succès : une fuite réussie, sept cents kilomètres parcourus sans fléchir ni se faire repérer… Mais les vraies difficultés étaient devant lui. Il allait devoir passer la frontière avec un passeport périmé, il ne pouvait plus se déplacer qu'en stop, et d'ici à ce soir ou au plus tard demain matin, le professeur Echinger aurait signalé sa disparition. À compter de cet instant, un mandat d'arrêt serait probablement lancé contre lui, ce qui ne simplifierait pas les choses. Et quand il arriverait à Duverelle – qui trouverait-il ? Son frère avec une fille, ou son frère seul, tranquille et heureux de son sort, mais atterré de le voir débarquer sans crier gare ? Comment allait-il pouvoir lui expliquer sans le vexer ce qui l'avait incité à se lancer tête baissée dans ce voyage absurde qui compromettait sa libération ? Une prémonition, la conscience aiguë de l'imminence d'un danger… Qui comprendrait ? Il ne comprenait pas lui-même.

Il but son soda en se demandant à quel moment et de quelle façon se manifesterait le manque. Il n'avait rien pris depuis la distribution de la veille au soir, or il y avait des années que son corps était habitué à vivre avec des drogues, que son cerveau fonctionnait au rythme des drogues. Il constatait déjà que les trémulations qui agitaient ses mains s'étaient aggravées au cours des dernières heures. Restait à espérer qu'il ne serait pas secoué de tremblements irrépressibles d'ici à son arrivée.

Sa faim provisoirement apaisée, il décida de se reposer une heure ou deux sur un banc de la gare, avant de se mettre en quête d'un endroit où se poster pour faire du stop. Il s'était à peine assis que sa tête bascula sur le côté. Il fit un rêve dans lequel son frère, visiblement au supplice, le regardait avec des yeux immenses.

Les heures passèrent…

Jeudi 8 juin 1995

Cette nuit-là, Tina ne ferma pas l'œil. Assommée par la chaleur qui régnait dans sa chambre des combles, elle écoutait le bruissement du vent dans les arbres et s'autorisait pour la première fois à admettre ce qui la hantait depuis trois jours : quelque chose clochait chez Mario.

Pendant tout ce temps, elle avait essayé de trouver des explications rationnelles à son comportement. Mille cinq cents kilomètres d'une traite entre Hambourg et la Provence – était-ce si extraordinaire que cela ? C'était idiot et épuisant, mais cela ne trahissait aucune perturbation psychologique. Il lui avait menti au sujet de la localisation de la maison, ou du moins avait abusé de sa crédulité. Bon, mais comme il voulait absolument passer ses vacances ici, il devait avoir eu peur qu'elle ne l'en empêche si elle apprenait que ce n'était pas la station balnéaire dont elle rêvait. Il avait donc travesti la vérité. En fait d'environs de Nice, ils se trouvaient loin au nord de Grasse, à la lisière des Préalpes, dans un minuscule village écrasé de soleil où la vie s'écoulait au ralenti. Il n'y avait pour toute animation que quelques retraités oisifs, béret sur la tête et Gauloise vissée au bec, qui refaisaient le monde sur la place du village, une poignée de touristes de passage, des chèvres et des moutons en liberté dans les collines alentour et des lézards qui se chauffaient sur les pierres blanches. Cela avait incontestablement son charme, mais Tina aurait préféré que Mario lui dise carrément les choses. Elle lui en voulait, mais il n'y avait là rien qui permît de conclure à un quelconque déséquilibre mental. Quant aux chambres séparées, n'avait-elle pas toutes les raisons de se réjouir qu'il ne soit pas un obsédé sexuel prêt à lui sauter dessus à la moindre occasion ? Comment pouvait-il deviner qu'elle avait envie de coucher avec lui ? Qu'il ne la bouscule pas était tout à son honneur.

Depuis ce qui s'était passé la nuit dernière, ses doutes avaient repris de plus belle mais elle s'était empressée de trouver quantité d'arguments pour les reléguer dans un recoin de sa conscience. Mario avait peut-être peur de son père. Peut-être aussi avait-il peur d'une relation qu'il ne souhaitait pas encore pousser aussi loin. Ou peur d'avoir des relations sexuelles ? Un jeune homme n'en avait-il pas le droit ? Cependant, si crédibles que ces raisons puissent être, Tina sentait bien qu'elle se racontait des histoires. Il émanait de Mario quelque chose de dérangeant, de confusément inquiétant. Est-ce que cela tenait à ses yeux ? À sa façon de parler ? C'était insaisissable, et pourtant constamment perceptible.

Cette nuit-là, alors qu'elle l'entendait à nouveau arpenter le salon en écoutant de la musique, Tina s'avoua qu'elle avait peur de Mario.

C'était étrange qu'elle ne se soit rendu compte de rien à Hambourg. Quoique, en y repensant, sa raideur et sa réserve l'avaient bel et bien troublée. Il semblait toujours vouloir mettre un maximum de distance entre eux.

Mais j'étais une telle petite gourde que j'aurais été incapable de mettre un nom dessus, enragea-t-elle.

Dana prétendait que Mario n'était pas normal, et cela avait conforté Tina dans son idée que Mario, justement, était *très normal*. Dana jetait toujours son dévolu sur des types tellement étranges que cela lui avait paru un bon signe qu'elle ne trouve pas Mario à son goût.

Dana… Elle avait rarement autant manqué à Tina qu'à cet instant. Elle aurait donné une fortune pour pouvoir parler avec elle. L'entendre rire aux éclats, voir ses yeux pétiller.

« Largue-le, dirait-elle, ce type a manifestement de sérieux problèmes et tu n'es pas là pour les résoudre à sa place. Alors laisse tomber ce nul et cherche-toi un autre mec ! »

Après tout, pourquoi ne l'appellerait-elle pas maintenant ? L'anticonformisme de Dana et de sa mère faisait qu'on pouvait leur téléphoner à toute heure du jour ou de la nuit sans avoir l'impression de déranger. Le risque de tirer Karen du sommeil était aussi élevé à midi qu'à minuit, et jamais elle ne vous en tenait grief. Quant à Dana, elle était tellement disposée à saisir tout ce que la vie avait d'excitant qu'un coup de fil à une heure peu orthodoxe avait toutes les chances d'attiser sa curiosité plutôt que sa mauvaise humeur.

Tina se leva sans bruit, enfila son peignoir et s'abstint de mettre des chaussures. Elle n'avait pas besoin de prendre autant de précaution ; Mario était en bas, il écoutait de la musique, il ne se rendrait compte de rien. Mais elle préférait ne courir aucun risque. S'il surgissait maintenant, elle pourrait toujours prétendre qu'elle allait aux toilettes. S'il la surprenait en train de téléphoner, ce serait plus compliqué. Comment expliquer son geste ?

Mais pourquoi devrais-je me justifier ? songea-t-elle avec une soudaine rage. J'ai bien le droit de téléphoner quand je le veux et à qui je veux !

Elle descendit à pas de loup. Des marches craquèrent ; elle retint son souffle mais rien ne se produisit. Apparemment, Mario continuait à faire les cent pas en écoutant sa musique. Elle parvint sans encombre au premier étage.

Le téléphone, que Mario lui avait montré à leur arrivée, se trouvait dans un petit bureau contigu à la salle de bains. Son père, avait-il expliqué, s'était aménagé cette pièce pour pouvoir travailler sans être dérangé, même pendant les vacances ; il était toujours très difficile de l'arracher à ses dossiers. Tina se souvint brusquement qu'il avait alors ajouté quelque chose qui l'avait étonnée. « Les accros au travail se servent de leur boulot pour échapper à eux-mêmes, ou à une réalité quelconque. Chez mon père, c'est un refus de voir le monde tel qu'il est, et la peur de devoir s'y confronter. »

Sur le coup, la fatigue du voyage avait eu raison de ses velléités de réflexion, mais en y repensant, elle trouvait cette remarque étrange. Qu'avait-il voulu dire ?

Elle s'immobilisa sur le palier du premier étage, tendit l'oreille pour s'assurer que rien n'avait changé, puis entra vivement dans le bureau, referma la porte derrière elle et reprit son souffle. Lorsque son regard tomba sur la table de travail, elle étouffa un cri de surprise.

Le téléphone avait disparu.

Elle regarda autour d'elle. Elle était certaine d'avoir vu le téléphone sur la table, mais Mario pouvait s'en être servi et l'avoir posé ailleurs. Non, il n'était nulle part, ni par terre, ni sur l'étagère, ni dans le placard, qu'elle avait ouvert bien qu'il eût été absurde de mettre un téléphone dans un placard. Elle finit par découvrir la prise derrière le bureau. Rien.

La panique l'envahit, les poils de ses bras se hérissèrent. Elle s'enfonça les ongles de sa main droite dans le gras du pouce de la main gauche, espérant que la douleur enrayerait l'hystérie qui la gagnait.

Reprends-toi, s'ordonna-t-elle, tu n'es pas dans un film d'épouvante. Personne n'essaye de te tuer. C'est juste un téléphone qui n'est pas à sa place.

Peut-être y avait-il une deuxième prise quelque part en bas. Mais pourquoi Mario aurait-il descendu l'appareil ? Pourquoi voudrait-il téléphoner d'un autre endroit de la maison, sinon pour éviter qu'elle ne surprenne sa conversation ? Il était probable qu'elle entende de sa chambre ce qui se disait dans le bureau. Mais qu'est-ce que Mario voulait lui cacher ?

Elle quitta silencieusement la pièce. Les bruits qui montaient du rez-de-chaussée étaient toujours les mêmes. Pour rien au monde elle ne serait descendue interroger Mario. Mais s'il ne lui donnait pas d'explication convaincante demain matin, elle ferait son sac et rien de ce qu'il pourrait dire ne l'empêcherait de partir.

En passant devant la porte de sa chambre pour regagner sa mansarde, elle ne put s'empêcher de s'arrêter. Elle était morte de peur mais dévorée de curiosité. Il y avait peu de risques que Mario la surprenne. Elle abaissa prudemment la poignée.

La lampe de chevet était allumée et le lit fait. Mario s'était-il seulement couché depuis leur arrivée ? À la couverture qui gisait sur le fauteuil placé près de la fenêtre, elle supposa que c'était là qu'il avait passé les quelques heures gagnées sur l'insomnie.

Pour le reste, la pièce ne présentait rien de particulier. Qu'avait-elle espéré découvrir ? Des indices d'un dérangement mental ? Puis elle remarqua une photo posée contre le pied de la lampe de chevet et s'approcha pour la regarder de près. Avait-il une photo d'elle sur sa table de nuit ?

Elle n'avait jamais rencontré Janet, Phillip non plus d'ailleurs. Elle n'avait pas très bien compris pourquoi Mario n'avait pas voulu la présenter à sa famille ni même leur dire qu'ils sortaient ensemble. (Dana avait jugé cela hautement suspect !) Mais elle avait respecté sa volonté.

« Je ne veux ni entendre leurs commentaires ni devoir répondre à leurs questions. J'aimerais, au moins pour quelque temps, ne partager notre histoire avec personne, t'avoir rien qu'à moi. »

Cela lui avait paru très romantique et elle n'avait plus insisté.

Elle comprit immédiatement que la femme de la photo était la mère de Mario. Janet, légèrement démodée pour l'époque, devait avoir dix-huit ans. Ses cheveux crêpés lui dégageaient complètement le visage ; ses longs cils noirs, peut-être faux, contrastaient avec le blond pâle de ses cheveux. Elle portait des boucles d'oreilles en perles, un double rang de perles autour du cou et une robe d'été sans manches et à décolleté carré. Piquée sur sa robe, sous l'épaule, une broche en perles formant une fleur apportait à sa tenue une touche d'élégance supplémentaire. Son sourire n'était qu'esquissé, probablement une concession au photographe car son regard était triste. Un visage sensible, teinté de mélancolie. Une femme complexe.

Tina remit la photo à sa place. Mario n'était sans doute pas né quand elle avait été prise. Pourquoi se promenait-il avec cette photo-là et non avec un cliché plus récent ? Et pourquoi occupait-elle cette place privilégiée à son chevet ? Tina ressentit une pointe de jalousie mêlée de méfiance. Elle aussi était attachée à son père, mais elle ne gardait pas sa photo à côté de son lit.

Elle sortit de la chambre et referma la porte. Elle ne l'aurait pas juré mais elle eut l'impression que le niveau sonore de la musique avait augmenté d'un cran. Elle imagina aussitôt qu'il avait poussé le volume pour rejoindre le premier étage sans qu'elle l'entende, et crut que son cœur cessait de battre. Elle se retourna vivement, mais le palier était sombre et silencieux. Puis elle perçut le grincement de ses pas entre deux mesures. Il était toujours en bas. Elle n'en remonta pas moins aussi vite qu'elle le put dans sa chambre et s'enferma à double tour.

Elle passa le reste de la nuit allongée sur le dos, les yeux grands ouverts, tendue comme un arc. Au petit matin, son instinct lui dit qu'il était urgent qu'elle parte, que la disparition du téléphone soit éclaircie ou pas.

Oui, il fallait qu'elle parte, et vite.

Phillip avait décidé d'accorder deux jours de congé à ses collaborateurs, de fermer boutique pour le reste de la semaine et de se terrer chez lui. Il était à son domicile quand deux inspecteurs en civil qui souhaitaient l'interroger au sujet de Maximilian s'y présentèrent vers dix heures du matin. Il ne fut pas surpris. Il s'y attendait depuis que le professeur Echinger l'avait appelé.

Echinger avait paru très affecté.

« Je ne comprends pas. Il ne lui restait que huit semaines ! Et il ne s'est rien passé ici qui ait pu l'inciter à partir. Tout allait bien, il paraissait en pleine forme... »

Très contrariant, n'est-ce pas, ce petit échec, avait songé Phillip en l'écoutant.

Echinger ne lui avait jamais été sympathique. Pour être honnête, le professeur n'était pas responsable de cette aversion. Mais en tant que thérapeute de Maximilian, il était au courant de tout ce qui se passait ou s'était passé chez les Beerbaum. Phillip se sentait en position d'infériorité face à lui, mis à nu, et même, d'une certaine façon, humilié. Que pensait Echinger d'un mari qui avait supporté pendant six ans que sa femme le trompe ? Sûrement que c'était un pauvre type, même si, déontologie oblige, il ne s'exprimait certainement pas en ces termes devant Maximilian. Phillip avait du mal à admettre que quelqu'un dont il ignorait pratiquement tout soit, de son côté, au fait de tout ce qui le concernait.

« Les circonstances de sa disparition sont très mystérieuses, avait dit Echinger. Maximilian pouvait aller et venir à sa guise, il lui suffisait d'en informer la clinique. Il lui aurait été si simple de profiter d'une sortie autorisée pour partir. Au lieu de cela, il s'est enfui en cachette en passant par une fenêtre du sous-sol et un puits de lumière ! Je ne comprends pas. »

Echinger marqua une hésitation puis reprit d'un ton prudent et embarrassé :

— Maximilian a évoqué le fait que sa mère n'était pas revenue d'un séjour en Angleterre. Cela semblait le perturber. Pensez-vous qu'il puisse avoir l'intention de retrouver votre femme pour la ramener en Allemagne ?

L'espace d'une seconde, Phillip nourrit contre Janet une rage proche de la haine. Echinger savait parfaitement ce qu'elle faisait en Angleterre, il savait qu'elle s'était de nouveau réfugiée dans les bras de son amant.

— Ce n'est pas exclu, dit Phillip sans s'engager. Mais il faudrait qu'il ait un passeport.

— Exact. Or il n'a pas de papiers. Et se rendre en Angleterre sans papiers ne doit pas être chose aisée.

Phillip garda le silence. Echinger expliqua alors avec force circonvolutions qu'il avait été contraint de signaler la disparition de Maximilian à la police.

— J'ai repoussé cette démarche le plus longtemps possible. Mais vous devez comprendre que je ne travaille pas seul. Mes collaborateurs me pressaient d'agir.

— Bien sûr, dit Phillip d'un ton froid, puis il garda le silence jusqu'à ce que le professeur Echinger, toujours aussi embarrassé, prenne congé.

Sa conversation avec Echinger avait ébranlé Phillip, mais avec le temps, il finit par éprouver une sorte de soulagement. Maximilian allait se faire arrêter ; avec un peu de chance, il écoperait de quelques mois d'internement supplémentaires. C'était certes radical mais cela résolvait temporairement l'épineux problème de son sort à sa sortie de clinique.

Phillip apprit de la bouche des inspecteurs de police ce qui, d'après eux, expliquait que Maximilian ait choisi de s'enfuir en pleine nuit.

— Plusieurs témoins attestent qu'il a pris le premier bus pour Niebüll et de là le train pour Hambourg, rapporta l'un des inspecteurs. Ensuite, nous perdons sa trace. Il devait tenir à prendre ce premier bus.

— C'est bien mystérieux, commenta Phillip à voix basse.

Les deux inspecteurs le transpercèrent du regard.

— Il ne serait pas venu ici, par hasard ?

— Non. Je ne l'ai pas vu et il n'a pas pris contact avec moi non plus.

— Il est sous mandat d'amener. Une fausse déclaration vous rend passible de…

— Je sais. Je vous dis la vérité.

Le plus âgé des inspecteurs opina et poursuivit son interrogatoire.

— Votre épouse se trouve actuellement en Angleterre ?

Echinger t'a bien informé, bravo, songea Phillip. À voix haute, il dit :

— Oui. Mais je ne sais pas précisément où.

— Ce n'est pas banal.

— Ce n'est pas interdit.

— Effectivement. Vous avez un autre fils. Nous avons cru comprendre qu'il était parti en vacances ? Est-il possible que son frère veuille le rejoindre ?

Phillip s'attendait à la question. Toute la nuit il s'était demandé s'il pouvait prendre le risque de ne dire que des demi-vérités. S'il donnait l'adresse de leur maison, la police ne manquerait pas d'y faire une descente. L'amie de Mario, la fameuse Christina, apprendrait l'existence de Maximilian, et peut-être aussi la raison de son internement. Elle en parlerait à son pisse-froid de père et Dieu sait ce que ça entraînerait encore. Tous ses efforts pour que personne n'ait vent de l'histoire de Maximilian seraient réduits à néant. Le risque que Maximilian débarque effectivement à Duverelle demeurait, et dans ce cas il n'y aurait, de toute façon, plus de secret qui tienne… mais il voulait néanmoins se laisser une petite chance que Tina n'apprenne rien. Il était naturellement possible qu'Echinger ait déjà informé la police de l'existence de la maison de vacances, mais Phillip n'y croyait qu'à demi. Echinger était tenu au secret professionnel et il avait déjà été très bavard. Aussi avança-t-il prudemment :

— Ma foi, ce serait très difficile...

— Où votre second fils est-il allé ?

Ils ne savaient rien. Sans doute ignoraient-ils même l'existence de Tina. À moins qu'ils ne lui tendent un piège ? Phillip décida de tenter sa chance.

— Il pensait à la France. Son idée était de partir nez au vent et de faire étape ici et là, au gré de sa fantaisie. C'est pour cela que je disais que ce serait très difficile de...

— En effet, reconnut l'inspecteur sans malice.

— Si Maximilian se manifeste, encouragez-le à se présenter chez nous sans délai, intervint alors le second inspecteur. Cela ne pourra qu'arranger ses affaires.

— Je n'y manquerai pas, promit Phillip.

Il raccompagna ses visiteurs et fut soulagé d'entendre peu après une voiture démarrer. Il se sentait nerveux. Brusquement, il eut le pressentiment que tout cela allait très mal finir.

Sa colère contre Janet le reprit, avec la même violence que la veille. Il fulminait. Bon sang, cette histoire la concernait aussi, après tout !

Si elle apprenait que Maximilian avait fichu le camp de la clinique, ça lui flanquerait un sacré coup. Rien ne la retiendrait en Angleterre, pas même les prouesses sexuelles de son Andrew.

Enthousiasmé à l'idée d'anéantir d'un coup tous les beaux projets de son éternel rival, Phillip se dirigea vers le téléphone. Il se sentait parfaitement d'attaque pour supporter d'entendre la voix de Davies.

Il composa le numéro et attendit, en laissant sonner longtemps. Personne ne décrocha. Ils n'étaient pas là. Rien d'anormal par un matin ordinaire.

Pourtant, Phillip en conçut une sourde inquiétude.

Mario avait dû finir par monter se coucher. Lorsque Tina était descendue vers neuf heures, le rez-de-chaussée était désert. Le lecteur de CD était toujours sous tension. Tina avait appuyé sur la touche *open* pour sortir le disque. Wagner, *La Walkyrie*.

Une bouteille d'eau minérale vide était posée sur la table basse, ainsi qu'un Polaroïd, face contre le plateau. Tina la retourna. À sa stupéfaction, elle découvrit qu'il s'agissait d'une photo d'elle prise par Mario un jour de mars où ils étaient allés se promener sur les bords de l'Elbe. Elle s'en souvenait très bien. Elle avait réussi à convaincre Mario de profiter de l'une des rares journées printanières d'un mois jusque-là uniformément froid et pluvieux pour aller à la campagne. Il ne s'était pas encore acheté de voiture et avait dû emprunter celle de son père, auquel il avait raconté qu'il partait se balader avec des copains de fac. Tina s'était gardée de faire un commentaire, mais elle avait enregistré cette information avec un pincement au cœur. Sur la banquette arrière de la voiture, ils avaient découvert un appareil Polaroïd. Ils avaient utilisé toute la pellicule à faire des photos idiotes, tirant la langue ou louchant. Celle-ci était la seule sur laquelle Tina ne faisait pas de grimace. Elle se tenait face à l'objectif, les mains enfoncées dans les poches de son anorak rouge foncé, au milieu d'un champ dont l'herbe rase et jaunâtre était constellée de taupinières. Au premier plan, les branches dénudées d'un arbre se découpaient sur un ciel pâle voilé de légers nuages. Seules notes gaies dans ce paysage encore hivernal, l'écharpe turquoise qu'elle portait autour du cou et son sourire radieux. Elle irradiait de bonheur et de joie de vivre. Elle était très amoureuse, ce jour-là, elle s'en souvenait. Sur le chemin du retour, elle avait pour la première fois évoqué l'idée de partir en vacances ensemble. Quelque part où il ferait chaud et où il y aurait beaucoup d'animation. Elle avait parlé, tiré des plans sur la comète, sans se rendre compte que Mario ne partageait pas son enthousiasme. En y repensant, il avait même paru effrayé.

À cet instant, elle comprit que son amour pour Mario allait s'éteindre, qu'elle était déjà en train de s'éloigner de lui. Il avait fait souffler un vent de liberté sur sa vie, il lui avait donné la force de s'opposer pour la première fois à son père, d'imposer ses choix. Peut-être cet amour ne devait-il pas avoir d'autre but que celui-là.

Le téléphone ne se trouvait pas dans le séjour, mais ce constat ne la perturba pas outre mesure. De jour, tout était différent. Avec ses murs blancs crépis, ses tomettes de terre cuite et ses tapis en laine tissés à la main, ses aquarelles aux couleurs lumineuses au-dessus du canapé, la pièce était gaie et accueillante. C'était sa mère, lui avait dit Mario, qui avait peint les aquarelles. Toutes avaient pour sujet des paysages ou des scènes régionales : un hameau abandonné dans la montagne, des chèvres, une maisonnette en pierre quelque part dans le grand canyon du Verdon, la place d'un village un jour de marché.

Dehors, le jardin où brillaient encore quelques perles de rosée, embaumait. Pas un nuage dans le ciel, pas un souffle de vent dans les cyprès, une nouvelle journée de grand beau temps s'annonçait. Difficile d'imaginer qu'en hiver, le mistral pouvait déraciner les arbres et des pluies diluviennes dévaster les collines. Avec ce soleil, les idées que Tina avait ressassées toute la nuit paraissaient beaucoup moins dramatiques. Elle ne parvenait plus à voir en Mario un psychopathe. Il avait un comportement étrange, certes, et ce qui le troublait était suffisamment pesant pour qu'il passe ses nuits à marcher de long en large au lieu de dormir. Mais ça n'en faisait pas quelqu'un de dangereux pour autant. Quelque chose l'angoissait, le tourmentait, entravait ses désirs. Tina sentait confusément qu'elle le décevait. Elle n'avait pas conscience d'avoir commis une faute quelconque, à aucun moment elle n'avait cherché à le tromper sur ce qu'elle était, mais il avait dû voir en elle une personne qu'elle n'était pas. (« C'est toi l'image cachée en mon cœur » ?) Et apparemment, il n'était pas prêt à en parler ou s'en sentait incapable.

Elle se rendit dans la cuisine, mit de l'eau à chauffer et versa du café dans le filtre. Elle se sentait très calme, très raisonnable. Elle lui dirait qu'elle se rendait compte qu'ils n'étaient pas faits l'un pour l'autre, qu'il valait mieux qu'ils se séparent tout de suite. Mais ils pourraient rester amis et continuer à se voir de temps en temps.

Il était près de midi quand Mario émergea. Vaincue par la chaleur alors qu'elle avait entrepris de faire un peu de jardinage, Tina s'était réfugiée sur la terrasse ombragée, derrière la maison, où elle feuilletait un magazine féminin. Elle sursauta en découvrant Mario devant elle.

— Je ne t'ai pas entendu arriver! s'écria-t-elle.

— Excuse-moi. Je n'avais pas l'intention de te faire peur.

Il était très pâle, des cernes mauves creusaient ses yeux.

— Je ne me suis pas réveillé.

— Pas étonnant. Tu es resté debout la moitié de la nuit.

S'il fut surpris qu'elle le sache, il n'en laissa rien paraître. Il hocha simplement la tête.

— J'étais trop énervé pour dormir.

Il s'assit dans l'un des fauteuils de jardin. Son tee-shirt blanc était barré sur la poitrine d'une impression d'un noir délavé: «Born to die». Sous son genou gauche, son jean déchiré laissait entrevoir quelques centimètres carrés de peau très bronzée. Il donnait une impression d'insouciance, de jeunesse, et en même temps, du fait de la fatigue qui marquait ses traits, de fragilité. Tina découvrit alors pour la première fois de sa vie la vitesse fulgurante avec laquelle les sentiments que l'on portait à quelqu'un pouvaient changer du tout au tout. Au diable ses sages résolutions! Mario était de nouveau *son* Mario, son beau Mario aux cheveux noirs et au regard si doux. Ça lui briserait le cœur de le perdre. Elle posa son journal par terre, tendit la main et effleura son bras.

— Mario, dit-elle doucement, qu'est-ce qu'il y a ?

Il la regarda. Elle crut lire dans ses yeux un appel muet à la compréhension.

— Tina, je…

Il était au supplice, et visiblement à deux doigts de déballer ce qui le minait… Puis, au dernier moment, il fit marche arrière. Quelque chose s'éteignit dans son regard. Tina comprit que quoi qu'il lui révèle à présent, ce ne serait qu'une partie de la vérité.

— J'ai pris des médicaments pendant des années, dit-il.

Il détourna les yeux pour river son regard sur un buisson de lauriers-roses. Ce qu'il disait sonnait curieusement faux, mais Tina attribua cela au fait qu'il ne devait pas être habitué à se confier.

— Des médicaments ? fit-elle.

Sa pâleur s'accentua.

— Des tranquillisants, des remontants… C'était selon, et la plupart du temps en alternance. Ça a commencé au moment du bac. J'avais une telle angoisse de l'examen. Ça me rendait malade. Alors j'ai bossé comme un dingue. J'avalais des tonnes d'excitants pour rester éveillé. Des somnifères pour décrocher et dormir. Et des tranquillisants pour les examens. Et… et voilà.

Il écarta les mains, dans un geste d'impuissance.

Prudemment, Tina demanda :

— Et après le bac ?

— Je me retrouvais en permanence dans des situations où je croyais avoir besoin de quelque chose. Pendant mon service civil, et surtout quand j'ai commencé mes études. Les partiels, les mémoires… Le problème, c'est qu'à la longue, ces trucs te rendent de plus en plus faible. Pour finir, tu en as besoin pour affronter des situations qui ne t'avaient encore jamais posé un problème…

Il se tut, déglutit péniblement et contempla ses mains nouées sur ses genoux.

— Il m'est arrivé de prendre des calmants pour pouvoir entrer dans un magasin, reprit-il. J'avais des sueurs froides à l'idée de me trouver au milieu de tous ces gens…

Tina se leva de sa chaise longue, s'agenouilla à côté de Mario et prit ses mains dans les siennes.

— Mario, pourquoi ne m'en as-tu jamais parlé ? Je veux dire, quand on est ensemble comme nous, on se raconte ses problèmes.

— Je ne voulais pas t'embêter. Tu es tellement jeune.

Il la regarda tendrement.

Tina plissa le front.

— Pas jeune au point qu'on ne puisse pas me parler !

— Bien sûr. C'était idiot.

Il marqua une pause et prit une longue inspiration.

— J'ai décidé de profiter de ces vacances pour cesser définitivement de prendre ces saloperies, dit-il alors. J'ai arrêté du jour au lendemain. Mais c'est épouvantable. Je ne peux pas dormir, je suis hyper inquiet… et j'ai des crises d'angoisse…

Tina aurait dû être émue, voire effrayée. Mais à sa secrète honte, ce fut plutôt l'inverse. Elle se sentit extraordinairement soulagée, libérée de ses peurs. Subitement, tout devenait limpide. L'imprévisibilité de Mario, ses insomnies, sa réaction la nuit où elle était descendue le retrouver. Même les chambres séparées prenaient un sens. Qu'il ait voulu lui cacher ce qu'il vivait s'expliquait. De même pour l'épouvantable traversée d'une seule traite de l'Allemagne et de la France. À Hambourg, il se sentait relativement en sécurité, ici, dans cette maison où il passait ses vacances depuis qu'il était enfant, aussi. Entre les deux, ses phobies ne lui laissaient pas de répit. Tina imaginait combien il devait être difficile pour quelqu'un comme lui de se trouver dans une ville étrangère ou de dormir dans un hôtel.

Elle le regarda dans les yeux.

— Je suis heureuse que tu me l'aies dit, Mario. On va en venir à bout ensemble, tu verras.

Elle se sentait pousser des ailes, elle était forte, heureuse. Il avait besoin de son aide ? Elle était prête à la lui apporter. Elle ne serait plus jamais la petite fille que son père protégeait des horreurs de la vie. Quand elle rentrerait, elle ne serait plus la même.

— Il faut que tu manges quelque chose. Je vais voir ce qu'il y a.

Il leva vers elle un visage inondé de sueur. Était-ce la chaleur qui le faisait transpirer à ce point, ou leur conversation ?

— Merci, dit-il d'une voix faible.

Tina se dirigea vers la cuisine. Sur le seuil, quelque chose lui revint à l'esprit et elle se retourna.

— Au fait, Mario, j'allais oublier : où est le téléphone ?

Michael se demandait à quel point il se ridiculiserait en débarquant sans prévenir à Duverelle. Si tout allait bien, Tina serait furieuse qu'il vienne fourrer son nez dans ses affaires, et il aurait toutes les peines du monde à se faire pardonner. Et *tout allait* bien, forcément. Mais pourquoi, bon sang, ne décrochait-elle jamais ?

La veille, il avait rapporté de son bureau une pile de dossiers en souffrance, espérant les expédier, au calme, chez lui. En fait de calme, il avait à peine commencé qu'au lieu de se concentrer sur son travail, il avait passé la matinée à essayer de joindre sa fille au téléphone. Il avait appelé toutes les cinq minutes en se disant que la sonnerie finirait par leur porter sur les nerfs et qu'ils se résoudraient à répondre, même s'ils avaient décidé de rompre tout contact avec le monde extérieur. Puis l'idée lui était venue qu'il composait peut-être un mauvais numéro et il avait essayé de joindre Phillip Beerbaum pour vérifier. Sans plus de succès. Il s'était alors adressé aux renseignements internationaux, qui lui avaient donné le numéro qu'il possédait déjà. Il avait raccroché, anéanti, car plus rien désormais n'expliquait que personne, à Duverelle, ne décroche le téléphone.

C'est à cet instant que l'idée de descendre à son tour en Provence germa dans son esprit.

Il passait en revue les avantages et les inconvénients de l'entreprise quand le téléphone sonna. Étant assis à côté de l'appareil, il décrocha immédiatement.

— Oui ? fit-il, le souffle court.

Un rire de femme lui répondit.

— Je parie que vous attendez un appel de votre fille ! Malheureusement, ce n'est que moi. Karen. Karen Graph.

La mère de Dana ! De se sentir pris en défaut l'agaça. Il n'y avait rien dont il eût à être gêné devant cette femme. Il protégeait peut-être un peu trop sa fille, mais ça ne regardait aucunement Karen.

— Bonjour, dit-il poliment.

— Vous avez eu des nouvelles de Tina ?

Michael flaira la provocation.

— Pourquoi posez-vous la question ? demanda-t-il d'un ton méfiant.

Karen rit de nouveau.

— Ça m'intéresse, c'est tout. Je crois que vous m'avez contaminée, Dana et vous, avec vos réserves contre ce pauvre Mario.

— Je n'ai aucune nouvelle, avoua Michael avec lassitude, et comme il lui était finalement égal de paraître ridicule, il ajouta : J'appelle quasiment toutes les cinq minutes. Personne ne répond.

— Dana est partie hier. Elle veut absolument jouer les chaperons.

— En stop ? Je veux dire, elle est…

— Pardi ! On n'a ni l'une ni l'autre de quoi se payer l'avion.

— Inutile que j'en rajoute. Mais vous savez ce que j'en pense. C'est tout à fait irresponsable.

Karen ne releva pas.

— Je me suis dit qu'on pourrait peut-être essayer, vous et moi, de mener notre petite enquête sur ce Mario.

Jouer les détectives, il ne nous manquait plus que ça, songea Michael.

— D'après Dana, sa famille aurait quitté Munich pour s'installer à Hambourg il y a six ans, poursuivit Karen. C'est bizarre, non ?

Michael répondit qu'il ne trouvait rien de bizarre à cela.

— Ils ont un cabinet de conseil juridique et fiscal, lui expliqua Karen. Ils en avaient sûrement un à Munich, aussi. Pourquoi le fermer et prendre le risque de recommencer de zéro à l'autre bout du pays ?

— Pour des milliers de raisons. Le cabinet de Munich ne marchait peut-être pas bien…

— Ça marche très bien ici. Pourquoi ça n'aurait pas marché à Munich ? Ce Phillip Beerbaum a l'air de connaître son boulot.

— Ils avaient peut-être envie de changer d'air. Le climat bavarois ne plaît pas à tout le monde…

— Il y aurait un moyen d'en avoir le cœur net, remarqua Karen.

Michael serra les dents. L'idée de fouiller dans la vie privée de quelqu'un le hérissait. Sans compter qu'il se sentait idiot. Et cependant, il y avait cette sourde inquiétude qui ne le lâchait pas.

— On pourrait prendre un vol pour Munich et enquêter sur place, suggéra Karen. J'ai là-bas un très bon ami qui a de super contacts.

— Pourquoi ne pas lui téléphoner ?

— C'est mieux d'être sur le terrain. On devrait pouvoir attraper le vol de cet après-midi.

— Je ne sais pas…, hésita Michael, pris de court.

Karen avait manifestement tout organisé. Mais elle avait besoin de lui pour mettre ses plans à exécution. Elle finit par lâcher qu'elle n'avait de quoi payer ni l'avion ni l'hôtel.

— Si vous pouviez me donner un coup de pouce… Je vous rendrai tout jusqu'au dernier centime, dit-elle.

Michael ne se faisait pas d'illusions. Il ne reverrait jamais son argent mais le problème n'était pas là. Elle l'entraînait dans quelque chose qu'il n'aimait pas, qu'il abhorrait, et le mot était faible. C'était aux antipodes de sa conception des relations humaines.

Mais il était si inquiet que, pour la première fois de sa vie, il renonça à tous ses principes et décida de faire quelque chose qu'en d'autres circonstances il n'aurait fait pour rien au monde.

Il convint d'un rendez-vous à l'aéroport avec la très fantasque Karen Graph.

Puis il informa son bureau que de graves problèmes familiaux le contraignaient à s'absenter au moins jusqu'au surlendemain.

En tout cas, on ne pourrait pas lui reprocher d'avoir menti.

Malgré toutes ces années passées, Cambridge n'avait pas changé et ne changerait sans doute jamais, songea Janet. Avec ses somptueux bâtiments universitaires et ses immenses pelouses parfaitement tondues, il y flotterait toujours ce même parfum de tradition, d'élitisme et de bonne société. Étranges survivants d'une époque révolue, de nombreux étudiants portant la robe noire battaient le pavé des ruelles du centre-ville, comme des milliers d'étudiants avant eux. Un monde à part, immuable. Janet, qui en avait si longtemps fait partie, était émue et étonnée.

Le soir, ils avaient dîné dans un pub qu'ils avaient beaucoup fréquenté autrefois. Un tourbillon de sentiments nostalgiques les avait happés. L'obscurité au-delà des fenêtres, les bougies sur les tables et l'odeur toujours familière y avaient largement contribué. En revanche, la lumière crue du jour rendait vaine toute tentative d'embellir le passé. L'après-midi, ils s'étaient promenés dans le parc de St. John's College. Ils s'étaient pris en photo sur le pont des Soupirs, avaient regardé les étudiants manœuvrer leurs bateaux sur la Cam. Des souvenirs amers étaient alors remontés à la surface et Janet n'avait pu s'empêcher de constater que l'idée d'Andrew de revenir ici n'était pas si bonne que cela.

Passé l'adolescence, elle n'avait pas été très heureuse à Cambridge – sinon elle n'aurait pas fui à l'étranger à peine âgée de dix-huit ans. Deux années de douche écossaise – qui lui avaient paru un siècle – avaient eu raison de son bel optimisme. Aux merveilleux moments romantiques et inoubliables des premières amours succédaient immanquablement des phases de grande souffrance et de détresse quand, une fois de plus, elle constatait qu'elle n'était pas la seule femme dans la vie d'Andrew. Un jour, sa confiance avait été sapée au point que les bons moments eux-mêmes perdirent le goût du bonheur. Elle avait alors essayé de rompre, dix fois, vingt fois, pour rechuter dès qu'Andrew la prenait dans ses bras, riait et lui promettait de s'amender. Puis elle avait fini par comprendre qu'une ville, qu'un pays n'était pas assez grand pour eux deux. La petite Janet Hamilton, si timide, si couvée par son père qu'elle n'avait pas encore osé aller seule à Londres, quitta du jour au lendemain sa ville et sa famille pour un pays dont elle ne comprenait pas la langue et où elle ne connaissait personne. Quand elle y repensait, elle se demandait comment elle avait réussi à supporter la solitude de ses premiers mois en Allemagne. Sans doute n'avait-elle pas eu d'autre choix.

Aujourd'hui, vingt-cinq ans plus tard, la souffrance n'était plus qu'un souvenir. Et pourtant, alors qu'elle parcourait les chemins autrefois familiers avec l'homme aux cheveux grisonnants qui avait illuminé sa vie mais l'avait aussi singulièrement assombrie, les cicatrices redevenaient sensibles.

Que de douleurs, songeait Janet, que de solitude et de culpabilité… pour finalement se retrouver et flâner dans les parcs de Cambridge par une belle journée d'été, comme si pas une heure ne s'était écoulée depuis toutes ces années.

Elle observa Andrew à la dérobée. Il était plongé dans ses pensées – des pensées peu agréables à en juger son expression. Il pensait sûrement à Fred Corvey.

Elle effleura son bras.

— Andrew ? Nous sommes venus ici pour que tu ne penses plus à lui !

Il sursauta.

— Excuse-moi, j'étais effectivement ailleurs, avoua-t-il, puis il l'observa en plissant les yeux : Et toi, tu pensais à autrefois, n'est-ce pas ?

Il lisait comme personne dans l'âme des autres. Sa sensibilité la blufferait toujours.

— Oui, je pensais à autrefois, dit-elle.

Un éclair de regret passa dans ses yeux, il pressa la main de Janet et dit :

— Je me suis très mal conduit envers toi, à l'époque. J'étais inconscient et cruel. C'est un miracle que tu t'intéresses encore à moi.

— Tu étais jeune. Et les femmes étaient toutes à tes pieds.

Il secoua la tête.

— Ce n'est pas une excuse. Au mieux une explication.

Elle haussa les épaules.

— Quoi qu'il en soit… c'est tellement loin, maintenant.

— Mais ça fait toujours mal, hein ?

— Oui. Il faut que je décroche de ce truc. Je…

Elle prit une longue inspiration.

— Je ne veux pas que ça m'envahisse. Que ça m'empoisonne comme ça a dû empoisonner ton ex-femme. Je ne veux pas que cela ait une incidence sur ce qu'il y a aujourd'hui entre nous. Allons, n'en parlons plus, tu veux bien ?

Elle se tut et contempla un instant l'allée ombragée et sinueuse dans laquelle ils s'étaient engagés.

— Comme c'est beau, ici. La prochaine fois que tu peux te libérer, on devrait aller dans le Norfolk, au bord de la mer. Ce sera peut-être mieux que Cambridge.

Elle ne peut pas « décrocher », songea Andrew, elle aura beau essayer, jamais elle ne pourra oublier tout à fait.

Il se plia néanmoins à son désir et changea de sujet :

— Si tu restes pour de bon en Angleterre, ça ne te fera pas un drôle d'effet après avoir vécu si longtemps en Allemagne ?

— Je ne me suis jamais sentie complètement chez moi en Allemagne. Simplement, je ne m'en rendais pas vraiment compte. J'avais ma famille, un mari, les jumeaux à élever… le cabinet que Phillip et moi avons monté… Ça laissait peu de place au mal du pays ou aux regrets. Mais depuis que je suis ici, dès l'instant où j'ai poussé la porte de ce vieux pub perdu au fond du Kent, j'ai su que j'appartenais à cet endroit. L'air qu'on respire, les gens, la langue, c'est moi, je suis tout ça. Je ne comprends pas comment j'ai pu vivre éloignée de cela aussi longtemps.

Elle s'immobilisa et quelque chose de l'éclat d'antan qu'Andrew lui connaissait et qu'il cherchait vainement à retrouver depuis qu'elle était revenue traversa ses yeux.

— Je suis enfin de retour chez moi. Je ne me sentirai plus jamais déracinée ou étrangère, quoi qu'il arrive.

Elle reprit son chemin.

— J'ai l'intention de chercher du travail, Andrew. Je pensais prospecter les écoles de langues. Je pourrais donner des cours d'allemand. Et aussi de français. J'ai un bon niveau de français. Ce ne serait pas un mauvais job pour commencer, non ?

Elle s'immobilisa de nouveau et regarda Andrew, pleine d'espoir.

Il se tourna vers elle.

— Tu te marierais avec moi ?

— Quoi ?

— Quand tu seras divorcée… Tu disais que tu voulais divorcer… Tu serais d'accord pour m'épouser ?

Une bande de jeunes bruyants et turbulents venait vers eux, et ils s'écartèrent pour les laisser passer. Cette même question aurait pu être posée au même endroit et par une même journée estivale, vingt-cinq ans plus tôt. Ce quart de siècle qui s'était écoulé avait-il de l'importance ? Les tours et détours de leurs histoires respectives jouaient-ils un rôle dans leurs retrouvailles ? Quelles en seraient les conséquences ? Janet écarta ces pensées.

— Je crois, oui, dit-elle d'une voix qu'elle s'appliqua à rendre neutre. Je crois que je pourrais l'envisager.

À croire que la guigne s'acharnait. Tout avait pourtant si bien commencé.

La veille, sur l'aire d'autoroute où Patricia l'avait déposée, elle avait très vite trouvé un chauffeur prêt à l'emmener en direction de Marseille. Mais il avait insisté pour dîner avant de partir et il faisait nuit quand ils avaient pris la route. Une quinzaine de kilomètres après la frontière française, ils avaient entendu un bruit de frottement, qui s'avéra bientôt provenir d'un pneu crevé. Dana lui donna un coup de main pour changer la roue, ce qui dura une éternité, du moins fut-ce son impression alors qu'elle se faisait houspiller sous prétexte qu'elle faisait « tout de travers et n'était bonne à rien ». Au bout d'un moment, elle en eut assez de faire les frais de la mauvaise humeur du chauffeur et se rebiffa. Le ton monta, ils se jetèrent des noms d'oiseaux à la figure et pour finir le chauffeur refusa de la laisser remonter dans son camion. Il grimpa dans sa cabine en jurant, démarra et disparut dans la nuit. Dana resta sur le bord de la nationale, les mains pleines de cambouis et une grosse tache noire sur le nez.

Comble de malchance, toute circulation semblait avoir déserté ce coin de France. En trois heures, cinq voitures seulement passèrent, pas une de plus, et une seule d'entre elles s'arrêta. Mais le conducteur semblait avoir abusé de l'alcool au point d'être incapable d'articuler une phrase sensée. Bien qu'elle en mourût d'envie, elle jugea plus prudent de refuser son invite. Elle reprit sa marche sur le bas-côté de la route en se maudissant de ne pas avoir accepté le canapé offert par Patricia. Il faisait doux et il ne pleuvait pas, c'était déjà ça, mais elle était sur les rotules. Elle finit par s'asseoir contre le tronc d'un platane et s'endormit. Elle fut réveillée au petit matin par le raffut infernal des oiseaux qui saluaient le lever du jour. Tous ses membres étaient engourdis et ses vêtements, imprégnés d'humidité, étaient glacés.

Elle se leva péniblement et reprit sa route. Le nombre de voitures qui passaient augmentait à vue d'œil, mais la plupart roulaient dans le mauvais sens. Un vieux monsieur finit tout de même par s'arrêter, et la déposa au premier village. Quelques maisons, quelques fermes, ce n'était guère plus qu'un minuscule bourg, mais il y avait un café où une serveuse renfrognée lui servit un café au lait et deux croissants rassis. Elle allumait sa première cigarette de la journée quand il commença à pleuvoir. D'un coup, le village parut se vider de ses habitants. Il n'y eut bientôt plus âme qui vive dehors, à l'exception d'un chat noir qui traversa lentement la chaussée.

Dana paya et quitta le café. S'il pleuvait, au moins la température restait-elle agréable. Dana se décida pour la route qui menait à la sortie du village. De temps à autre, une voiture la dépassait. Quand un véhicule s'arrêta enfin, elle était trempée jusqu'aux os et découragée. Un long moment s'écoula avant qu'elle se rende compte que quelque chose clochait chez le type qui l'avait fait monter.

Il n'avait rien qui sautât aux yeux, rien d'anormal ou d'inquiétant. Non, s'il avait quelque chose de remarquable, c'était sa parfaite insignifiance. Il semblait âgé d'une bonne trentaine d'années, avait un visage allongé légèrement hâlé, des lèvres un peu trop charnues et un nez droit. Ses cheveux, blond cendré et fins, étaient coiffés en arrière ; un poil trop longs, ils rebiquaient sur la nuque. Des lunettes à verres en cul de bouteille agrandissaient démesurément ses yeux – ce défaut de vision constituant l'unique caractéristique susceptible de laisser une trace dans les mémoires. Il était vêtu d'un jean et d'un pull-over à col roulé bleu foncé et conduisait une antique 505 blanche, immatriculée en France.

Il était resté silencieux pendant un long moment, hormis les deux phrases qu'ils avaient échangées lorsqu'il s'était arrêté. Il lui avait demandé où elle allait, dans un allemand presque dénué d'accent. Il avait ri en entendant sa réponse et répliqué qu'il n'allait pas aussi loin mais qu'il pouvait la rapprocher un peu du but. Puis il s'était tu.

Soudain, il avait quitté la route des yeux et l'avait regardée.

— Sale temps, hein ? fit-il.

La pluie avait redoublé, les essuie-glaces balayaient le pare-brise à un rythme effréné. La route serpentait entre des vignes qui disparaissaient sous l'eau.

— Oui, dit Dana, vraiment atroce. Pourtant, tôt ce matin, on avait l'impression qu'il allait faire à nouveau très beau.

— Ça change souvent plus vite qu'on ne pense, commenta l'homme dont le regard quitta le visage de Dana pour s'aventurer sur ses cuisses dénudées. Eh bien dites-moi, vous vous êtes fait saucer !

Dana réfréna l'envie de tirer sur l'ourlet de sa minijupe.

— Oui, on peut le dire. Heureusement que vous vous êtes arrêté, répondit-elle, un peu gênée.

— Oui. Heureusement.

Le regard de l'homme quitta les cuisses de Dana pour se concentrer de nouveau sur la route, quelques secondes, puis il se reposa sur Dana, plus précisément sur sa poitrine. Dana se rendait compte que son tee-shirt mouillé devait être encore plus suggestif que si elle n'avait rien eu sur le dos. Cette fois, c'est à l'envie de croiser les bras sur sa poitrine qu'elle dut résister. Elle commençait à se sentir réellement mal à l'aise.

— Vous parlez très bien allemand, dit-elle. Pourtant, vous êtes français, n'est-ce pas ?

— Je suis orphelin. J'ai grandi dans des familles d'accueil. Dont une à Strasbourg. Des gens d'origine allemande.

— Je suis de Hambourg.

— Vous venez de très loin.

Il avait jeté un coup d'œil sur la route, puis s'était de nouveau tourné vers Dana.

— Qu'en pensent vos parents ?

— De quoi ?

— Du fait que vous vous baladiez en stop. C'est risqué.

— Je sais me débrouiller, répliqua Dana en s'efforçant d'avoir l'air sérieuse et sûre d'elle.

Il lui jeta un long regard qui accentua son embarras.

— Ah ? fit-il, puis il parut enfin se concentrer de nouveau sur la route.

Ce n'est rien, se dit Dana pour se rassurer. Il a l'air un peu bizarre, mais ça vient de ces lunettes.

Cela lui était déjà arrivé, en faisant du stop, de tomber sur des types qui cherchaient à l'entraîner dans des conversations vaseuses ou flirtaient ouvertement, mais elle ne s'était jamais sentie menacée, elle était toujours restée maîtresse de la situation. Quand l'homme lui plaisait, elle ne se refusait pas un petit flirt, et dans le cas inverse, elle savait très bien faire semblant de ne pas comprendre jusqu'à ce que l'importun renonce à ses avances. Elle ne s'était jamais sentie mal à l'aise. Cette fois, en revanche, elle commençait à être franchement inquiète. Elle se dit que c'était à cause des prédictions funestes de Michael. Ou de la pluie, ou encore parce qu'elle était morte de fatigue.

Un quart d'heure s'écoula puis l'homme rompit de nouveau le silence.

— Vous êtes vraiment une belle fille, dit-il.

Dana qui s'était assoupie, la tête contre la vitre de la portière, sursauta.

— Quoi ?

— Vraiment une belle fille, répéta-t-il. Vous le savez sûrement ?

— Ah, mais je suis affreuse, aujourd'hui, répondit Dana avec le faible espoir de l'en convaincre. Je ne suis pas peignée, pas maquillée, et il faudrait que je me change.

Sans quitter la route des yeux, il se pencha en arrière, fouilla parmi les sacs en plastique amoncelés sur la banquette arrière et en sortit un peigne qu'il lui jeta sur les genoux.

— Tiens ! dit-il.

C'était un peigne en plastique marron dont la moitié des dents étaient cassées. Des cheveux étaient pris dans celles qui restaient.

Il n'est pas sérieux, songea Dana.
— Vous savez, je..., commença-t-elle.
— Peigne-toi ! l'interrompit l'homme. Je n'aime pas les femmes qui se laissent aller. Tu es dans un état épouvantable !
Dana flanqua le peigne par terre.
— Arrêtez-vous, s'il vous plaît. Je voudrais descendre, dit-elle d'un ton glacial.
L'homme accéléra légèrement.
— Tu te figures que je vais te lâcher dans la nature dans cet état ? Tu as l'air d'une souillon, cracha-t-il. J'exige que tu te coiffes correctement !
— Et moi j'exige que vous vous arrêtiez !
Tout en parlant, Dana tentait d'évaluer la situation. Ils roulaient trop vite pour qu'elle songe à sauter en marche. D'ailleurs la région paraissait totalement déserte. Il y avait des kilomètres qu'ils n'avaient pas croisé un véhicule. Pour le reste, c'étaient des arbres immenses, des vignes à perte de vue, une pluie torrentielle et pas une bicoque où demander de l'aide.
Merde, se dit Dana.
La situation prenait une sale tournure. Elle avait bien flairé un problème mais ses craintes ne reposaient alors que sur des regards appuyés. Puis, d'une seconde à l'autre, celui-ci avait abandonné tout effort pour maintenir une apparence de normalité. Il était devenu agressif, imprévisible, dangereux.
— Je t'ai donné un ordre, si je ne m'abuse, dit-il. Tu es priée de mettre de l'ordre dans ta tenue !
Ses yeux démesurés brillaient anormalement derrière ses culs de bouteille.

— Vous n'avez aucun ordre à me donner, répliqua Dana qui ne se laissait pas facilement intimider et avait toujours estimé qu'attaquer était la meilleure des défenses. Vous vous prenez pour qui ? Vous allez vous arrêter et me laisser descendre, sinon ça va très mal se passer pour vous, je vous le garantis !

Sa véhémence parut le déstabiliser un court instant.

— Je ne peux pas te laisser ici. Tu ne trouverais personne pour continuer.

— C'est mon problème, pas le vôtre. Je veux descendre tout de suite !

— Tu n'es pas très reconnaissante. Tu montes dans ma voiture trempée comme une soupe, j'accepte de t'emmener et tu me parles sur ce ton ! Tu ne trouves pas que tu as un sacré culot ?

Dana ne se laissa pas impressionner.

— Je veux descendre, répéta-t-elle.

L'homme freina si brutalement que la voiture dérapa sur la chaussée mouillée. Puis il se rangea sur le bas-côté et hurla :

— Dégage ! Fiche le camp ! T'es trop moche !

Dana descendit en serrant avec force son sac à dos. Il tombait des cordes et elle fut transpercée jusqu'aux os en quelques secondes. Elle eut l'impression qu'il faisait nettement plus froid qu'au lever du jour. Elle frissonna et releva les épaules. Sa situation n'était pas brillante mais elle se sentait soulagée. Marcher des heures sous la pluie serait toujours mieux qu'être coincée dans la voiture de ce psychopathe.

Il avait donné un grand coup d'accélérateur et était reparti comme il s'était arrêté, en zigzaguant de manière spectaculaire. Dana s'enveloppa dans son imperméable qui la protégeait à peine et glissa ses bras dans les bretelles de son sac. Quelqu'un allait bien finir par passer. Et si ce quelqu'un n'était pas totalement dépourvu de cœur, il s'arrêterait.

Elle marchait depuis dix minutes quand elle entendit un bruit de moteur. Elle se fit la réflexion, pleine d'optimisme, qu'elle avait vraiment de la chance.

Puis elle se rendit compte que le bruit venait de devant et non de derrière elle. La voiture roulait dans le mauvais sens. Qu'à cela ne tienne. Au village, elle trouverait peut-être un car pour une ville digne de ce nom, et au besoin elle casserait sa tirelire pour se payer un billet de train jusqu'à Nice.

Elle traversa la chaussée et se planta, pouce levé, de l'autre côté de la chaussée.

Le véhicule arrivait à vive allure. Une vieille Peugeot blanche. Ce n'est que lorsqu'elle ne fut plus qu'à quelques mètres que Dana comprit que c'était celle dont elle venait de s'enfuir. Derrière le volant, le visage de l'homme aux yeux trop grands était déformé par la colère. Il était si près du but quand sa proie lui avait échappé ! Et cette petite garce l'avait humilié par-dessus le marché ! Elle s'était fichue de lui, l'avait traité comme un moins que rien, avait refusé de lui obéir… Il avait pilé, fait demi-tour et était reparti comme un fou dans l'autre sens.

Comme un fou…

Dana pivota sur les talons et courut, courut de toutes ses forces. Pour sauver sa vie…

Ce fut une soirée telle qu'elle se les imaginait depuis le début. Ils étaient partis dîner dans une petite localité des hauteurs de Grasse. Un coucher de soleil spectaculaire embrasait le ciel, l'air délicieusement tiède qui pénétrait dans la voiture par les vitres baissées embaumait la lavande. C'était romantique, si beau que Tina se sentit réconciliée avec la terre entière. Envolées ses interrogations, ses déceptions, son inquiétude, ses angoisses… Même en cherchant bien, rien ne lui semblait plus avoir d'importance. Des broutilles qui ne méritaient même pas que l'on s'y attarde. Depuis la confession de Mario, tout avait changé. Ce qui était inquiétant était devenu normal.

Mario l'emmena dans un restaurant où, lui expliqua-t-il, il venait souvent autrefois avec ses parents. Des tables en bois brut étaient disposées dans un jardin de poche ceint d'un muret de pierres sèches qu'éclairaient des guirlandes électriques multicolores, suspendues entre les arbres fruitiers et les cyprès. De l'autre côté du muret, sur la chaussée, des touristes en short et tee-shirt déambulaient, appareil photo sur le ventre et cornet de glace à la main. Des enfants riaient et couraient dans tous les sens, des ados chahutaient. De temps à autre, des bribes d'allemand lui parvenaient. Ça sentait bon le pain chaud, l'ail et la viande grillée. Mario avait commandé du vin de pays que le serveur leur servit dans un joli carafon ouvragé.

Tina se sentait heureuse et détendue. Elle but une gorgée de vin.

— C'est un endroit merveilleux, Mario. On va passer des super vacances maintenant, je le sens.

Mario sourit. Tina le trouvait en forme. Il paraissait plus méditerranéen que jamais, très assorti à leur environnement. En deux jours, il avait acquis un hâle doré ; avec ses cheveux noirs, ses yeux sombres et la chemise blanche dont il avait roulé les manches, on l'aurait vraiment pris pour un Français.

Même Dana aurait été obligée de reconnaître qu'il était beau, songea Tina avec fierté.

Les explications concernant la disparition du téléphone lui avaient bien paru un peu étranges, mais depuis qu'elle savait qu'il était pour ainsi dire « en manque », elle était prête à relativiser. Quand on est dans son état, se disait-elle, on se comporte suivant une logique que l'on est seul à comprendre. Les contradictions et les incohérences sont inévitables.

— Ma mère est en Angleterre, tu comprends ? Elle a dû apprendre que je suis à Duverelle. Et maintenant, elle doit vouloir essayer de me joindre pour tout m'expliquer.

Tina eut l'air intriguée.

— En Angleterre ? Mais qu'est-ce qu'elle fait là-bas ? Et qu'est-ce qu'elle doit t'expliquer ?

Une ombre passa sur le visage de Mario.

— C'est… j'ai du mal à en parler. Ne m'en veux pas. S'il te plaît. Je t'expliquerai tout. Laisse-moi un peu de temps.

Le téléphone se trouvait dans le placard du séjour, ajouta-t-il, Tina pouvait bien évidemment le rebrancher quand elle voulait et appeler qui elle voulait.

— Je ne veux appeler personne. J'étais seulement étonnée…

Quel problème pouvait-il avoir avec sa mère ? D'un côté il mettait sa photo sur sa table de chevet, de l'autre il débranchait le téléphone de peur qu'elle cherche à le joindre. Et il avait d'entrée de jeu refusé de lui parler de sa relation avec Tina. On ne devenait pas si facilement accro aux médicaments. Que lui était-il arrivé ? Et quand ? Lorsqu'il était enfant ? Y avait-il un lien avec sa mère ? Tina se souvint de son impression devant le portrait. Une femme complexe…

« Laisse-moi un peu de temps », lui avait demandé Mario. Tina avait obtempéré avec une docilité dont elle était fière. Elle ne poserait aucune question. Elle attendrait qu'il parle.

Les plats qu'ils avaient commandés leur furent servis et ils s'y attaquèrent avec appétit. Tina se concentra sur ses côtelettes d'agneau. Le vin lui donnait un sentiment de confiance et de légèreté.

— Et ensuite, on fait quoi ? demanda-t-elle.

Mario leva les yeux de son assiette, surpris.

— Après le dîner ?

— Oui. Il est encore tôt.

Il regarda sa montre.

— Il est presque neuf heures !

— Oui, et c'est tôt, neuf heures ! Tu veux rentrer tout de suite ?

Elle lui avait gâché son plaisir. Il posa ses couverts, s'essuya la bouche avec la serviette en papier et but en soupirant une gorgée de vin. Son visage s'assombrit, un pli creusa la commissure de ses lèvres.

— Si tu… si tu as peur de…, commença Tina d'un ton prudent.

Il l'interrompit sèchement :

— De quoi voudrais-tu que j'aie peur ?

— De te promener dans le village, des gens… Tu disais que parfois tu avais peur d'entrer dans les magasins. J'ai cru que…

À nouveau, il lui coupa la parole :

— Arrête, Tina, tu veux bien ? Ne commence pas à jouer les infirmières avec moi. Ça me rend nerveux les gens qui se prennent pour Mère Teresa.

— Mais je…

— Je te demande simplement de me laisser tranquille. Ça te paraît possible ?

Tina se tut, blessée, et à son tour, reposa ses couverts. Mario entreprit de réduire méthodiquement un morceau de pain en miettes.

— On peut se balader un peu dans les rues, proposa-t-il enfin.

— Si tu veux, répondit Tina sans savoir où poser ses yeux.

Mario fit signe au serveur. Il était tendu comme un arc. Tina savait que la soirée était fichue. Elle avait l'impression que quelqu'un avait appuyé sur un bouton pour éteindre la lumière et que la manœuvre était irréversible. Elle ne comprenait pas comment elle avait pu énerver Mario. Il lui faisait l'effet d'un adolescent susceptible et hypersensible, avec lequel il fallait peser soigneusement chacun de ses mots avant d'ouvrir la bouche. Et encore, même le silence pouvait être mal interprété.

Michael se demandait une fois de plus comment Karen Graph avait réussi à l'entraîner à Munich. Ils s'étaient donné rendez-vous à l'aéroport devant le bureau d'information – leur signe de reconnaissance : un *Hamburger Abendblatt* roulé sous le bras, avait-elle dit. Michael avait vu ses pires craintes dépassées par la réalité. La mère de Dana était un véritable épouvantail. Elle était vêtue d'un pantalon d'été vert clair dont les jambes étaient roulées jusqu'à mi-mollet, d'un tee-shirt jaune moulant orné sur le devant de la croix et du rond qui composaient le symbole féminin, et chaussée de tennis qui auraient mérité un passage au lave-linge. Un lien de cuir sur lequel étaient enfilées quelques perles – une pacotille indienne, songea Michael – lui tenait lieu de collier. Elle portait, accroché à l'épaule, un immense sac noir qui paraissait peser une tonne, et plié sur le bras, un imperméable vert fluo. Aux yeux de Michael, le pire restait toutefois ses cheveux, coupés très courts et d'une couleur roux marbré qui faisait irrésistiblement penser à une prairie après un brûlis. Et pourquoi la peau de cette femme avait-elle cette vilaine teinte cireuse ? Michael songea au teint de Dana, artificiellement hâlé trois cent soixante-cinq jours par an. Elle était vêtue avec ostentation et dans un style qui lui déplaisait souverainement, mais du moins avait-elle le sens de la couleur et toujours l'air soignée. Michael bouillonnait intérieurement de s'être laissé embringuer dans cette aventure.

Karen eut un sourire ironique en le découvrant.

— Vous êtes exactement tel que je l'imaginais ! Le costume et la cravate, tous les jours ?

— Quand ça me semble approprié, répliqua Michael d'un ton neutre qui la fit pouffer, comme s'il avait dit quelque chose d'hilarant.

L'un et l'autre ayant émis le souhait de conserver leurs bagages avec eux dans la cabine, Michael insista pour porter le sac informe de Karen. Qu'est-ce qu'il pouvait bien contenir pour être si lourd ? Elle devina ses pensées.

— J'ai pris mon magnéto. Au cas où j'aurais un entretien à enregistrer. Il date de la préhistoire, et a la taille et le poids correspondants.

— Vous pensez que c'est nécessaire ?

— Un bon journaliste n'enquête jamais sans magnéto. Mais manque de chance, mon petit enregistreur à cassettes est mort, et je n'ai plus que cet engin énorme.

Le contrôle des bagages s'éternisa en conséquence, l'antique magnétophone ne passant pas inaperçu. Un expert fut invité à le démonter pour s'assurer qu'une bombe n'y était pas dissimulée, puis à le remonter. L'incident indisposa d'autant plus Michael qu'il se prolongea. Quand ils purent enfin prendre place dans l'avion, Karen se plongea dans son journal. Elle réclama deux fois du café à l'hôtesse et paraissait d'excellente humeur.

Michael, en revanche, s'obstinait à regarder par le hublot, la mine sombre. Si seulement il ne s'était pas senti aussi bête, aussi ridicule. Et s'il n'avait pas eu cette peur qui lui broyait le cœur. Juste avant de quitter la maison, il avait une nouvelle fois essayé de téléphoner à Duverelle, et une fois de plus personne n'avait répondu.

— Vous êtes d'une humeur de chien, pas vrai ? observa Karen alors que l'avion amorçait sa descente sur Munich.

Michael ne vit aucune raison de nier.

— En effet. Je me demande encore pourquoi j'ai accepté de venir avec vous. Nous n'allons certainement rien trouver d'intéressant, et fouiner dans la vie privée de ces gens me répugne !

— Eh bien moi, je sens qu'on va trouver quelque chose, contra Karen.

Michael soupira.

— Allons donc. Il s'agit sûrement d'une famille très ordinaire dotée d'un fils très ordinaire. On ferait bien de ne parler de cette affaire à personne, nous allons nous couvrir de ridicule.

— Ah. Et ça vous prend tout d'un coup ? Je me permets de vous rappeler que c'est vous qui avez commencé à soupçonner Mario de je ne sais quelle turpitude. Et qui m'avez fourré vos idées dans le crâne !

Michael fut obligé d'en convenir.

Karen poursuivit :

— Si nous ne trouvons réellement rien, eh bien, nous aurons fait un agréable petit voyage à Munich. Ce sera toujours ça de pris. Je parie qu'il y a des lustres que vous n'êtes allé nulle part ?

— L'occasion ne s'est pas présentée.

— Votre vie est réglée comme du papier à musique, hein ? L'improvisation, ce n'est pas votre truc.

— Si vous voulez dire que j'ai un travail régulier et que je ne dors pas tous les jours jusqu'à midi, alors vous avez raison, répliqua Michael, agacé par ses sous-entendus.

— Oups ! Là, je vous ai vexé. Excusez-moi. On fait la paix ?

— Je ne suis pas en guerre, répondit Michael d'un ton glacial.

Il leur avait réservé deux chambres au Königshof. Il était dix-neuf heures quand ils arrivèrent à l'hôtel. Karen déclara avoir une faim de loup et émit le vœu d'essayer le restaurant polynésien du grand hôtel Bayerischer Hof.

— Je veux dire, ajouta-t-elle, si ce n'est pas trop cher pour vous ! Je suis passablement fauchée. Mais je paierai volontiers l'apéro.

— C'est bon, Karen. Vous êtes mon invitée.

— Super. Je me change en vitesse. On se retrouve dans vingt minutes ?

— Entendu, acquiesça Michael en priant intérieurement pour qu'elle ne lui fasse pas la surprise d'un accoutrement encore plus tape-à-l'œil que le précédent.

Quand elle apparut enfin dans le lobby, avec un retard certain, il poussa un soupir de soulagement. Son élégance ne défraierait pas la chronique et sa coiffure était irrécupérable, mais elle était très correctement vêtue. Elle portait une jupe plissée blanc cassé et un pull débardeur gris. Le collier indien avait été troqué contre un fin sautoir en argent et des boucles d'oreilles assorties. À la place des tennis, des sandales noires ornées d'un bouton de rose. Elle rayonnait... et s'accrocha sans façon au bras de Michael.

— Il y a une éternité que je ne suis pas allée au restaurant ! s'écria-t-elle. Et avec un homme, ça remonte à encore plus loin.

— Moi aussi, il y a longtemps que je n'ai pas dîné dehors, répondit Michael en souriant. Et avec une femme, n'en parlons pas !

— J'ai passé un rapide coup de fil à Peter. L'ami dont je vous ai parlé. Il va essayer de faire un saut. Comme ça, on pourra le mettre au courant sans attendre.

Ils eurent la chance d'obtenir une table dans le restaurant dont rêvait Karen. À peine assise, elle s'absorba dans la lecture de la carte avec le même ravissement qu'un enfant devant un sapin de Noël. Michael dut malgré lui s'avouer qu'elle avait de bons côtés. Mais elle n'en était pas moins une véritable gamine, elle n'avait jamais grandi et était manifestement incapable de diriger sa vie. Il se sentit brusquement ému par ses bras trop minces, par la fragilité que ne dissimulait plus le pull-over sans manches qu'elle portait.

— Avez-vous des nouvelles de Dana ? demanda-t-il.

Karen secoua la tête.

— Non, mais nous n'avons pas l'habitude de nous appeler quand l'une de nous part en vacances. Je ne me fais pas autant de souci pour ma fille que vous pour la vôtre.

— Je pense néanmoins qu'il ne serait pas excessif d'interdire à une jeune fille de faire du stop.

— C'est possible. En tout cas, il *est* excessif de surprotéger votre fille comme vous le faites. Je ne dis pas ça pour vous agresser. C'est simplement que… ça ne correspond plus à nos modes de vie.

— C'est possible, dit-il, reprenant les mots qu'elle avait utilisés.

Le serveur apporta les cocktails qu'ils avaient demandés et prit la suite de leur commande. Quand il se fut éloigné, Karen dit :

— Vous êtes veuf depuis longtemps, n'est-ce pas ?

— Seize ans.

— Vous n'avez jamais pensé à vous remarier ?

En guise de réponse, il lui retourna sa question :

— Et vous ? Il y a déjà longtemps que vous êtes divorcée ?

— Je ne suis pas divorcée, je n'ai jamais été mariée. Dana est née hors mariage. C'était un accident ou plutôt une catastrophe pour moi, au départ.

Devant son expression, elle éclata de rire.

— Là, vous venez de vous dire : Je l'aurais parié ! Un enfant naturel, et par étourderie ! Ça va avec le reste, pas vrai ?

— De fait, ça ne m'étonne pas beaucoup.

— Ça n'aurait jamais pu vous arriver, hein ? Je parie que Tina a été planifiée de A jusqu'à Z. Vous n'êtes pas du genre à perdre le contrôle de la situation. Même au lit.

— Vous devez avoir raison.

— Le père de Dana verse toujours de l'argent pour elle. Tous les mois, bien que je n'aie jamais rien demandé. Il est vrai qu'il gagne pas mal sa vie. Je veux dire, ça ne lui coûte pas vraiment. Son argent est ce qui me sauve. Ça nous permet tant bien que mal de joindre les deux bouts.

— Pourquoi ne travaillez-vous pas ?

— Bonne question ! Oui, pourquoi ? Eh bien, parce que je ne trouve pas de boulot, voilà la vérité !

— Vous cherchez vraiment ?

— Oui, je cherche vraiment. Mais j'ai une sale réputation dans le milieu. Dana a raison. On ne peut pas compter sur moi, je suis trop bordélique. Je ne rends pas mes articles à l'heure, je ne suis pas sérieuse. Et j'ai un look infernal.

— On peut y remédier, avança prudemment Michael.

Elle le dévisagea.

— À quoi ?

— Eh bien, à ce que vous venez de dire. La ponctualité et le sérieux, ça s'apprend, vous savez.

— C'est vous qui le dites. Pour vous, ça n'a sûrement jamais été un problème. Je parie que vous venez d'une famille de militaires. Votre père devait être général, colonel ou un truc de ce genre !

— Pari perdu ! sourit-il. Mon père était pasteur.

— Sans blague !

De stupéfaction, elle laissa retomber la paille qu'elle venait de glisser avec gourmandise entre ses lèvres.

— Le mien aussi !

— Incroyable ! Alors nous avons quelque chose en commun !

— Visiblement, avoir un pasteur pour père n'est pas simple, ainsi que nos deux personnes en témoignent, observa Karen. On a choisi les extrêmes. Je crois que…

Elle s'interrompit en voyant un barbu d'une cinquantaine d'années en pull-over tricoté à la main s'approcher de leur table.

Encore un de ces soixante-huitards attardés, songea Michael.

Karen poussa un cri, bondit de sa chaise et se jeta au cou de l'inconnu.

— Peter !

Elle lui plaqua deux baisers sur les joues et se tourna vers Michael.

— Je vous présente Peter ! Un ex-collègue. On a eu une tapée de bons moments ensemble !

Michael se leva poliment et tendit la main à Peter. L'espace d'un instant, il regretta que sa conversation avec Karen ait été interrompue.

À sa propre surprise, il constata qu'il aurait aimé en apprendre plus sur elle.

Elle ne tenait pas particulièrement à entrer dans cette discothèque. Elle avait simplement mentionné son existence. Elle avait remarqué le bâtiment aux murs aveugles de plain-pied sur la rue et l'enseigne clignotante alors qu'ils sortaient du restaurant, Mario toujours muré dans un silence hostile, et traversaient la rue pour rejoindre leur voiture. La musique filtrait à travers la porte. Des jeunes, cigarette au bec, traînaient devant l'entrée, deux filles en leggings et chaussures à semelles compensées étaient assises sur le bord du trottoir, d'où elles observaient les allées et venues des passants.

— Regarde, il y a même une boîte ! dit Tina.

Mario la saisit par le bras, d'un geste un peu trop ferme pour être affectueux.

— Viens. Allons-y.

— Mario, nous ne sommes pas obligés...

— Si. Tu voulais aller quelque part. Tu l'as dit ou je me trompe ? Ce n'est pas ce que tu as dit ?

— C'était une proposition. Mais seulement si tu en as envie aussi et...

Sans plus l'écouter, il mit le cap sur la discothèque en tirant la jeune fille derrière lui.

En réalité, ce n'était guère plus qu'un hangar, petit, étouffant et bas de plafond. Des lumières stroboscopiques et une boule à facettes délimitaient une piste de danse, sur laquelle une horde de jeunes suant et transpirant se trémoussaient. L'air était à couper au couteau et le niveau sonore si élevé qu'il était quasi impossible de s'entendre.

Mario poussa presque Tina sur une chaise, puis se dirigea vers le bar dont il revint avec deux grands verres emplis d'un liquide vert vif d'où émergeaient une paille et un petit palmier en papier.

— Qu'est-ce que c'est ? demanda Tina.

Il ne comprit pas ce qu'elle disait.

— Quoi ?

Elle répéta sa question en criant. Il cria en retour :

— Je ne sais pas ! J'ai dit que je voulais quelque chose de fort. On m'a donné ça !

Une unique gorgée suffit à mettre la gorge de Tina en feu.

— Mon Dieu…, s'étrangla-t-elle. C'est du rhum pur, ou quoi ?

Mario ne prit pas la peine de répondre. D'un geste qu'elle ressentit comme une provocation, il vida la moitié de son verre. Puis il regarda Tina. Un éclat mauvais brillait dans ses yeux.

— Alors ? Tu t'amuses ?

Tina haussa les épaules.

— Ce n'est pas terrible, ici.

— Pas terrible ? Comment ça ? Tu voulais absolument entrer ! Tu veux danser ?

— Je ne voulais pas *absolument* entrer. J'ai seulement dit que…

Il bondit sur ses pieds, l'arracha à sa chaise et l'entraîna sur la piste de danse. Au milieu de la salle, l'air était encore plus étouffant et l'odeur de transpiration insoutenable. Si Mario le remarqua, cela ne parut pas le déranger. Il se mit à danser d'une façon brutale, fiévreuse, avec des gestes anormalement saccadés.

Il est un peu ivre, se dit Tina. Pas étonnant avec ce qu'il a avalé…

Elle se mit à danser à son tour, avec la conscience aiguë de sa gaucherie et de sa raideur. Puis elle se détendit, cessa de penser à ses bras et ses jambes, suivit le rythme et se laissa porter par la musique. C'était tout simple. C'était super. Elle ferma les yeux. La vie pouvait être délicieusement légère quand on ne s'obstinait pas à vouloir toujours tout contrôler. Elle pouvait être délicieusement légère, même avec une musique qui hurlait dans un affreux hangar surchauffé du Midi de la France – ou justement là. Était-ce cela dont Dana éprouvait un tel besoin ? Était-ce là ce qu'elle recherchait en permanence, se saisissait-elle de tout ce qui ressemblait à cela ? Se sentir délicieusement légère et ne plus penser à rien. Oublier.

Pour quelques secondes, Dana fut là. Tout près d'elle. Si près, si terriblement près qu'elle ouvrit les yeux et arrêta de danser. Comme si Dana avait tendu la main vers elle…

Un grand jeune homme brun, français, dansait en face d'elle. Il lui sourit. Elle lui sourit spontanément en retour.

Soudain, Mario se matérialisa à côté d'elle, son beau visage déformé par la colère devenu masque grimaçant. Il se rua sur le Français et lui écrasa son poing sur la figure avant même que celui-ci ait compris ce qui se passait. Le Français s'écroula. Tous les jeunes présents sur la piste s'écartèrent. Mario se jeta sur le jeune homme et commença à le cribler de coups de poing, à le frapper aveuglément et de toute la force dont il était capable. Quand l'autre commença enfin à se défendre, il avait la bouche et le nez en sang et se tordait de douleur. La boule à facettes jetait sur la scène des éclairs blancs, fantomatiques, donnant l'illusion d'un tressautement monstrueux.

— Arrêtez ! hurla Tina. Mon Dieu, Mario, arrête !

Elle essaya d'arracher Mario à sa victime, mais il s'y accrochait comme un animal enragé et ne paraissait même pas avoir conscience des efforts de

Tina. Le jeune homme avait renoncé à riposter, il ne levait plus que faiblement les bras et les mains pour essayer de se protéger des coups qui pleuvaient toujours.

— Mais aidez-le ! cria Tina.

Tout s'était passé si vite que les témoins de la scène ne semblaient toujours pas réaliser la gravité de la situation. Personne ne bougeait.

— Mais aidez-le, bon sang ! Aidez-le ! répétait-elle, près d'éclater en sanglots. Il est en train de le tuer !

Personne ne comprenait ce qu'elle disait, mais son désarroi, compréhensible dans toutes les langues, finit par faire réagir trois grands gaillards qui réussirent à remettre Mario sur ses pieds. Il resta là, sans faire mine de vouloir se jeter de nouveau sur le Français. Il haletait, était couvert de sueur et ses cheveux qui retombaient sur son front et ses yeux lui donnaient un air mauvais, dangereux. Apparemment, il n'avait pas une égratignure.

— Tu es fou ? s'écria Tina, à la fois consternée et épouvantée. Qu'est-ce qui t'a pris ?

Le jeune homme étalé par terre gardait les yeux clos, n'émettait pas un son et ne bougeait pas. Il avait probablement perdu connaissance. Son visage était en sang. Tout le monde se pressait maintenant autour de lui, même le barman apathique se décida à quitter son comptoir. Personne toutefois ne songea à couper la musique ou à arrêter les effets de lumière. Les basses continuaient à faire trembler les murs du hangar.

Mario fusilla Tina du regard.

— Tu sais très bien ce qui m'a pris.

— Tu es dingue.

Il la saisit par le bras.

— Maintenant, tu viens ! Terminé, les types qui te sourient. Est-ce que tu as une idée de l'impression que tu donnes ? De ta façon de provoquer ? De t'offrir au premier venu ?

Pour la première fois, elle eut véritablement peur de lui. C'était une peur intense et incontrôlable, très proche de la panique. Elle regarda autour d'elle, chercha de l'aide des yeux, mais nul ne s'intéressait à elle ou à Mario. Tous s'affairaient autour de l'homme à terre. Quelqu'un cria quelque chose en français, Tina comprit qu'on demandait d'appeler les secours. Le barman disparut dans une pièce adjacente où devait se trouver un téléphone. Mario s'efforçait d'entraîner Tina vers la sortie à travers la masse de jeunes agglutinés.

— Tu ne peux pas partir comme ça ! s'insurgea Tina en essayant vainement de le retenir. Tu as à moitié tué ce type ! On va te rechercher si tu t'enfuis maintenant !

Mais ses mots ne l'atteignaient pas et elle eut l'effrayante impression que sa hâte à s'en aller n'avait rien à voir avec la crainte de devoir rendre des comptes. Il ne paraissait pas avoir conscience de s'être comporté de manière répréhensible. À ses yeux, il n'avait rien fait d'autre que ce que la situation exigeait de lui, et seul lui importait maintenant d'éloigner Tina de ce lieu de perdition.

Les médicaments ne peuvent pas justifier cela, songea Tina dans une sorte de fulgurance. Rien ne peut justifier ce qui s'est passé. Rien.

— Mario, sois raisonnable ! Tu ne peux pas t'enfuir. Je ne viendrai pas avec toi !

Elle planta ses deux pieds dans le sol, tel un cheval rétif, mais elle avait sous-estimé et la force de Mario et sa détermination à en découdre, toujours intacte. Il la tira violemment par le bras et la fit sortir malgré elle de la discothèque. Dehors, personne n'était au courant de ce qui venait de se passer, aussi, nul ne tenta de les retenir. Quelques regards s'attardèrent sur Tina, qui à l'évidence suivait Mario contre son gré, mais personne n'éprouva le besoin d'intervenir. C'était une affaire privée, probablement une histoire de jalousie, on n'avait pas à s'en mêler. Peut-être que si Tina avait appelé à l'aide…

Plus tard dans la nuit, elle se demanda pourquoi elle ne l'avait pas fait. Pourquoi elle n'avait pas crié de toutes ses forces. Probablement parce que cela lui aurait paru insensé, idiot, hystérique. Sans doute sa bonne éducation y était-elle aussi pour quelque chose. Ça ne se faisait pas de se faire remarquer dans la rue. On ne criait pas comme une poissonnière et on n'étalait pas ses problèmes sur la place publique. Et puis à quoi cela aurait-il servi ? Elle n'avait ni argent ni papiers d'identité sur elle. De toute façon elle aurait dû rentrer avec Mario.

Arrivés à la voiture, il la poussa sur le siège avant et claqua la portière. Tina eut l'impression d'entendre au loin la sirène d'une ambulance. Elle enfouit son visage dans ses mains.

Mario se laissa tomber sur le siège du conducteur et dut s'y reprendre à trois fois avant de réussir à glisser la clé dans le démarreur tant il la manipulait avec brutalité. L'instant d'après, il donnait un grand coup d'accélérateur.

— Attache ta ceinture !

Tina s'exécuta en tremblant.

— On aurait dû rester, dit-elle. On aurait dû voir si on pouvait l'aider.

— Aider qui ? Le salopard qui te dévisageait comme si t'étais une pute ?

La voiture fit un bond en arrière, Mario enclencha alors la première en faisant grincer la boîte de vitesses. Les pneus hurlèrent.

Il est fou. Il est malade. Il est complètement cinglé.

Ils quittèrent l'endroit pied au plancher. Si quelqu'un était arrivé en face, Mario n'aurait jamais pu l'éviter. Mais personne ne croisa leur chemin, pas même la police. Ils roulaient au milieu de la chaussée, rasaient les murs dans les virages, zigzaguaient comme des chauffards ivres, mais personne ne les arrêta.

Ils disparurent dans le crépuscule sans être inquiétés.

Ils entendirent le téléphone sonner en arrivant sur le palier. Andrew ouvrit la porte de l'appartement aussi vite qu'il le put et se précipita dans le séjour mais, à l'instant où il tendait la main pour décrocher, la sonnerie s'interrompit.

— Trop tard, dit-il.

Janet, qui l'avait suivi, regarda sa montre.

— Dix heures et demie. Qui peut appeler à cette heure ?

Andrew haussa les épaules.

— Aucune idée. Mais si c'est important, il rappellera.

Ils auraient voulu rentrer beaucoup plus tôt de Cambridge, mais une demi-heure avant Londres, un embouteillage les avait contraints à rouler au pas pendant des kilomètres. Ils étaient l'un et l'autre passablement fatigués.

— Tu veux boire quelque chose ? demanda Andrew.

Janet secoua la tête.

— Je crois que j'ai surtout envie de dormir. Je suis vannée.

Elle se rendit dans la chambre et se déshabilla sans avoir le courage de ramasser ses affaires. En se lavant les dents, elle fut surprise de se découvrir si pâle dans le miroir. Elle savait la raison de cet abattement soudain, mais elle n'aurait pas cru que cela se verrait. Un sixième sens lui disait que c'était Phillip qui avait essayé d'appeler. Il devait se douter qu'elle était chez Andrew et trouver son numéro n'avait pas dû être bien compliqué. Il rappellerait, et il faudrait qu'elle lui parle. Il méritait une explication, des excuses. Elle devait l'informer de ses projets, lui faire part de son intention de divorcer. Après vingt-cinq ans de mariage.

Son estomac se contracta si brutalement qu'elle se crut sur le point de vomir. Puis la nausée passa. Elle respira plusieurs fois à fond, les mains plaquées sur le ventre et recouvra un peu de sa sérénité.

Elle regagna la chambre, se coucha, éteignit la lumière, mais sa fatigue s'était envolée, laissant place à une inquiétude fébrile. Elle se tourna et se retourna sous les couvertures sans trouver le sommeil. Pour finir, elle ralluma la lumière et regarda l'heure. Onze heures et quart. Que faisait Andrew ? Elle se leva et alla dans le séjour.

— Andrew ?

Pas de réponse. Tout était noir et silencieux. Même la cuisine était déserte. Janet traversa le couloir, poussa doucement la porte du bureau.

Il était assis à sa table de travail devant un dossier ouvert qu'il fixait comme s'il espérait en voir émerger une brusque révélation. Il ne remarqua pas la présence de Janet qui contempla un instant son profil éclairé par la lampe de lecture. Il serrait les lèvres et paraissait tendu. Il dut percevoir l'appel d'air car il finit par lever la tête et regarder vers la porte.

— Janet ! Je pensais que tu dormais.

Le décalage était étrange entre sa voix, habituelle, et son expression soucieuse et concentrée. Puis ses traits se détendirent peu à peu.

— Je n'arrive pas à dormir, fit Janet d'une voix plaintive avant de s'approcher pour regarder ce qu'il lisait. Qu'est-ce que c'est ?

Andrew referma le dossier d'un geste définitif et se leva.

— Bah, l'affaire Corvey. Le problème qui m'empêche de me coucher. Et toi, demanda-t-il d'une voix douce en lui caressant la joue, quel est le problème qui t'empêche de dormir ?

— Phillip.

La réponse n'étonna pas Andrew. Il hocha la tête d'un air compréhensif.

— C'est… Je n'ai rien à lui reprocher. Absolument rien, dit-elle avec un désespoir qui contredisait ses paroles. Il ne m'a jamais fait de mal. À maints égards il… il m'a mieux traitée que toi.

— Je comprends.

— Et cependant, rien ne me rattache à lui. Pas même nos enfants. C'est injuste !

— Allons, Janet ! Depuis quand les sentiments se mêlent-ils d'être justes ou injustes ? Tu n'es pas une sainte !

Elle secoua la tête et dit à voix basse, le regard perdu dans la nuit :

— Cela va être affreusement difficile.

— Cela sera tout aussi affreusement difficile de vivre avec un type de Scotland Yard qui déprime dès qu'il doit remettre un criminel en liberté, répliqua Andrew. Tu es certaine de le vouloir ?

— Aussi certaine que je l'ai toujours été.

Andrew l'avait attirée à lui. Elle pressa son visage contre sa poitrine et sentit ses mains qui glissaient sous son tee-shirt, suivaient la courbe de ses hanches, remontaient le long de son corps. Il l'écarta un peu de lui et saisit ses seins. Elle gémit doucement. Ses caresses se firent plus insistantes.

— À quoi penses-tu ? murmura-t-il à son oreille.

— À toi.

C'était la vérité. Il suffisait qu'il la touche pour qu'aussitôt elle oublie Phillip. Elle leva la tête, entrouvrit les lèvres et l'embrassa longuement. À vrai dire, il n'avait même pas besoin de la toucher pour la mettre dans cet état d'excitation. Il suffisait d'un regard, d'un mot, parfois même seulement d'une image, d'une odeur ou d'une ambiance qui la faisait penser à lui. Il en avait constamment été ainsi au cours de ces très longues années passées sans lui. Un after-shave, dont elle reconnaissait fugitivement l'odeur sur un homme croisé dans la rue, l'intonation d'une voix qui ressemblait à la sienne – et elle se liquéfiait, le besoin de faire l'amour avec lui la submergeait, tout son corps vibrait de désir. Il était le seul homme qui faisait naître en elle des fantasmes de sexe nocturne dans l'encoignure de portes cochères ou à quelques mètres d'une fête battant son plein ; de sexe qui se terminait par de la lingerie déchirée et des griffures dans le dos ou sur la poitrine, de sexe rapide, brutal, de jouissance animale. Aucun autre homme, même ceux qu'elle trouvait séduisants, ne lui donnait de telles envies, et Phillip peut-être encore moins que les autres, bien qu'il travaillât son rôle d'amant parfait avec l'assiduité sans faille d'un élève zélé. Un jour, après avoir lu un article sur les secrets désirs masochistes des femmes, il avait simulé une agression et s'était jeté sur sa femme en poussant des cris et des feulements d'animal en rut. Janet n'avait pu réprimer un violent fou rire qui avait profondément blessé Phillip.

« Et si tu essayais normalement ? » avait-elle proposé quand elle avait retrouvé son sérieux. Mais Phillip n'avait pas pu. Que ce soit normalement ou en feignant un jeu sexuel quelconque, Phillip en avait été incapable pendant plusieurs semaines.

D'un commun accord, ils avaient soigneusement évité d'évoquer l'intermède par la suite.

Andrew se déshabilla sans cesser de caresser Janet, de faire courir ses lèvres sur son corps. Il la fit basculer sur le canapé qui occupait tout un mur et qui datait de ses années d'étudiant. À l'époque, ils y faisaient l'amour des heures durant. Janet entendit un bruit de tissu qui se déchirait ; Andrew lui avait arraché son slip. L'instant d'après, il était sur elle et la pénétrait sans que son corps, qui n'attendait que cela, lui ait opposé la moindre résistance. Elle gémit et dit beaucoup de mots dont elle ne se souvint plus par la suite, et Andrew lui dit des choses d'une voix dure, qu'elle oublia pareillement. Son corps s'embrasa et toute conscience de ce qui existait au-delà de cette pièce et de cet homme mourut dans le brasier qui la consumait.

Ce n'est que beaucoup plus tard, quand elle put à nouveau penser et réfléchir, qu'il lui vint à l'esprit que c'était l'aveu de ses sentiments de culpabilité vis-à-vis de Phillip qui avait déchaîné Andrew. En un éclair il s'était assuré de son empire sur sa proie.

Maximilian avait conscience d'avoir eu de la chance. À Francfort, il avait été pris en stop par un automobiliste qui l'avait déposé sur une aire d'autoroute de Karlsruhe, où il était tombé sur un car de collégiens allemands qui se rendaient à Avignon. Après quelques hésitations, les professeurs encadrants avaient accepté de le prendre avec eux. Il n'aurait pas pu passer la frontière plus simplement qu'au milieu de ces adolescents qui paraissaient à peine plus jeunes que lui. Il se doutait qu'un mandat d'arrêt avait été lancé contre lui et il redoutait à chaque instant de voir surgir la police. Mais rien de tel ne se produisit. Une des professeurs collecta les passeports, le sien compris, et les remit au douanier, lequel les parcourut d'un œil distrait avant de les lui rendre et de signifier au chauffeur du car qu'il pouvait repartir. Il y eut toutefois un moment critique quand elle redistribua les passeports un à un en énonçant les noms.

— Mario Beerbaum…

Elle fronça les sourcils.

— Votre passeport est périmé !

C'était le moment de se montrer convaincant.

— Ah zut, je n'ai pas pris le bon !

Il se leva et remonta l'allée en se tenant aux sièges pour garder l'équilibre. La femme lui tendit son passeport avec une certaine réticence. Elle était jeune, jolie et avait de longs cheveux roux.

— Voilà ce qui arrive quand on ne jette rien ! dit Maximilian.

Il sourit. Il savait que son sourire faisait fondre les femmes.

— J'espère que je n'aurai pas de problème au retour !

— Bah, les contrôles sont quasi inexistants, le rassura-t-elle.

Sa méfiance s'était évanouie. Maximilian était si naturel, si jeune, si transparent. Et si beau. Elle était sous le charme. Sa beauté avait dissipé son inquiétude. Il en avait l'habitude. Leur belle apparence valait aux jumeaux toutes les grâces. Les gens les aimaient, leur faisaient confiance, on leur aurait donné le bon Dieu sans confession. Maximilian s'en étonnait souvent. Comme si la beauté était un gage d'honnêteté. Les gens se faisaient des idées. Ils n'imaginaient pas le diable autrement qu'avec une tête de diable et un ange avec une tête d'ange. Ils ne se rendaient pas compte que dans la vie, tout le monde avançait masqué.

Dès lors, il ne rencontra plus le moindre problème. Il était bien évidemment le point de mire du car. Les questions fusaient ; il répondit à toutes sans s'embrouiller dans ses explications. Il était Mario, il était étudiant, il entamait son quatrième semestre de droit…

Quand ils arrivèrent à Avignon, il faisait nuit noire et il n'y avait plus de car pour Grasse. Il savait où se trouvait la gare routière car des années auparavant, avec Janet, il était venu à Duverelle, en train jusqu'à Avignon puis en car. Il devait avoir douze ou treize ans. C'était à l'époque où il avait commencé à poser des problèmes en refusant d'aller au collège ou en séchant les cours, aussi Janet avait-elle décidé de se consacrer totalement à son fils pendant quelques semaines, le temps de trouver d'où venait son blocage et d'y remédier. En pure perte, naturellement. Elle n'avait réussi qu'à l'énerver avec ses questions et il s'était consumé d'ennui et de tristesse sans son frère resté à Munich avec leur père. Au bout de dix jours, Janet s'était résignée à interrompre l'expérience et à prendre le chemin du retour. Si elle avait été vexée, elle n'en avait rien laissé paraître et s'était peut-être seulement repliée un peu plus sur elle-même.

Renseignements pris, le premier car pour Grasse partirait le lendemain matin à cinq heures trente. Maximilian se mit en quête d'une brasserie encore ouverte à cette heure tardive. Avignon grouillait de touristes et personne ne fit attention au jeune homme brun dont les mains tremblaient constamment.

À la gare routière, il s'installa sur un banc et essaya de dormir. La nuit était chaude, propice à la torpeur et maintenant qu'il était rassasié, il commençait à se détendre. S'il n'y avait pas eu ces tremblements incontrôlables... Il était si proche de son frère. Demain il s'assurerait que tout allait bien avant de se rendre à la police, ensuite, on verrait... Peut-être qu'il pourrait... Ses pensées devenaient confuses, sa tête bascula en avant, d'un coup la fatigue des dernières heures eut raison de lui et il sombra dans le sommeil.

Ils avaient roulé des heures à un train d'enfer dans la nuit. Mario fonçait au hasard des routes et des chemins, lançant la voiture d'un nid-de-poule à un autre, totalement indifférent au risque d'accident. Puis brusquement, alors qu'il était en pleine accélération, il enfonça la pédale du frein. Le choc fut si brutal qu'ils furent l'un et l'autre projetés vers l'avant et que leurs ceintures de sécurité se bloquèrent, leur coupant un instant la respiration. Mario employa alors toute sa force à faire tourner le volant puis il repartit en sens inverse et ils revinrent sur leur pas, à la même vitesse insensée, moteur poussé au maximum, toujours plus vite et en prenant toujours plus de risques. S'il avait perdu le contrôle de la voiture ne serait-ce qu'une fraction de seconde, ils se seraient tués.

Au début, Tina avait crié, l'avait supplié de ralentir, de lui donner une explication, puis elle s'était mise à pleurer. Mais rien n'avait paru atteindre Mario. Il n'avait pas répondu, pas réagi. Il avait gardé le regard obstinément fixé devant lui, les mâchoires serrées et avec un air hagard qui faisait peur à Tina. Au bout d'un moment, elle renonça à le faire réagir, cacha son visage dans ses mains et pria pour que personne n'arrive en face. Puis elle se sentit défaillir à l'idée que nul n'arrête jamais la course folle de ce cinglé, et elle pria pour qu'ils rencontrent quelqu'un, de préférence une patrouille de police. Quand Mario écrasa de nouveau la pédale du frein, elle releva la tête en espérant qu'il s'était arrêté parce que quelqu'un s'était mis en travers de son chemin. Mais non, ils étaient seuls, aussi loin que le regard portait. Ils se trouvaient sur une route étroite et pentue, délimitée sur la droite par une paroi rocheuse et sur la gauche par un ravin à pic. Tina comprit avec horreur que Mario les avait entraînés dans la montagne, dans les gorges du Verdon réputé pour ses paysages escarpés, ses gorges et ses dangereuses routes en lacets.

— Mon Dieu, murmura-t-elle.

Mario regarda le tableau de bord.

— Nous n'avons plus beaucoup d'essence.

C'étaient ses premiers mots depuis des heures et compte tenu de l'état qui était le sien, leur réalisme avait quelque chose de terrifiant.

— On devrait chercher une station-service, dit Tina en mettant toute son énergie à paraître calme.

S'ils s'arrêtaient pour prendre de l'essence, elle pourrait s'enfuir. Il y aurait des gens, ne serait-ce que le gérant de la station. Elle pourrait demander de l'aide.

— Retournons dans la vallée pour chercher une station, insista-t-elle.

Mario lui lança un regard noir.

— Non, ce n'est pas ce que nous allons faire.

Il réfléchissait intensément, cela se voyait à son expression. Le moteur tournait toujours.

— Tu pourrais peut-être couper le moteur, suggéra timidement Tina. Ça consomme de l'essence pour rien.

Il parut une nouvelle fois ne pas l'entendre. Elle imagina un instant ouvrir la portière, bondir hors de la voiture et partir en courant. Elle n'avait aucune idée de l'endroit où ils se trouvaient, mais en suivant la route, elle finirait bien par tomber sur quelqu'un. Mais pourrait-elle le semer ? Mario était plus fort qu'elle, probablement plus rapide. Dans sa colère, il semblait encore plus déterminé que d'ordinaire, dépourvu de tout discernement. Il serait peut-être capable de la tuer s'il l'attrapait. Elle devait se garder de faire quoi que soit qui puisse exacerber sa rage.

— Je sais où nous allons aller, déclara soudain Mario.

Sa voix était tout à fait normale. On aurait pu les prendre pour un couple d'amoureux ordinaire discutant des projets du lendemain.

— Et où va-t-on ? demanda Tina.

Elle s'efforçait d'être aussi naturelle que lui mais elle sentait bien que c'était peine perdue. Elle avait l'impression d'avoir du coton plein la bouche.

Au lieu de répondre, Mario enclencha la première et repartit. À présent, il avait l'air de savoir où il allait. Il enchaînait les virages et conduisait avec une assurance nouvelle, heureusement beaucoup moins vite qu'avant, comme si le fait d'avoir trouvé un but à leur équipée nocturne avait dénoué quelque chose ou l'avait apaisé. Même ses traits s'étaient détendus. Il s'engagea dans un étroit chemin de terre qui montait en pente raide. Malgré ses efforts pour éviter les inégalités du terrain, la voiture était ballottée de droite à gauche. Tina écarquillait les yeux dans l'espoir de découvrir un repère quelconque dans les ténèbres environnantes. Une seule chose était sûre : au lieu de prendre le chemin du retour, ils s'enfonçaient dans la montagne.

Où l'emmenait-il ? Au bout du monde ?

— Mario…, commença-t-elle d'une voix qu'elle maîtrisait avec difficulté.

Il tourna la tête vers elle. Son regard était vide.

— Oui ?

— Mario, où allons-nous ?

— Dans notre maison.

— Dans notre… Tu veux dire que nous rentrons à Duverelle ?

La maison Beerbaum lui paraissait soudain l'endroit le plus désirable de la terre. Là-bas, il y avait des voisins. Elle pourrait crier, appeler. On l'entendrait. Et cette fois, elle ne serait pas assez bête pour avoir peur de se faire remarquer. Elle hurlerait jusqu'à en briser les vitres. Peut-être… peut-être ce chemin tout juste carrossable était-il un raccourci ? Elle n'osait y croire.

Il lui adressa un drôle de regard.

— Ce n'est pas là-bas, notre maison.

— C'est où, alors ?

Mario ne répondit pas. Elle fit une seconde tentative.

— Je… Mario, je suis d'accord pour aller avec toi dans… notre maison. Mais… tous mes vêtements sont dans la maison de tes parents…, et ma… ma brosse à dents aussi… On ne pourrait pas y faire rapidement un saut pour prendre mes affaires ? C'est… ça ne serait pas long…

Mon Dieu, faite que je réussisse à le convaincre !

Mario ne répondit toujours pas. Puis il plissa brusquement le front, l'air inquiet.

— Tu entends ? fit-il.

Tina ne comprit pas tout de suite ce qu'il voulait dire, puis elle crut percevoir de légers à-coups dans le ronronnement du moteur. L'instant d'après, le doute n'était plus permis : le moteur toussa, la voiture eut des soubresauts qui la propulsèrent encore sur quelques mètres puis elle s'immobilisa. Le réservoir était vide.

Tina n'hésita plus : elle ouvrit sa portière à la volée et bondit hors de la voiture.

Elle dévala le chemin par lequel ils étaient arrivés. Elle savait qu'il n'y avait nulle part âme qui vive, mais si elle réussissait à mettre suffisamment de distance entre elle et Mario, la nuit se ferait peut-être son alliée. L'obscurité l'aiderait à disparaître, mais il fallait d'abord semer Mario. Ses légères sandales d'été, totalement inadaptées à la caillasse qui cédait sous ses pas, handicapaient sa course. Elle glissa, trébucha, tomba à deux reprises mais parvint néanmoins à se relever.

Elle entendait Mario crier derrière elle :

— Arrête-toi ! Arrête-toi immédiatement !

Elle accéléra le rythme. Elle entendait son cœur marteler sa poitrine, le sang bourdonner dans ses oreilles. Elle n'avait plus de souffle. Puis elle perdit à nouveau l'équilibre et se tordit la cheville droite. Une douleur fulgurante lui transperça la jambe et elle s'écroula dans un cri.

Elle ne s'était pas rendu compte qu'elle avait éraflé ses bras et ses jambes jusqu'au sang. Elle avait perdu. Elle se roula en boule et attendit.

La seconde d'après, il était sur elle. Il l'empoigna brutalement par les avant-bras et la tira pour qu'elle se lève.

Tina poussa un nouveau cri.

— Mario, mon pied ! Lâche-moi ! Je ne peux pas me mettre debout !

La douleur irradiait dans toute sa jambe mais Mario n'en avait cure. Tout en la maintenant fermement, il la frappa au visage à toute force, encore et encore.

— Tu ne m'échapperas plus, sale petite garce ! Je te tue si tu recommences ! Je jure que je te tue !

Tina tentait de se protéger le visage de son bras libre, mais elle n'avait aucune chance face à la fureur de Mario ; elle craignait à chaque instant s'évanouir de douleur. Sa cheville était sans doute cassée. Elle sanglotait et gémissait tandis que le feu envahissait ses joues.

— Arrête, Mario, je t'en prie, arrête !

Enfin il la lâcha et elle s'effondra sur le sol où elle se recroquevilla en chien de fusil. Mario haletait.

— Lève-toi ! l'entendit-elle dire de très loin. On a encore un long chemin devant nous !

— Je ne peux pas, murmura-t-elle, la tête dans la poussière du chemin, trop bas pour que Mario puisse l'entendre.

Elle sentit ses mains se poser sur ses épaules et ne put retenir un nouveau cri avant de se tasser un peu plus sur elle-même.

— Je ne vais rien te faire, dit-il.

Il l'aida à se relever, cette fois presque avec douceur. Elle transposa aussitôt son poids sur son pied valide mais la douleur lui fit monter les larmes aux yeux.

— Il faut que je voie un médecin, dit-elle dans un souffle.

Il écarta les cheveux qui tombaient sur son visage et toucha doucement ses joues tuméfiées.

— À cause de ça ?

— Non. Pour mon pied. Quand je suis tombée… Je me suis sûrement cassé quelque chose…

Il se pencha et palpa précautionneusement sa cheville. Elle regardait le sommet de son crâne. Si elle avait été dans un film, ou plus simplement une femme exceptionnellement forte et déterminée, elle l'aurait mis hors état de nuire d'un bon coup sur le crâne. Mais avec quoi ? Ses poings ? C'était au-delà de ses capacités. Elle avait tenté tout ce dont elle était capable, et elle avait échoué. Il ne lui restait plus qu'à éviter de l'irriter en se pliant à ses exigences.

Mario se redressa.

— Je ne crois pas qu'il y ait quelque chose de cassé, déclara-t-il. Mais c'est une sérieuse entorse. Tu penses que tu pourras marcher en prenant appui sur moi ?

— Je ne sais pas... Est-ce que je peux attendre dans la voiture pendant que tu vas chercher de l'aide ? dit-elle, désireuse de lui faire croire qu'elle ne se souciait que de son pied et qu'elle n'envisageait pas de s'échapper à nouveau.

Mais elle avait à peine fini sa phrase qu'elle le vit changer d'expression.

— Non, dit-il. On reste ensemble. Nous devons aller chez nous, tu le sais bien.

— J'ai terriblement mal, Mario. Je veux aller chez nous avec toi, je te l'ai dit, mais ce serait bien si un médecin pouvait d'abord...

— Non !

C'était un non ferme et sans appel. Il ne changerait pas d'avis.

— Je vais m'occuper de ton pied. Nous devons marcher un peu, mais tu y arriveras. Pourquoi as-tu essayé de ficher le camp aussi ? Rien ne se serait passé si tu étais restée tranquille !

La sollicitude qu'il manifestait encore une minute auparavant avait disparu aussi vite qu'elle était apparue. Il était de nouveau irrité, inflexible, on le sentait à bout de nerfs, prêt à exploser. Il était redevenu hostile, imprévisible et dangereux. Tina passa son bras droit autour de ses épaules, il la soutint de son bras gauche et ils se mirent en marche. Elle parvint à avancer lentement, au prix de douleurs atroces dès qu'elle posait le pied droit par terre. Elle évitait de penser à la longue ascension qui l'attendait encore.

Elle se demandait, pleine d'appréhension, quel « chez-nous » promis par Mario elle allait découvrir. Et ce qu'il avait l'intention de faire d'elle une fois là-bas.

Vendredi 9 juin 1995

La journée promettait d'être caniculaire. Il était tout juste huit heures quand Maximilian descendit du car à Duverelle, et la température atteignait déjà vingt-sept degrés à l'ombre. À l'est, le disque chauffé à blanc du soleil poursuivait son ascension dans un ciel pâle dénué de nuages, et un vent chargé de senteurs de romarin soulevait des petits tourbillons de poussière au ras du sol.

Maximilian traversa lentement la place du village où les paysans des environs étaient en train d'installer leurs éventaires. C'était jour de marché. Des odeurs de pain frais et d'épices flottaient dans l'air. Il n'était pas pressé. Maintenant qu'il touchait au but, il n'était plus bien sûr de ce qu'il devait faire. Si Mario était avec une amie comme il le supposait, elle n'était certainement pas au courant de l'existence d'un frère jumeau. En surgissant sans crier gare, il ne ferait que semer la pagaille. Il ne pouvait pas débarquer comme ça. Son frère serait atterré, peut-être furieux, et la fille, si fille il y avait, aurait droit à une belle frayeur.

Pour couronner le tout, il avait une tête épouvantable, constata-t-il en apercevant son reflet dans un miroir ancien exposé chez un brocanteur. Le découragement le prit. Ses yeux étaient bouffis de fatigue, une barbe de trois jours lui mangeait les joues, il avait l'air sale et affamé et quand il sortait les mains de ses poches, elles tremblaient tellement qu'il était impossible de ne pas le remarquer. Bref, il avait l'allure typique de l'évadé en cavale. À peine avait-il évoqué cette image qu'il réalisa à quel point elle était proche de la réalité.

En arrivant devant la maison, il fut simultanément envahi par une bouffée de nostalgie et un sentiment de paix. La maison en pierres sèches qui somnolait à l'ombre des grands cerisiers lui était familière depuis sa plus tendre enfance. Elle était le symbole des vacances heureuses avec son frère et ses parents, des belles et chaudes journées d'été qui n'en finissaient pas de s'étirer sous le soleil, de barbecues le soir dans le jardin, de promenades dans les champs de lavande, d'heures passées à rêver dans des prairies pleines de coquelicots, de discussions paisibles, de jeux et de rires insouciants. Elle représentait ce que leur vie aurait pu être, ce qu'ils auraient pu être. Et ce qu'ils avaient perdu.

Elle était calme, sommeillant dans le soleil matinal qui faisait étinceler les vitres des fenêtres orientées à l'est. Le jardin était une oasis de fleurs multicolores. Deux chaises longues dont il reconnut les coussins rayés jaune et blanc avaient visiblement passé la nuit sur la terrasse. Un tee-shirt bleu était étendu sur le dossier de l'une d'elles. Une image de vacances heureuses, normales. Rien ne révélait le moindre problème.

Et pourtant le sentiment diffus d'oppression et de danger qui avait incité Maximilian à entreprendre ce voyage devint soudain omniprésent. Il regarda autour de lui, à l'affût de quelque chose d'anormal, d'un indice justifiant son inquiétude. C'est alors qu'il s'aperçut qu'il n'y avait pas de voiture devant la maison.

Mario l'avait peut-être garée autre part. Il fit le tour du terrain mais ne vit aucun véhicule nulle part. Bizarre. Il était sûr que Mario était descendu en voiture. Aurait-il décidé au dernier moment de prendre le train ? Il secoua la tête. Non. Ils avaient l'un et l'autre une tendance à la claustrophobie et répugnaient aux longs trajets ferroviaires. Son frère encore plus que lui. À moins d'y être obligé, Mario ne voyageait pas en train.

Alors pourquoi la voiture n'était-elle pas là à huit heures du matin ? Mario était peut-être allé au village. Prendre la voiture pour faire cinq cents mètres n'avait pas de sens mais c'était une possibilité. Il manquait peut-être quelque chose pour le petit déjeuner. Dans ce cas, il serait de retour d'un instant à l'autre. Mais pourquoi ne parvenait-il pas à croire à cette hypothèse ?

Il poussa le portillon du jardin. Des mauvaises herbes poussaient entre les dalles de l'allée qui menait à la porte d'entrée. L'homme qu'ils payaient pour entretenir leur modeste propriété ne faisait pas d'excès de zèle. Mais comment lui en vouloir ? Pour qui aurait-il dû s'échiner ? Il y avait des années que personne n'était venu.

Maximilian regarda à l'intérieur de la maison par une petite fenêtre qui donnait sur le vestibule. Deux coupe-vent étaient suspendus au portemanteau, une paire de chaussures – incontestablement de femme – gisait sous la console. Il ne s'était pas trompé. Son frère était bien avec une amie.

Il longea la maison jusqu'à la fenêtre du séjour, collé au mur pour éviter d'être visible de l'intérieur, et poursuivit son exploration. Des journaux sur le canapé, un verre vide sur le téléviseur, un emballage de chocolat froissé sur le tapis… Oui, il y avait bien une fille dans la maison. Mario n'aurait jamais jeté un papier par terre ou laissé traîner un verre sale. Était-ce une bonne ou une mauvaise chose que cette jeune fille soit désordonnée ? Il était dubitatif, mais une chose était sûre, cela donnait une rassurante apparence de normalité au tableau.

Je vais attendre, décida Maximilian. Il est encore très tôt, je vais attendre un peu et voir ce qui se passe.

Il dénicha le poste d'observation idéal derrière un gros buisson de romarin. Une fois assis, personne ne pourrait le voir, en revanche il lui suffisait de se pencher légèrement d'un côté ou de l'autre pour avoir une vue directe sur la maison. Aucun mouvement ne lui échapperait.

Il s'allongea dans l'herbe. Tous ses muscles se souvenaient encore de sa nuit sur un banc de la gare routière. Se détendre un peu, rien qu'un peu… Il ferma les yeux. Quelques secondes plus tard, il dormait.

— Peter va sûrement dégoter l'ancienne adresse des Beerbaum en moins de temps qu'il faut pour le dire, déclara Karen. Ensuite, il n'y aura plus qu'à faire parler les voisins. Il m'a proposé de faire d'autres recherches mais je lui ai dit qu'on s'en chargerait nous-mêmes. Faut bien qu'on ait fait ce voyage pour quelque chose, pas vrai ?

Elle avait apparemment décidé de tester toutes les sortes de muesli, salades de fruits, fromages blancs, charcuterie, pains et confitures proposés et avait opéré une véritable razzia au buffet. Leur table disparaissait sous les assiettes et les bols. Michael, qui s'était limité à un petit pain, un œuf et du fromage, tentait tant bien que mal de défendre son coin de table et enrageait en silence.

Quel sans-gêne, tout de même.

— Surtout, Michael, n'hésitez pas à vous servir, l'invita Karen en désignant la table d'un geste généreux. Vous n'allez pas en rester à ce malheureux petit pain, si ?

— Je n'ai jamais très faim, le matin.

— D'ordinaire, moi non plus. Mais un choix pareil, ça me rend folle !

Les yeux pétillants de bonheur, elle examinait ses trésors en se demandant par quoi commencer. L'agacement de Michael ne résistait jamais à ces accès d'enthousiasme enfantin. Il y avait chez Karen quelque chose qui l'émouvait. Même ce matin, en dépit de son accoutrement et de la honte qu'elle lui avait infligée en faisant main basse sur le buffet. Les murmures et les ricanements des autres convives ne lui avaient pas échappé. À elle, si. Il se demanda fugitivement s'il devait admirer ou réprouver sa faculté de se moquer éperdument de l'avis des autres.

Elle enfourna une grosse cuillerée de fromage blanc aux pêches qu'elle savoura, les yeux fermés.

— Hum... Absolument divin ! Goûtez-moi ça !

Elle replongea sa cuillère dans la coupelle et la tendit à Michael qui s'empressa de refuser.

— Non, merci, pas maintenant.

Elle le considéra d'un œil attentif. Il s'appliquait à faire bonne figure, mais il était visiblement fatigué et soucieux.

— Vous avez de nouveau essayé de joindre Tina ? demanda-t-elle.

— Oui. Tard hier soir. Et ce matin. À des heures parfaitement indues. C'est dire mon degré d'inquiétude. En temps normal, je m'arracherais la langue plutôt que de carillonner au milieu de la nuit.

Il soupira, s'attendant à ce que Karen le raille gentiment mais, à sa surprise, elle n'en fit rien.

— Oui, dit-elle, c'est certain que par rapport à vos critères, ce que vous faites depuis quarante-huit heures sort de l'ordinaire. Rien que votre présence ici à Munich avec moi... Pour vous, ça relève de l'exploit, je me trompe ?

— Effectivement. D'ailleurs je ne me sens pas particulièrement à l'aise.

Elle tendit la main et la posa brièvement sur son bras.

— Hé ! Monsieur le procureur ! Nous ne faisons rien de mal !

—Nous fouinons. Nous espionnons. Nous fourrons notre nez dans ce qui ne nous regarde pas. Vous êtes journaliste et ne voyez sans doute pas les choses comme moi. Mais pour ma part, je déteste ça.

—Mais vous êtes inquiet pour votre fille. Et ce Mario ne vous inspire pas confiance.

Michael repoussa son assiette. Il n'avait plus faim.

—Karen, je ne sais pas, dit-il d'un ton las. Peut-être que je me suis fait des idées. Et je me suis laissé influencer. Je... Il y a trop longtemps que je m'occupe seul de Tina. Que je sois là à jouer au détective découle en droite ligne de mon incapacité à lâcher un peu ma fille. Et de ma jalousie. Je me sens ridicule.

— Et pourquoi personne ne décroche quand vous téléphonez ?

—Tina se doute peut-être que c'est moi et ça l'énerve.

Karen décapita un œuf d'un geste énergique.

—J'irai sonder le voisinage toute seule, annonça-t-elle. Ça vous rendrait malade et vous seriez capable de faire peur aux gens. Restez donc ici. Pourquoi ne vous installeriez-vous pas au bar ? Vous pourriez faire une petite conquête.

Il lui lança un regard qui lui fit baisser les yeux, honteuse.

— *Sorry*, s'excusa-t-elle.

Elle le rattrapa au moment où il déverrouillait sa portière. Il la regarda sans comprendre.

—Je croyais qu'on était convenus que tu restais ici, dit-il.

Janet secoua la tête. Elle venait de se laver les cheveux et le soleil matinal les teintait d'argent.

— Non, *tu* as décidé que je devais rester.

— Tu étais d'accord.

— J'ai changé d'avis.

Andrew l'examina de la tête aux pieds et sourit.

— Impressionnant ! Question rapidité, tu bats des records !

Lorsqu'ils s'étaient dit au revoir, trois minutes plus tôt, elle était encore en peignoir. À présent, elle était vêtue d'un jean et d'un tee-shirt blanc froissé qu'elle avait dû fourrer à la va-vite dans son pantalon car un pan en dépassait. Un pull-over gris était noué sur ses épaules et elle portait aux pieds des sandales du soir noires à boucle dorée, sans doute ce qui lui était tombé sous la main. Ses cheveux humides et l'absence de maquillage lui donnaient un air très juvénile. Elle n'avait pas pris de sac, en revanche elle serrait dans la main un tube de rouge à lèvres, un mascara et un crayon de khôl qu'elle montra triomphalement à Andrew.

— Je finirai de me préparer dans la voiture ! J'ai tout ce qu'il me faut !

Il capitula. Il avait fait son possible pour éviter qu'elle soit là. L'idée d'encaisser un échec en sa présence le contrariait, mais comme de toute façon *elle saurait*, autant mettre un mouchoir sur sa fierté. En lui demandant, la veille, si elle accepterait de devenir sa femme, il lui avait implicitement demandé de devenir une part de sa vie. S'ils devaient vivre ensemble, il ne pouvait et ne voulait pas lui cacher cette part de son caractère – cet orgueil dévorant, cette incapacité à accepter les revers sans souffrir mille morts.

Comme si elle lisait dans ses pensées, elle dit :

— Je veux tout connaître de toi, Andrew. Pas seulement les côtés charmants et agréables.

Il contourna la voiture, déverrouilla la porte du passager et l'ouvrit. Ils formeraient un couple curieusement désassorti dans la salle du tribunal, lui en costume sombre et cravate, elle avec son tee-shirt chiffonné et ses chaussures trop habillées. L'image le fit sourire et il se détendit légèrement.

— Espérons que la confrontation avec ma part d'ombre ne va pas te faire trop peur, dit-il.

Elle rit et l'embrassa. À cet instant, elle était convaincue que rien chez lui ne pourrait jamais lui faire réellement peur.

Le buisson de romarin lui avait longtemps dispensé une ombre bienfaisante mais à présent que le soleil était haut dans le ciel, rien ne freinait ses rayons brûlants qui tombaient droit sur Maximilian. La chaleur le réveilla. Il se frotta les yeux, s'assit et regarda sa montre. Il était presque midi et demi. Comment avait-il pu dormir aussi longtemps ?

Furieux contre lui-même, il se pencha pour observer la maison. Elle était aussi calme – et déserte ? – que quatre heures plus tôt. Rien sur la terrasse n'avait été bougé, aucune fenêtre n'avait été ouverte. Et il n'y avait toujours aucune voiture devant la porte.

Il se leva et ses muscles endoloris par cette trop longue sieste sur un sol dur comme du béton lui arrachèrent une grimace. Il traversa le jardin, au vu et au su de quiconque regarderait par l'une des fenêtres. Il avait acquis la certitude qu'il n'y avait personne, et que personne n'était entré ou sorti durant son impardonnable somme. La maison était vide, elle l'avait été toute la nuit et depuis peut-être plus longtemps encore. Mais son frère et son amie n'avaient pas changé leurs plans, ils avaient bien séjourné ici. Et où qu'ils soient allés, ils avaient eu l'intention de revenir. Mario n'aurait jamais laissé les coussins et le tee-shirt dehors. Pour d'autres, cela n'aurait probablement rien signifié, mais Maximilian, qui connaissait son jumeau mieux que quiconque, était sûr d'avoir raison. Ils avaient eu l'intention de revenir. Alors pourquoi n'étaient-ils toujours pas là ?

La porte-fenêtre donnant sur la terrasse s'ouvrit sans difficulté. Elle avait été fermée mais pas verrouillée de l'intérieur. Une étourderie qui ne portait pas à conséquence dans ce petit village tranquille où, pour autant que Maximilian le sache, il n'y avait jamais eu ni vols ni cambriolages.

Il traversa le séjour et gagna la cuisine. Elle était relativement en ordre quoique la vaisselle propre soit toujours sur l'égouttoir, et non rangée dans les placards. Des billets de banque français et un formulaire de change étaient posés sur la table. Il y avait deux autres chaises longues sur la terrasse arrière, à l'ombre ; un livre avait été oublié sur l'une d'elles.

Maximilian monta lentement au premier étage. Il repéra immédiatement les objets de toilette dans la salle de bains. Une brosse à cheveux, une petite trousse à maquillage, une crème hydratante, un lait démaquillant... Des choses qu'une femme oubliait rarement quand elle prévoyait de passer la nuit ailleurs. Même les brosses à dents étaient dans leur verre. Maximilian plissa le front.

La chambre de Mario. Il s'attarda un instant devant la photo de Janet sur la table de nuit, ouvrit le placard. Un ordre méticuleux y régnait. Pull-overs et tee-shirts étaient impeccablement pliés et empilés, les pantalons soigneusement passés sur des cintres. Le lit semblait n'avoir jamais été utilisé.

Il poussa la porte des autres pièces du premier. N'y voyant aucun signe de la présence d'une jeune fille, il en conclut que Mario avait repoussé la tentation aussi loin que possible de sa chambre, et prit la direction des combles. Commode, placards... il se sentait très indiscret, mais n'hésita pas à regarder partout. La jeune demoiselle avait fourré ses affaires en vrac dans le premier tiroir. Sa valise était sous la table. Il découvrit son nom sur l'étiquette accrochée à la poignée : Christina Weiss.

Apparemment, elle non plus n'était pas partie.

Il redescendit, de plus en plus inquiet. En passant devant la porte ouverte du bureau, quelque chose l'arrêta. Tout à l'heure, il n'avait rien remarqué, mais cette fois, cela lui sauta aux yeux : le téléphone n'était pas à sa place. Et il n'était nulle part dans la pièce. Quelqu'un l'avait débranché et... oui, peut-être caché, ou détruit ; en tout état de cause, ce quelqu'un avait coupé la maison du monde extérieur.

Maximilian s'assit en haut des marches. Son inquiétude grandissait, l'appréhension lui nouait l'estomac. Il se prit la tête dans les mains et réfléchit. Il fallait qu'il trouve où Mario était allé avec cette Christina. Et il avait l'intuition que le temps lui était compté.

Le vieil homme parlait trop. Il se perdait dans d'interminables digressions. Si ça n'avait tenu qu'à lui, il aurait raconté sa vie entière à Karen – « J'ai vécu les deux guerres, rendez-vous compte ! » – et elle devait constamment le réorienter doucement vers l'objet de sa visite.

— Vous vouliez me parler des Beerbaum...

Elle n'avait eu aucune difficulté à trouver la maison des Beerbaum, une villa cossue du quartier de Nymphenburg, mais quand elle sonna, une voix de petite fille lui annonça que ses parents n'étaient pas là et qu'elle n'avait pas le droit d'ouvrir. Elle dérangea alors la voisine de gauche, une jeune femme mal embouchée et selon toute apparence en plein ménage, qui lui lança un « Je n'ai pas de temps, je n'achète rien ! Au revoir ! » et lui claqua la porte au nez avant même qu'elle ait eu le temps de se présenter.

Elle eut plus de chance avec la maison de droite. Le très vieil homme qui répondit à son coup de sonnette avait dans les yeux cette petite lueur d'espoir qu'une visite inattendue allume dans le regard des gens particulièrement seuls. Une seconde suffit à Karen pour mesurer l'étendue de sa solitude. S'il savait quelque chose sur les Beerbaum, il le dirait à Karen, lentement et avec force détails afin de retarder autant que possible son départ. Elle allait devoir s'armer de patience, mais il parlerait.

Elle se présenta en tant que journaliste et, ainsi qu'elle l'avait prévu, n'eut à montrer ni carte professionnelle ni papiers d'identité. Il la fit entrer aussitôt dans un salon encombré de meubles anciens lourds, sombres et surchargés de livres, l'invita à s'asseoir et lui proposa un thé ou un café.

— Non, merci. Je viens juste de prendre un café. Monsieur Frank – elle avait lu son nom sur la sonnette –, monsieur Frank, j'aimerais m'entretenir avec vous des Beerbaum. Ils habitaient à côté de chez vous. Je veux dire, vous les avez connus ?

— Chère madame, répondit Albrecht Frank en gonflant la poitrine, je vis dans cette maison depuis 1938 ! J'en ai vu des gens aller et venir dans cette rue, et les Beerbaum aussi, naturellement. Alors comme ça, vous êtes là… à cause de l'histoire ? s'enquit-il en baissant la voix.

Il y avait donc une histoire. Une histoire suffisamment excitante pour inciter un vieil homme à chuchoter ? Karen savait qu'il pouvait s'agir d'un simple commérage, mais son instinct de journaliste ne s'en réveilla pas moins. Dissimulant son ignorance, elle choisit ses mots pour flatter les oreilles de ce M. Frank :

— Il faut que je sache tout, depuis le début.

— Je sais *tout*, répliqua Albrecht Frank. N'allez pas imaginer que j'écoute aux portes… mais on surprend toujours une chose ou une autre, et quand on est isolé comme moi, les voisins comptent encore plus. J'ai perdu ma femme en 1979, depuis je suis très seul. Mes enfants vivent aux États-Unis. Les occasions de se voir ne sont pas nombreuses, vous vous en doutez, même s'ils sont très…

— Je me doute que vous avez vu et entendu beaucoup de choses, monsieur Frank, l'interrompit gentiment Karen, c'est inévitable dans un petit quartier résidentiel comme le vôtre.

— J'aimais beaucoup les garçons. Même si j'étais incapable de les distinguer. Ils étaient…

— Pardon ?

Karen se redressa et le dévisagea sans comprendre.

— Les garçons ? Nous parlons bien des Beerbaum ?

— Oui, bien sûr. Ils avaient deux gamins. Mario et Maximilian. Des jumeaux. Parfaitement identiques. Seule la mère était capable de les distinguer.

— Excusez-moi, bafouilla Karen. Apparemment, mon rédacteur en chef ne m'a pas transmis toutes les informations. Je pensais jusque-là qu'il n'y avait qu'un garçon. Mario.

— Chère enfant, votre chef devait vouloir vous mettre à l'épreuve. Une chance que vous soyez tombée sur moi. Je connais bien l'affaire.

Dana aurait oublié de lui parler du frère ? Karen n'y croyait pas. C'était peu vraisemblable. Surtout s'agissant d'un jumeau, d'un vrai jumeau. Dana avait suffisamment parlé de Mario pour parler aussi de Maximilian si elle avait été au courant de son existence. Donc, elle n'en savait rien. Pourquoi Mario cachait-il qu'il avait un frère ?

— Il y avait des soucis, dans cette famille ? demanda-t-elle.

Albrecht Frank émit un petit rire.

— On peut le dire comme ça. *Des soucis*. Pourtant, au début, c'était vraiment la famille modèle. Beerbaum était conseiller fiscal ; sa femme travaillait avec lui. Elle a dû sacrément l'aider pour monter leur cabinet. Une femme intelligente. Et jolie. Même un vieux bonhomme comme moi voit ces choses-là !

— Vous disiez : *au début...* ?

— Oui, c'était un gentil petit couple. Puis les jumeaux sont arrivés. De beaux enfants, très gracieux. Tout avait l'air d'aller bien. Jusqu'à ce que l'autre entre en scène...

Albrecht avait de nouveau baissé le ton.

— L'autre ?

— Janet, je veux dire Janet Beerbaum, la mère, a entretenu une liaison avec un autre homme pendant six ans. Ça a commencé peu de temps après la naissance des enfants.

— Oh...

— Toute la rue était au courant. Faut dire aussi qu'ils ne se donnaient pas beaucoup mal pour se cacher. Il venait presque tous les jours. Sauf le week-end, puisque son mari était là. Sinon... c'était tout le temps à midi. Pendant sa pause-déjeuner, je présume.

— Et vous êtes sûr que... ?

— ... qu'il était son amant ? Allons, ça sautait aux yeux. Il m'est arrivé par hasard de la voir lui ouvrir la porte. Ce n'est pas comme ça qu'on dit bonjour à un parent ou un simple ami. Pour qu'une femme accueille un homme de cette façon, il faut qu'elle l'aime.

Tu parles d'un hasard, se dit Karen. Tu t'es dévissé le cou pour ne pas en perdre une miette, oui. Pas grand-chose de ce qui se passait dans la rue ne devait t'échapper.

— Je l'ai aussi aperçue parfois quand elle lui disait au revoir. Et là, elle était en peignoir. Il me semble que…

— … cela semble de fait plutôt clair.

— Six ans, répéta Albrecht Frank avec délectation. Vous vous rendez compte ? Et toujours en présence des enfants. Au début, ils étaient encore tout bébés, mais ensuite, ils devaient bien se rendre compte de ce qui se passait. Tout le monde, ici, trouvait ça choquant.

Karen l'observa pensivement.

— Six ans. Toute la rue était au courant. C'est curieux que ce ne soit pas arrivé jusqu'aux oreilles du mari.

Albrecht secoua la tête.

— Impossible qu'il n'ait rien su. Vu la façon dont ça jasait… Je ne peux pas en être sûr, mais si vous voulez mon avis, il le savait. Il a toujours su.

— Mais…

— Oui, personne ne comprenait. Apparemment, il n'a jamais rien fait. On ne peut pas savoir ce que lui et sa femme se racontaient, naturellement… Mais comme les deux autres continuaient à se voir… il faut croire qu'il s'en accommodait.

— Vous saviez qui était cet homme ?

Albrecht haussa les épaules.

— Pas vraiment. Il m'est arrivé de lui adresser la parole quand je le croisais dans la rue, mais impossible d'avoir une conversation avec lui. Il ne comprenait pas ce que je racontais. C'était un Anglais. Mme Beerbaum était anglaise elle aussi. Elle le connaissait peut-être d'avant. Un amour de jeunesse.

— Ça chauffait drôlement, derrière la belle façade bourgeoise, observa Karen.

Albrecht hocha la tête.

— On peut le dire. J'ai demandé un jour à son… à cet Anglais ce qu'il faisait dans la vie. Il était juriste, pour autant que j'aie compris, et attaché au service juridique d'une entreprise anglaise locale… peut-être une banque ? Je ne sais plus très bien.

— Et au bout de six ans, ça a cassé ?

— Oui, du jour au lendemain apparemment. Un beau matin, on a cessé de le voir. Il est peut-être retourné en Angleterre. Je ne sais pas si Beerbaum a fini par frapper du poing sur la table ou si l'Anglais en a eu assez. Il a peut-être exigé de Janet qu'elle choisisse entre eux deux. À mon avis, elle est restée avec son mari à cause des enfants. Elle les adorait. Elle a sûrement voulu préserver sa famille pour eux.

Ses enfants. Karen ne parvenait pas à se faire à l'idée que personne n'ait été au courant de l'existence d'un frère jumeau. Quelque chose sentait le soufre, dans cette histoire, mais elle ne savait pas encore quoi. Janet Beerbaum avait copieusement trompé son mari. Lequel avait fermé les yeux. Mario n'avait pas du tout grandi dans un petit monde rose et bleu. Bon, mais qu'y avait-il à exploiter dans tout cela ?

— Que s'est-il passé ensuite ? demanda-t-elle.

— Janet a longtemps accusé le coup. Elle semblait ne pas s'en remettre. Qu'est-ce que vous voulez, c'est la vie ! Sinon… les choses paraissaient être rentrées dans l'ordre.

— Paraissaient seulement ?

Albrecht haussa de nouveau les épaules.

— Est-ce qu'on sait jamais ce qui se passe chez les gens ? Tout avait l'air normal. Dites-moi, vous êtes sûre que vous ne voulez pas un café ? ou un thé ?

— Je vous assure que je ne veux rien. Merci.

— L'été, ils allaient toujours dans le sud de la France. Ils y possédaient une petite maison. Et les jumeaux ont grandi. De charmants enfants. Pas comme les jeunes d'aujourd'hui. Vous savez… une fille différente tous les jours et tout le temps à boire, fumer et faire du boucan avec leurs Mobylettes. Les petits Beerbaum, c'était pas ça. L'un des deux a bien eu, un jour, des problèmes avec l'école… Je crois qu'il ne voulait plus y aller… mais ça n'a pas duré.

Eh bien, c'est rien de dire que tu es informé, songea Karen.

— Oui, dit Albrecht, d'un ton où perçait le regret, je sais que vous êtes déçue. Vous pensiez qu'on aurait dû se douter de quelque chose, n'est-ce pas ? Qu'il y avait quelque chose… un détail, un fait quelconque qui aurait dû nous alerter… Mais il n'y avait rien. Absolument rien.

Karen fronça les sourcils.

— Alerter ? Mais de quoi ? Et de quoi auriez-vous dû vous douter ?

Cette fois, Albrecht la dévisagea avec étonnement.

— Mais vous êtes bien ici à cause de l'histoire ?

— Je…

Elle émit un petit rire nerveux et se ressaisit.

— … Je crois décidément que mon chef a voulu me mettre à l'épreuve… J'avoue que je ne sais pas de quoi vous parlez…

Tout autre se fût méfié à partir de cet instant. Mais si Albrecht Frank trouvait étrange cette journaliste qui ignorait tout de son sujet, il était incapable de faire machine arrière. Toutes les vannes étaient ouvertes et rien n'aurait pu endiguer le flot de ses révélations.

— Bonté divine, je croyais que vous saviez. Je croyais que vous étiez là pour ça. Pour l'histoire de la petite…

— La petite ?

Il recommença à parler à voix basse.

— C'est moi qui l'ai trouvée il y a six ans. Chez eux. Elle baignait dans son sang. Elle avait des traces d'étranglement au cou… Je croyais qu'elle était morte. Et c'est assurément ce qu'il voulait. Maximilian, je veux dire. Du reste, il l'a reconnu plus tard. Cette nuit-là, il a essayé de tuer la petite jeune fille.

Dans le taxi qui la ramenait à l'hôtel, Karen avait l'impression d'avoir pris un coup sur la tête. C'était trop. Impossible de digérer ce qu'elle avait appris au cours des dernières heures… Pour commencer, Albrecht Frank avait sorti de son chapeau ce frère jumeau dont personne n'avait entendu parler et, comme si cela ne suffisait pas, il se révélait être un meurtrier… ou *presque* un meurtrier ! La jeune fille avait pu être sauvée. Elle était restée plusieurs semaines dans le coma et en était sortie lourdement handicapée. Condamnée à vie au fauteuil roulant et à une vie dans les limbes. À jamais et totalement dépendante.

« Sur le coup, lui avait dit Albrecht, tous se sont dit qu'il aurait mieux valu qu'elle meure. »

À l'époque, Maximilian et Mario avaient dix-huit ans. Ils étaient à la veille de passer le bac. Maximilian s'était lié d'amitié avec une jeune fille, une très jolie jeune fille aux longs cheveux blonds.

« Elle ressemblait à ce qu'avait dû être Janet au même âge. Rien de plus banal que des garçons attirés par des femmes qui ressemblent à leur mère, non ? » avait dit Albrecht.

Une jolie jeune fille aux longs cheveux blonds. Comme Tina.

Le drame remontait à 1989. Albrecht avait encore en mémoire le soir de mars où il s'était produit. Un froid à pierre fendre.

« Comme si l'hiver ne voulait pas finir… »

Ce jour-là, sa fille l'avait appelé des États-Unis, il s'en souvenait très bien. Janet et Phillip Beerbaum s'étaient absentés pour deux jours, un congrès professionnel où ils avaient emmené Mario.

« À l'époque, il envisageait de s'orienter vers une carrière en rapport avec la fiscalité. Je crois qu'il aurait aimé entrer dans le cabinet de ses parents. »

Maximilian était resté seul à la maison. Au cours de l'après-midi, Albrecht était passé pour lui demander s'il avait besoin de quelque chose. Maximilian lui avait dit qu'il n'avait besoin de rien, que tout allait bien. Albrecht lui avait trouvé mauvaise mine. Mais comment s'en étonner ? Il passait son temps à réviser.

« Je crois que ce soir-là, il ne s'attendait pas à ce qu'elle vienne. Je parle de son amie. Il avait l'air si... réservé. Elle est arrivée assez tard. Il faisait déjà nuit. Je regardais justement dehors... »

Une aubaine pour la police, un type pareil, s'était dit Karen. Un vieil homme qui s'ennuie tellement qu'il guette les moindres faits et gestes de ses voisins. On ne pouvait pas rêver mieux.

« J'avais entendu les Grünberg se disputer. En ce temps-là, ils habitaient en face. Il avait une maîtresse, alors vous pensez si les scènes étaient fréquentes... Toujours est-il que je regardais dehors quand la petite blonde a sonné chez les Beerbaum. Et comme je vous le disais... il faisait un froid de loup. Je me demande même s'il ne tombait pas quelques flocons. Mais elle portait une jupe de rien du tout, des bas, enfin des collants, et des talons hauts. Pas du tout son genre. D'ordinaire, elle était plutôt effacée. Mais elle devait savoir que Maximilian avait le champ libre. Elle voulait peut-être en profiter. Quand le chat n'est pas là, les souris dansent, pas vrai ? Elle pensait bien... Si vous voulez mon avis, elle pensait bien rester jusqu'au lendemain matin, si vous voyez ce que je veux dire. »

Karen lui avait assuré qu'elle voyait parfaitement ce qu'il voulait dire.

Maximilian avait ouvert la porte, et d'après Albrecht, il avait fait une tête de quatre pieds de long. Il aurait même hésité à la faire entrer. Mais il n'avait pas eu vraiment le choix, il faisait nuit, il faisait froid, elle était venue pour lui et lui souriait, pleine d'espoir… Ils avaient finalement disparu dans la maison.

« Ce soir-là je me suis endormi devant la télévision. Quand j'ai rouvert les yeux, il était presque minuit. J'ai cru que le bruit qui m'avait réveillé venait du poste mais il passait un de ces films quasi muets où il n'y a pratiquement pas d'action… et puis j'ai entendu la musique. Vraiment forte, avec des boum boum qui faisaient tout trembler. C'était beaucoup trop fort, surtout à une heure pareille. Ça m'a semblé bizarre ; d'ordinaire, dans le quartier, tout le monde respecte ses voisins. Ça venait de chez les Beerbaum, alors je me suis levé et j'ai regardé. »

Ce qu'il avait vu l'avait surpris. La maison des Beerbaum était éclairée *a giorno* ; la lumière était allumée dans toutes les pièces. Au premier étage, toutes les fenêtres étaient ouvertes. La musique hurlait, un opéra de Wagner.

« C'était vraiment inquiétant. J'ai tout de suite pensé que quelque chose ne tournait pas rond. Je sentais bien que j'aurais dû aller voir mais je n'ai pas osé. J'avais peur d'être ridicule. Ils dépassaient un peu les bornes, certes, mais de là à y aller… Je ne me pardonne toujours pas de ne pas avoir suivi mon intuition. Car quelque part, je savais que ça ne ressemblait pas à Maximilian. Sa façon d'être avec cette fille était… comment dire, très pudique. Alors, une orgie sur fond de musique tonitruante… c'était absurde. »

Il était allé se coucher. Sa chambre donnant sur l'autre côté, la musique ne l'avait pas empêché de dormir. Le lendemain matin, la musique s'était tue, mais les lumières étaient encore allumées et les fenêtres toujours ouvertes.

« Je me suis décidé à aller voir. J'avais prévu de dire que j'allais chercher du pain, s'ils voulaient que je leur prenne quelque chose… La porte était grande ouverte. J'ai sonné, appelé, personne ne réagissant, je suis entré… »

Au rez-de-chaussée, il n'avait rien découvert d'anormal. Le lecteur de CD était encore allumé et le son réglé au maximum.

Albrecht avait lentement gravi l'escalier. Au premier étage, il régnait un désordre indescriptible.

« Des tableaux avaient été arrachés des murs, des vases renversés, des livres jetés par terre. Un véritable champ de bataille. Le combat avait dû être sans merci. »

Il avait alors entrepris de faire le tour des pièces, malade à l'idée de ce qu'il allait découvrir. Il se doutait bien que quelque chose d'épouvantable l'attendait. Et il l'avait trouvée. Dans la chambre de l'un des garçons – celle de Maximilian. Elle était étendue sur le sol, livide, les yeux clos. Autour de sa tête, la moquette était imbibée de sang. Des marques violacées meurtrissaient son cou. Il avait cru qu'elle était morte.

« J'étais pétrifié, incapable de réfléchir. C'était effroyable et tellement… inconcevable. Et soudain, j'ai vu sa poitrine se soulever. Imperceptiblement, mais elle respirait. Là, je me suis rué sur le téléphone pour appeler les secours.

— Et… l'agresseur était Maximilian ? avait demandé Karen d'une voix rauque. »

Albrecht avait hoché la tête.

« Il s'est livré à la police deux jours plus tard. Il avait voulu l'étrangler. En se débattant, elle était tombée en arrière et sa tête avait heurté le coin d'une table. Maximilian a cru qu'il l'avait tuée et il s'est enfui sans lui venir en aide.

— Mon Dieu ! Et depuis il est… en prison ?

— Non. On lui a diagnostiqué un état de démence temporaire et il a été déclaré pénalement irresponsable. Il est interné dans une institution psychiatrique fermée. Là-haut, dans le nord. La famille est partie s'installer dans la région, à Hambourg je crois. Ils n'osaient plus regarder les gens en face, par ici. Je les comprends… »

Les pensées se télescopaient dans la tête de Karen. Comment Michael allait-il réagir quand il apprendrait que sa fille était quelque part en France avec un garçon dont le frère était un dingue qui avait manqué tuer une fille et vivait depuis dans un asile ?

Michael l'attendait dans le hall. Dès qu'il la vit pousser la porte tambour, il se leva pour aller à sa rencontre. Il paraissait contrarié, mais par quoi ? Ses leggings jaune fluo, son pull-over jaune poussin et ses chaussures rouges ?

Elle ne put s'empêcher de penser que ce ne serait pas son seul choc de la journée.

— Alors ? fit-il lorsqu'il l'eut rejointe.

Elle soupira.

— Je crois que je tiens quelque chose.

Le verdict était sur le point d'être rendu et Fred Corvey était nerveux. Janet, qui le voyait de profil, remarqua que sa pâleur s'était accentuée. Il se balançait sur sa chaise. Rien à voir avec l'autosatisfaction et l'arrogance qu'il avait affichées jusque-là, ou la détestable certitude de gagner dont il jouait depuis le matin.

Le représentant du ministère public s'était battu avec opiniâtreté. Il avait été brillant, mais l'avocat de Corvey aussi. Et il avait un atout de poids en la personne de deux experts psychiatres qui, sans s'être concertés, déclarèrent l'un comme l'autre avoir certes manqué de temps pour une expertise approfondie mais n'avoir décelé aucun signe de déviance sexuelle ou de tendance à la violence chez le sujet. Il eut beau jeu d'invoquer le manque de preuves…

Le jury s'était retiré. Il venait de rentrer dans la salle après une délibération d'une inquiétante brièveté. Les personnes présentes, toutes convaincues de la culpabilité de Corvey, hormis peut-être sa mère, goûtèrent encore un court moment au plaisir de le voir s'agiter sur sa chaise. Il se demandait visiblement s'il ne risquait pas malgré tout de… Mais non. Déjà le verdict était prononcé : acquittement faute de preuves.

Mme Corvey poussa un cri, devint cramoisie, puis fondit en larmes. L'avocat de Corvey se leva et serra la main de son client.

Janet posa une main sur la cuisse d'Andrew.

— Ce n'est que partie remise, murmura-t-elle. Et la prochaine fois, c'est toi qui gagneras.

Sans un mot, Andrew se leva. Ses yeux et ceux de Corvey se croisèrent. Le sourire de triomphe qui étirait déjà les lèvres de Corvey mourut sous le regard d'Andrew. Corvey se détourna. Sa mère, qui l'avait rejoint, le prit dans ses bras, le corps secoué de sanglots.

— Viens, dit Andrew à Janet. Allons-nous-en. On n'a plus rien à faire ici.

Ils quittèrent le tribunal. À l'extérieur, une nuée de journalistes guettaient la sortie des protagonistes. Une petite brune pointa son micro sous le nez d'Andrew.

— Inspecteur Davies ! l'interpella-t-elle. Que vous inspire ce verdict, vous qui êtes à l'origine de l'arrestation de Corvey ?

Ce n'est qu'à cet instant que Janet remarqua le projecteur que quelqu'un dirigeait sur eux et la caméra qui tournait. Andrew répondit en serrant sa main :

— À partir du moment où le témoin est revenu sur ses aveux, l'accusation ne disposait plus de charges suffisantes. Si amer que soit cet acquittement pour mes collègues et moi-même, il repose sur le principe constitutionnel de l'obligation de produire des preuves et celui du bénéfice du doute – *in dubio pro reo* –, en vertu duquel le doute doit profiter à l'accusé. Même en un instant comme celui-ci, je continue de considérer notre système judiciaire comme le meilleur de tous.

La journaliste voulut poser une seconde question mais Andrew l'en dissuada d'un geste signifiant qu'il ne ferait plus de déclarations. Il se fraya un chemin parmi les journalistes sans lâcher la main de Janet. Il y eut quelques flashes, des questions fusèrent. Andrew continua à avancer, imperturbable, et ne s'arrêta qu'une fois dans la rue.

— Tu as été formidable, et très digne, dit Janet, sincèrement admirative. Ce que tu as dit à la journaliste, c'est vraiment ce que tu penses ?

— Oui, c'est vraiment ce que je pense. À froid. Mais elle m'a demandé ce que le verdict *m'inspirait* ; et pour être honnête, ce n'est pas ce que j'aurais dû répondre, corrigea-t-il dans un sourire qui éclaira son visage. Je vais te dire ce que m'inspire cette histoire : je regrette qu'au moment de son arrestation, la situation ne nous ait pas amenés à tirer sur ce type pour le mettre définitivement hors d'état de nuire.

— Je comprends, dit Janet.

Elle laissa quelques secondes s'écouler puis demanda, d'un ton incertain :

— Il t'est déjà arrivé de tuer quelqu'un ?

— Non. Jamais.

Il sortit ses clés de voiture pour ouvrir les portières puis s'interrompit, fit face à Janet et prit son visage dans ses mains.

— C'est bien que tu sois venue, Janet, dit-il dans un souffle. J'ai compris, là-haut dans cette salle, ce que cela représente pour moi de t'avoir à mes côtés. Précisément dans un moment comme celui-ci. N'attends plus, Janet. Engage cette procédure de divorce et épouse-moi. Je suis un tel idiot de…

— De quoi ?

— … de ne pas avoir compris, il y a vingt-cinq ans, que je ne voulais personne d'autre que toi.

C'était la première fois qu'il se livrait autant. Elle posa les mains sur les siennes, émue.

— Viens, dit-elle, rentrons à la maison, maintenant.

Au début, il s'était senti déchiré entre son désir de parler à sa femme et sa peur de ne pas supporter ce qu'il risquait d'entendre. La première fois qu'il avait appelé chez Davies, il avait raccroché sitôt qu'elle avait décroché. Il avait ensuite cherché à plusieurs reprises à la joindre mais en espaçant ses tentatives. Le fait que personne ne réponde l'avait inquiété, frustré mais aussi soulagé.

Ce vendredi-là, Phillip essaya de la joindre toutes les demi-heures. Cette fois, il était sûr de lui. Il voulait lui parler. Il n'avait plus l'intention ni de laisser faire les choses ni d'attendre que Janet consente à une explication. Par ailleurs, il estimait qu'il n'avait pas à supporter seul les problèmes posés par Maximilian. Ce matin, la police était venue lui demander s'il avait du nouveau. Il avait sèchement répliqué qu'il se serait manifesté si tel avait été le cas. Et comme si cela ne suffisait pas, le professeur Echinger avait ensuite éprouvé le besoin de lui téléphoner pour lui faire part de ses inquiétudes ; il avait ainsi ravivé chez Phillip la très désagréable impression d'être un minable. Pour la première fois depuis qu'il était marié avec Janet et qu'il accumulait frustrations et échecs, il sentit la colère le gagner. Une colère qui montait lentement, qui se frayait un chemin à travers d'innombrables strates de clarifications, d'explications rationnelles et de refoulements. À chaque obstacle franchi, elle gagnait en intensité. Cette colère allait bientôt se libérer dans une explosion et dans un irrépressible besoin de gifler Janet jusqu'à ce qu'elle le supplie en sanglotant de lui pardonner. N'ayant jamais souhaité une telle chose, pas même dans ses moments les plus sombres, il se sentit troublé au plus profond de lui-même.

Il était près de trois heures de l'après-midi quand enfin quelqu'un décrocha.

— Allô ? fit une voix d'homme.

Phillip déglutit. Il mit deux secondes à se ressaisir puis demanda :

— Monsieur Davies ?

— Lui-même.

— Phillip Beerbaum à l'appareil. Pourrais-je parler à ma femme ?

Déstabilisé à son tour, à la satisfaction de Phillip, Andrew laissa passer un blanc puis articula :

— Un instant, je vous prie !

— Phillip ? Nous venons juste de rentrer.

La voix de Janet était tendue.

— Cela fait plusieurs fois que j'essaye de te joindre.

— Je suis désolée.

Il s'éclaircit la gorge. Chose étrange, ils avaient à peine échangé quelques mots que sa colère s'était évanouie. Il essaya d'en rassembler les quelques pitoyables restes, pressentant qu'au-delà de la colère existait une tristesse à laquelle il ne voulait pas céder.

— Tu aurais tout de même pu appeler. Je veux dire… tu trouves ça correct de disparaître comme ça, dans la nature ?

— Non, bien sûr que non. Je…

— Il aurait pu t'arriver quelque chose… Est-ce que tu as une idée de ce par quoi je suis passé ? Je me suis fait un sang d'encre, à ne pas savoir où tu étais.

Ce n'était pas vrai, il avait tout de suite pensé qu'elle était chez Davies mais elle n'avait pas besoin de le savoir. Il retrouva enfin un peu de sa colère. Bon sang, elle l'avait traité comme un moins que rien ! Il prit une longue inspiration.

— Cela fait vingt-cinq ans qu'on est mariés, tu me devais au moins une explication, non ?

— Phillip, je ne suis pas partie avec l'idée de rester ici. Je t'en prie, crois-moi. Je n'avais pas prévu de… d'aller voir Andrew.

— Mais tu avais prévu de ne pas te rendre au rendez-vous en Écosse.

Elle soupira doucement.

— Non, même ça je ne l'avais pas prévu. Mais j'étais malade à l'idée d'aller là-bas. Depuis le début, j'étais réticente à cette idée de placement, tu le sais.

— Nous étions tombés d'accord…

— Je m'étais résignée. Ce n'est pas exactement la même chose.

— Si tu veux…, concéda-t-il sans s'engager.

Sa fureur quand elle avait posé un lapin au fameux M. Grant lui paraissait remonter à des années-lumière. Et quelle importance avait-elle aujourd'hui, comparée à la perte de Janet et à la ruine de son couple ?

— De toute façon, ça n'a plus d'importance. Cette histoire d'Écosse, je veux dire. Ce qui compte… ce qui compte, c'est ce que tu as l'intention de faire.

— Ce n'est pas facile d'en parler… Surtout au téléphone. Il faudrait qu'on se voie.

— Vraiment ? Je n'y suis pour rien si nous ne pouvons communiquer que par téléphone. C'est toi qui es partie, pas moi !

— Je comprends que tu m'en veuilles, Phillip. Je… Nous devons absolument parler.

Il sentait à sa voix combien la conversation lui était pénible. Quelle situation humiliante et détestable, songea-t-il avec lassitude. Elle est chez son amant et dit vouloir me parler, sans doute pour m'annoncer que c'est lui qu'elle a choisi. De toute façon même si ce n'est pas le cas, cette fois, nous ne pourrons plus recoller les morceaux.

— Janet…

— Je n'ai pas été loyale avec toi, reconnut-elle. Pardonne-moi, Phillip.

Pardonner… combien de fois encore ? Peut-être les choses auraient-elles tourné différemment s'il ne lui avait pas pardonné la première fois. S'il avait exigé qu'ils se séparent et s'était épargné ces années de mensonges et de fausse harmonie. Tout cela pour en arriver au même résultat et à la même souffrance. Au moins, il n'aurait pas connu ce sentiment insupportable d'être le perdant de l'histoire, celui qui restait sur le carreau, seul et impuissant.

— Nous parlerons de tout ça, dit-il. Du passé et du futur. Surtout du futur.

Janet ne répondit pas.

Elle ne se sent pas à l'aise, pensa Phillip. Elle sait qu'elle va me blesser et ça la contrarie. Elle n'est pas cruelle. Ça ne l'amuse pas de faire du mal aux gens.

— Au fait, on a quelques problèmes, ici, reprit-il.

Il avait adopté un ton détaché mûrement calculé. Ce qu'il s'apprêtait à dire allait précipiter son petit nid d'amour dans un véritable trou d'air.

— Maximilian s'est enfui de la clinique.

L'effet fut à la hauteur de ses espérances. Il y eut un silence atterré, puis Janet dit :

— Quoi ?

— Oui. La police est déjà venue deux fois. Echinger en est malade au point qu'il n'arrête pas de me téléphoner. Cela s'est passé avant-hier, pendant la nuit. Il est passé par une des fenêtres du sous-sol.

— Ce n'est pas possible !

— Mais si. C'est la vérité vraie. Un mandat d'arrêt a été lancé contre lui.

— Mais… mais pourquoi ? Il devait sortir en août !

Janet n'avait plus qu'un filet de voix.

— Personne ne comprend ce qui lui a pris. Echinger est complètement perdu. Pour le psy qui le suivait, tu parles d'une défaite…

— Je n'arrive pas à le croire, je…

— Il veut peut-être rejoindre Mario.

— Rejoindre Mario ?

— Ah, j'oublie que tu n'es pas au courant. Mario est en France. Il est descendu à Duverelle.

L'effarement de Janet parut augmenter d'un cran.

— Et pourquoi ?

— Pour y passer des vacances en amoureux. Il a fait la connaissance d'une fille et ils sont…

Il s'interrompit car un drôle de son lui était parvenu de l'autre bout de la ligne, une sorte de soupir si angoissé, si douloureux qu'il ressemblait à un cri.

— Janet, que se passe-t-il ? demanda-t-il, effrayé.

Elle recouvra péniblement l'usage de la parole.

— Et tu l'as laissé partir ? Avec une fille ? Tu as…

— Enfin, Janet, comment aurais-tu voulu que je l'en empêche ? Il a vingt-quatre ans. Et sa petite amie est majeure, si c'est ça qui t'inquiète.

— Où l'a-t-il connue ? Quand ?

— Je ne sais pas ; cela semble remonter à quelque temps. Il ne m'a pas dit pourquoi il nous l'avait cachée, mais je présume qu'il pensait qu'on en ferait une montagne. À cause de… de l'histoire de Maximilian.

— Mon Dieu !

— Janet, Mario va bien. Ne transpose pas sur lui ce qui s'est passé avec son frère.

Elle avait vécu ce qui était arrivé comme un cataclysme. Lui aussi avait été très affecté, mais d'une autre façon. Il avait surtout été choqué qu'une telle chose puisse se produire dans *sa famille,* il avait cru ne plus jamais pouvoir regarder quelqu'un en face. C'est lui qui avait insisté pour quitter Munich et s'installer dans le nord là où personne ne les connaîtrait, où personne ne saurait. Une fois les jalons de leur nouvelle vie posés et Maximilian hors d'état de nuire derrière les murs de la clinique, il avait retrouvé un certain équilibre. Il retrouvait toujours un certain équilibre quand il réussissait à refouler ce qui le dérangeait. Jusqu'à ce que tout s'effondre et que ses secrets le rattrapent.

Championne dans l'art de la fuite, Janet n'avait pas pu se dérober, cette fois. Elle n'était jamais parvenue à prendre du recul par rapport au geste de Maximilian. Ce que pensaient les gens lui étant indifférent, elle n'avait puisé aucun réconfort dans le plein succès de l'opération de dissimulation orchestrée par Phillip. Jour après jour, année après année, elle s'était rongé les sangs, avait broyé du noir et traqué avec un zèle proche du masochisme le moindre indice susceptible de mettre au jour sa part de responsabilité dans l'accès de démence de son fils. Et voilà qu'elle paniquait à l'idée que Mario puisse être comme son frère…

— Janet, inutile de te mettre dans un tel état, dit Phillip d'un ton apaisant.

— Je te rappelle, lança Janet en guise de réponse, puis elle raccrocha.

Décidément, Michael insistait ; depuis qu'ils étaient montés dans le taxi qui les ramenait chez eux, il avait tenté à deux reprises de convaincre Karen d'aller directement chez les Beerbaum.

— On va d'abord les appeler, dit-elle, également pour la deuxième fois, en posant la main sur son bras. Vous ne pouvez pas leur tomber comme ça sur le râble.

— Ma fille…

— Votre fille est avec celui des jumeaux qui est en parfaite santé. Quant à l'autre, il est interné, il n'y a rien à en craindre pour le moment.

Depuis que Karen l'avait informé de ce qu'elle avait découvert, leurs rôles s'étaient inversés. Elle se montrait posée, prudente, réfléchie, quand Michael ne tenait plus en place et semblait incapable d'aligner deux idées. Il avait voulu prendre le premier avion pour Nice, et quand il avait appris qu'il n'y avait aucun vol pour Nice avant le lendemain, il avait cherché à convaincre Karen de faire intervenir la police. Sans succès.

« Qu'est-ce que vous voulez qu'ils fassent ? Qu'ils se lancent aux trousses de Mario parce que son frère est fou ? Qu'ils flanquent la famille en prison parce qu'ils nous ont caché l'existence du fils qui a mal tourné ? Ce n'est pas répréhensible, monsieur le procureur ! »

En définitive, Michael avait bien voulu se laisser convaincre de rentrer à Hambourg.

— Nous parlerons aux Beerbaum, dit Karen. Nous leur demanderons de nous aider à joindre Tina et Mario. Peut-être qu'un de leurs voisins peut faire un saut sur place pour demander aux deux tourtereaux de bien vouloir nous téléphoner.

— Dans ce cas, pourquoi ne pas aller directement chez les Beerbaum ?

Pour être têtu, il l'était. Karen secoua la tête en souriant.

— Téléphonons d'abord. Mieux : laissez-moi leur téléphoner. Vous seriez capable de tout faire capoter.

Après tout, elle a peut-être raison, se résigna-t-il alors que le taxi entrait en ville. Je suis dans un tel état de nerfs que je risque de perdre les pédales…

Il cessa de penser aux Beerbaum et s'absorba dans la contemplation du paysage. Il faisait gris et froid, un temps sinistre. Il pensa aux étés de son enfance, brûlants et secs, certaines journées lourdes et orageuses, d'autres embaumant les fleurs. Le presbytère était une vieille bâtisse tarabiscotée et peu pratique, mais il possédait un merveilleux jardin plein d'arbres fruitiers, de buissons denses et touffus, de recoins secrets. Parfois, il avait le droit d'y jouer. Rarement. Son père n'aimait pas que ses enfants s'amusent ou rêvassent.

« Fais quelque chose d'utile, ne gaspille pas le temps qui appartient au Seigneur ! », telle était son injonction favorite. Paula, sa sœur, avait adhéré de tout son être à la philosophie de leur père. Avait-elle jamais fait quelque chose qui n'ait pas été *utile* ? Et lui ? Était-il si différent de sa sœur ?

Il soupira.

Karen se tourna vers lui.

— De quoi avez-vous si peur ?

— Ce frère… qui souffre de troubles mentaux. Si l'autre était…

— Était quoi ? malade lui aussi ? Michael, dans une famille, tout le monde ne se ressemble pas. Pourquoi Mario serait-il malade ?

— Il pourrait l'être.

— Rien ne permet de le penser.

— Il n'empêche, s'obstina-t-il.

Il se sentait affreusement mal. Que Karen s'étonne qu'il puisse avoir peur le mettait presque en colère. Sa fille, la chair de sa chair, toute sa vie, était en danger de mort, ou du moins, se hâta-t-il de rectifier, il la *croyait* en danger de mort. En tous les cas, c'était atroce.

Le taxi s'arrêta devant l'immeuble de Karen.

— Allez, vous montez avec moi, lui intima Karen. Je vous offre un verre, vous en avez besoin. Ensuite j'appelle les Beerbaum, d'accord ?

Il se laissa convaincre, grimpa l'escalier derrière elle sans un mot, à peine conscient du poids du sac qu'il portait pour elle et sans remarquer l'odeur aigre qui régnait dans la cage d'escalier, le papier peint qui se décollait sous l'effet de l'humidité. Karen ouvrit la porte de son appartement.

— C'est un peu le bazar. N'y faites pas attention.

Il navigua entre une paire de baskets, des vieux journaux, des tasses vides. Une planche à repasser trônait au milieu du séjour, un monceau de linge encombrait le canapé.

— Désolée, s'excusa Karen. Quand cette idée d'aller à Munich m'est venue, je venais de décider de m'attaquer au repassage... Hum, ça sent le renfermé, vous ne trouvez pas ? fit-elle alors en humant l'air. Faut que j'ouvre les fenêtres. Mais asseyez-vous donc !

Il posa le sac dans un coin et prit place dans le seul fauteuil qui ne disparaissait pas sous les pull-overs et les pantalons. Karen revint avec une bouteille de cognac et deux verres.

— Vous allez voir, ça fait du bien.

Elle remplit les verres, lui en tendit un et vida le sien d'un trait.

— Bon, maintenant, j'appelle les Beerbaum !

Michael dégusta son cognac à petites gorgées tandis que Karen se mettait à quatre pattes pour regarder sous le canapé – drôle d'endroit pour ranger des affaires. Elle se contorsionna pour attraper un annuaire des pages jaunes et l'ouvrit.

— Conseil… Conseil fiscal…, marmonna-t-elle, puis : Beerbaum, Phillip. C'est lui ! s'exclama-t-elle.

Elle composa le numéro. Elle attendait que quelqu'un décroche quand elle plissa brusquement le front.

— C'est drôle… Le voisin que j'ai rencontré m'a laissé entendre que Mario voulait devenir conseiller fiscal comme son père. Mais il fait des études de droit. Ça ne correspond pas, si ?

— Il a peut-être changé d'avis, observa Michael.

Karen fit une grimace.

— Un répondeur ! Zut !

Elle raccrocha et se remit à quatre pattes pour repartir à la pêche.

— On va tenter notre chance à leur domicile.

Michael se leva.

— On aurait vraiment dû y aller directement !

— Je crois que…, commença Karen avant de s'interrompre.

On sonnait à l'interphone.

Elle se releva et disparut dans l'entrée. Michael l'entendit actionner l'ouverture automatique de la porte de l'immeuble.

— Je me demande qui ça peut bien être, dit-elle en revenant dans le salon. L'interphone ne fonctionne qu'à moitié, on n'entend pas les gens. C'est toujours drôle de voir qui va débarquer.

Le succès de son enquête munichoise – dont le résultat avait pourtant anéanti Michael – l'avait regonflée à bloc. Elle le prenait comme une confirmation de ses talents de journaliste alors qu'elle en doutait depuis des années. Elle arborait toujours ce saisissant camaïeu de jaune qui jurait douloureusement avec le rouge carotte de ses cheveux. Pleine d'énergie, d'assurance et d'optimisme, elle paraissait plus jeune que vingt-quatre heures plus tôt, lorsqu'ils s'étaient retrouvés à l'aéroport.

Il devait souvent repenser par la suite à l'agacement qui avait été le sien en regardant Karen lui sourire et s'agiter au milieu de son salon en désordre. Le fait qu'elle prenne comme une aventure palpitante ce qui le rendait malade d'inquiétude l'avait horripilé. Mais il ne devait jamais oublier combien elle lui avait paru confiante et pleine de vie à cet instant, car ce fut la dernière fois qu'il la vit ainsi.

Cinq minutes plus tard, deux agents de police se présentaient à la porte de l'appartement, essoufflés et de mauvaise humeur car ils essayaient manifestement depuis un moment de joindre Karen. Ils se présentèrent, se raclèrent la gorge et l'informèrent avec les précautions d'usage que le corps d'une jeune fille avait été découvert en France près de Mulhouse. D'après les papiers trouvés sur le cadavre, il s'agissait de Dana Graph, domiciliée à cette adresse. Ils étaient sincèrement désolés d'être porteurs d'une aussi terrible nouvelle.

Maximilian finit par découvrir le téléphone dans le placard du séjour. Il ne savait pas lui-même pourquoi il s'était donné tant de mal pour le retrouver. L'appareil n'allait pas le mettre sur la piste de son frère. Peut-être nourrissait-il le mince espoir qu'il ne fonctionne plus, ce qui expliquerait qu'il ait été mis au rebut.

Il rebrancha l'appareil dans le bureau, décrocha. La tonalité retentit. Il composa un numéro au hasard, une voix de femme répondit à la deuxième sonnerie. Il raccrocha.

Bien, le téléphone marchait. Mario l'avait donc caché intentionnellement ; afin que Christina ne puisse pas entrer en contact avec l'extérieur, mais aussi et surtout afin que personne de l'extérieur ne puisse entrer en contact avec elle. Il suffisait à Maximilian de fermer les yeux et de se concentrer pour sentir ce que Mario sentait, pour penser comme lui, pour éprouver ce qu'il éprouvait. Christina l'avait déçu. La désillusion avait germé durant le voyage et depuis lors, elle n'avait cessé de croître et de s'épanouir. Jusqu'au moment où chacun de ses gestes l'avait exaspéré. Il épiait ses faux pas, guettait des preuves de sa faiblesse. Aux yeux de Mario, le monde était malfaisant, dépravé et immoral. Le monde était responsable de tous les maux. Christina devait être soustraite au monde.

Maximilian réfléchit. Par quoi Mario commence-t-il ? Il cache le téléphone. Mais cela ne suffit pas.

Christina est jeune, enthousiaste, pleine de vie. Elle a envie de sortir. Elle ne se laisse pas enfermer. Elle a conscience des gens qui l'entourent, des autres garçons. Elle rit, elle les regarde, peut-être même qu'elle flirte un peu. Chacun des regards qu'elle lance à un autre, chaque petite flamme qui s'allume dans ses yeux, chaque geste pour rejeter en arrière ses cheveux – blonds et longs, il était prêt à le parier – est un coup de couteau dans le cœur de Mario. La douleur devient insupportable. Il cherche à dissimuler ce qu'il ressent, ce qui ne fait qu'accroître la folle tension qui l'habite. Il n'en peut plus, il faut que ça s'arrête, qu'il mette un terme à ce qui le fait tant souffrir, il ne peut plus penser à autre chose. Le monde. Il faut qu'il mette le monde hors circuit.

Maximilian fit à nouveau le tour de la maison en se concentrant pour essayer de renouer le lien mystérieux qui l'avait toujours uni à son frère. Où l'as-tu emmenée, Mario ? Où ?

Dans le séjour, son regard s'arrêta sur l'une des aquarelles peintes par Janet. Des hautes herbes et des roches blanches. Un ciel transparent, le soleil à moitié caché par un nuage. Une forêt sombre. Blotti à l'ombre d'immenses conifères, un cabanon en pierres sèches, presque austère avec ses petites fenêtres et sa porte trop basse. Aucun chemin pour y accéder, rien qui…

Il se figea. Le refuge. Perdu. Loin de tout. Une solitude oppressante. Qu'avait donc dit Janet lorsqu'ils l'avaient découvert, lors d'une de leurs randonnées en famille ? Ils en avaient fait dès lors l'un de leurs buts d'excursion favoris.

« Ici, la vie est tellement loin… »
Il se rua hors de la maison.

Andrew ne rouvrit la bouche que lorsque l'avion amorça sa descente sur Nice. Il n'avait pas proféré un mot de tout le vol, hormis un « oui » et un « merci » à l'attention de l'hôtesse qui lui proposait un café. Le reste du temps, il n'avait pas levé le nez du *Times* ouvert devant lui, sans toutefois donner l'impression d'être captivé par sa lecture.

— Je n'arrive pas à comprendre pourquoi tu as gardé tout ça pour toi ! dit-il, recouvrant soudain l'usage de la parole.

Janet, qui regardait par le hublot, perdue dans ses pensées, se tourna vers lui. Elle était pâle, ses traits s'étaient creusés.

— Je ne pouvais pas en parler.

— Justement. C'est ce que je ne comprends pas. Nous étions si proches, ces derniers temps. Je me demande quand tu me l'aurais dit ? Avant qu'on se marie ? après ? jamais ?

— Je ne sais pas… Est-ce si important ?

Il replia son journal avec impatience.

— Bien évidemment ! Notamment parce que ça te rend malade. Combien de temps encore aurais-je dû essayer de deviner ce qui te pesait comme ça ? Bon sang, Janet, je sentais bien que quelque chose n'allait pas !

Elle prit une longue inspiration mais ne répondit pas.

— Ce n'est tout de même pas une broutille ! poursuivit Andrew. Je comprends maintenant toutes ces questions que tu posais sur Corvey, la responsabilité de sa mère… D'ailleurs, ça m'étonnait que tu t'intéresses autant à cette affaire.

— C'est un tel fardeau, dit-elle à voix basse.

Il lui prit la main.

— Qu'est-ce qui t'angoisse à ce point ? demanda-t-il. Maximilian s'est enfui. Tu penses qu'il a l'intention de rejoindre son frère et cette fille. Mais tu n'en es pas certaine. En outre, il était sur le point de sortir. Cela signifie que des spécialistes estiment qu'il est guéri ; fais-leur donc un peu confiance. Il est peut-être parti pour une tout autre raison.

L'hôtesse s'arrêta à leur hauteur.

— Vous devez attacher vos ceintures, nous atterrissons !

Ils s'exécutèrent.

— Janet, reprit Andrew en évitant de la regarder, est-ce d'autre chose que tu as peur ? Est-ce que tu as peur que Mario ait les mêmes tendances que son frère – sans qu'il n'en ait rien montré jusque-là et n'ait donc pas été soigné ? Est-ce que Maximilian craint lui aussi quelque chose de ce genre et s'est enfui pour venir en aide à la fille ?

Janet ne desserra pas les lèvres.

— S'est-il passé un jour quelque chose qui t'incite à redouter que ce soit le cas ? continua Andrew, cette fois en la regardant. Quelque chose dont seulement toi et Maximilian seriez au courant ? Un incident qui laisserait supposer que Mario… est dangereux ?

— Andrew, je…

— Janet ! Si c'est le cas, as-tu conscience que tu n'aurais jamais dû le garder pour toi ? Merde, je comprends que tu aies voulu le protéger mais…

— Tu te fais des idées, Andrew, rétorqua Janet, le regard noir. Peux-tu arrêter de me poser des questions ?

— Non, je ne peux pas ! répliqua-t-il en ne cherchant plus à dissimuler son agacement. Tu ne trouves pas que tu m'en demandes un peu trop depuis quelques heures ? D'abord ton mari appelle et tu t'effondres presque au téléphone. Ensuite j'apprends que ta famille a été impliquée dans une histoire épouvantable. Puis tu te mets à crier qu'il faut que tu partes séance tenante à Nice, que sinon il va y avoir un drame. Et quand j'ose poser des questions, tu m'agresses au prétexte que je te traite comme un suspect. Je suis quoi, pour toi, au juste ? Un officier de Scotland Yard qui cherche à te tendre un piège ou l'homme avec lequel hier encore tu voulais te marier ?

— Tu n'étais pas obligé de venir.

Il se tut. Il la reconnaissait à peine. Jamais il ne l'avait connue aussi hostile et agressive. Ni aussi bouleversée.

Mais moi aussi j'ai des raisons d'être bouleversé, songea-t-il avec une brusque colère. Ce que je vis n'est pas facile non plus, et j'essaye tant bien que mal de me reconstruire.

Sur le tarmac de l'aéroport de Nice, un vent chaud chargé de toutes les senteurs du Midi les enveloppa. Le cœur d'Andrew se serra. Ils auraient pu venir ici en voyage de noces, dans quelques semaines. Au lieu de cela, il en avait la soudaine intuition, ce vers quoi ils allaient serait pour l'un et l'autre une mise à l'épreuve.

Phillip réfléchit tout l'après-midi à la réaction de Janet. Elle était restée sans voix. Mais plus il se repassait le film de la conversation, plus il lui semblait que c'était moins « l'évasion » de Maximilian qui l'avait choquée que le fait que Mario soit parti en vacances avec une fille. Comme si elle craignait que la tragédie se répète. Sans le savoir, Phillip suivait le même raisonnement qu'Andrew. Mario avait-il manifesté des signes d'un quelconque trouble mental ? Janet était-elle au courant de quelque chose qu'elle n'aurait dit à personne ?

Au-delà de cette histoire, la conversation l'avait remué car il avait senti que, dans la tête de Janet, la rupture était déjà consommée. Son seul problème consistait à lui présenter l'affaire le plus délicatement possible. Elle savait qu'elle allait le blesser et elle aurait voulu qu'il ne souffre pas. Il y avait déjà longtemps qu'il avait abdiqué, qu'il la laissait diriger leur vie. Il aurait dû la mettre à la porte lorsqu'il avait appris sa liaison avec Davies. À l'époque, elle n'avait pas eu le cœur de partir d'elle-même à cause des enfants, sans doute aussi parce qu'elle n'était pas assez sûre de son amant pour mettre sa vie de famille en jeu. Et lui, pauvre imbécile, il lui avait ouvert les bras, trop heureux de sa chance. En agissant ainsi, il avait perdu sa crédibilité et son pouvoir de décision.

Quoique… Il avait encore une carte à jouer. S'il n'avait aucune possibilité de changer le cours des choses, il lui restait la fuite en avant. En d'autres termes, il pouvait doubler Janet. C'était vendredi, et il était déjà tard. Il ne pourrait rien faire aujourd'hui, mais lundi à la première heure, il irait voir un avocat pour entamer une procédure de divorce.

Cette idée lui redonna de l'énergie. Sans pour autant se réjouir, il se trouva mieux, moins abattu. Oui, il allait appeler sur-le-champ son avocat; il était peu probable qu'il accepte de le représenter, étant donné qu'il n'était pas spécialisé en affaires conjugales et était par ailleurs un ami de Janet, mais il l'orienterait vers un confrère. Phillip se moquait de faire une bonne opération, il donnerait volontiers la moitié de ses biens à Janet, plus si elle le voulait. Il lui importait essentiellement de pouvoir à nouveau se regarder dans une glace le matin.

Il cherchait les coordonnées de son avocat quand le téléphone sonna.

Il s'attendait presque à entendre Janet mais ce fut un homme qui se présenta. La voix, où se mêlaient extrême lassitude, nervosité et désespoir, lui parut vaguement familière.

—Michael Weiss à l'appareil. J'ai essayé de vous joindre à votre cabinet mais je n'ai eu qu'un répondeur.

Phillip, qui ignorait la profession de Michael, se demanda pourquoi il avait tout le temps l'air de l'accuser. Il se sentit obligé de s'excuser.

—Oui, nos bureaux sont actuellement fermés.

—J'ai un problème, monsieur Beerbaum. Je ne parviens pas à joindre ma fille.

Ce Weiss est complètement névrosé, se dit Phillip, pas étonnant que sa fille s'abstienne de lui répondre au téléphone.

— Monsieur Weiss, je…

— Monsieur Beerbaum, il faut que vous sachiez que je viens de rentrer de Munich…

En soi, la déclaration était anodine, pourtant dans le cerveau de Phillip, tous les clignotants passèrent au rouge. Il sentit son dos se couvrir de sueur.

— Oui ? fit-il.

— J'ai appris certaines choses, poursuivit Michael. Mario n'est pas votre seul fils, monsieur Beerbaum. Il a un frère jumeau. Lequel est interné dans une clinique psychiatrique à la suite d'une tentative de meurtre. Et je ne parviens pas à joindre ma fille !

Michael avait haussé le ton et se retenait vraisemblablement de crier. À l'autre bout de la ligne, Phillip, choqué, reconstitua mécaniquement le cheminement de Weiss : si un des frères était interné, peut-être que le deuxième…

Puis il lui vint à l'esprit qu'il ne pouvait pas savoir dans quelle clinique Maximilian était soigné. Il ne savait donc rien de sa disparition. Et il ne fallait surtout pas qu'il l'apprenne. Surexcité comme il l'était, il mettrait le pays au bord de la panique.

— Monsieur Beerbaum, reprit Michael, d'un ton d'autant plus menaçant qu'il parlait doucement, je serais déjà en route pour Nice si un drame ne s'était pas produit. Une jeune fille vient d'être assassinée. Dana Graph, la meilleure amie de Tina. Je me trouve actuellement près de sa mère, que je ne peux pas laisser seule, vous le comprendrez aisément.

L'espace d'un instant, Phillip crut que les faits étaient liés, que le crime était imputable à son fils et il eut la vision terrifiante de l'empreinte sanglante que Maximilian laissait derrière lui à travers l'Europe.

— Comment… Je veux dire… qui…

— Nous n'avons encore que peu d'informations. Son corps a été trouvé en France, à quelques kilomètres de la frontière. Il semble qu'elle ait été violée avant d'être tuée.

Paradoxalement, apprendre qu'elle avait subi des violences sexuelles soulagea Phillip. Cela mettait Maximilian hors de cause. Il n'était pas un violeur ; d'après le professeur Echinger, cela ne cadrait pas avec son profil pathologique. Maximilian se contentait de tuer. *Se contentait !*

Il se détendit quelque peu.

— J'en suis sincèrement désolé, dit-il platement.

Qui ne l'aurait pas été ? Mais il avait tellement de problèmes par ailleurs…

— Monsieur Beerbaum, dit Michael, vous allez avoir plus d'ennuis que vous ne serez capable d'en gérer. Je suis extrêmement inquiet. Je veux joindre ma fille. Je veux entendre le son de sa voix, et je veux l'entendre me dire qu'elle va bien. Je ne veux pas savoir comment vous allez vous y prendre, mais vous allez contacter votre fils et lui demander de faire en sorte que Tina m'appelle sans délai. M'avez-vous bien compris ?

— Je…

— Je vais rester encore quelque temps auprès de Mme Graph. Prenez de quoi écrire, je vous donne son numéro de téléphone.

— Monsieur Weiss, j'aimerais que vous me parliez sur un autre ton, répliqua Phillip qui émergeait lentement de son état de sidération.

Le ton de Michael était celui d'un homme que des circonstances dramatiques avaient amené à jeter par-dessus bord sa bonne éducation, et qui se moquait comme d'une guigne d'être poli ou respectueux des convenances. Il donnait libre cours à des impulsions dont il ne soupçonnait pas même l'existence quelques heures plus tôt.

— Monsieur Beerbaum, je parlerai à ma fille avant demain matin, et je vous répète que ça ne m'intéresse pas de savoir comment vous vous débrouillerez. Vous avez dépensé beaucoup d'énergie à vous construire une nouvelle vie et à effacer toute trace de l'existence de votre second fils. Je vous donne ma parole que tout Hambourg en sera informé. Où que vous alliez, je veillerai à ce que personne ne l'ignore. Donc, cher monsieur Beerbaum, si une vie paisible représente quelque chose pour vous, je vous conseille vivement de tout mettre en œuvre pour que je puisse parler à ma fille !

— C'est du chantage, s'insurgea Phillip.

À l'autre bout de la ligne, Michael lui opposa un silence éloquent.

— Et comment voulez-vous que je les joigne ? demanda Phillip d'une voix tendue.

Il se sentait acculé. La sueur ruisselait dans son dos.

— Allons, vous connaissez sûrement quelqu'un sur place. Décrochez votre téléphone et priez cette personne d'aller chez vous demander aux deux jeunes de bien vouloir se manifester. Creusez-vous la cervelle. Et maintenant, allez chercher de quoi écrire que je puisse vous donner mon numéro.

Phillip posa le combiné, vaincu, et partit chercher du papier et un crayon. Michael lui dicta un numéro et raccrocha sans prendre congé.

Maximilian ne savait pas depuis combien de temps il pédalait. Il avait trouvé un vélo dans la cave de la maison, en avait regonflé les pneus et s'était lancé sur la route brûlante. Il était parti sur les chapeaux de roue mais avait bientôt ralenti, réalisant qu'il ne pourrait pas tenir bien longtemps un tel rythme. Il avait eu la bêtise d'oublier de prendre une bouteille d'eau et il n'avait aucune chance de tomber sur un supermarché ni même une épicerie de campagne. Quand le jour commença à décliner, ce fut moins pénible mais la soif le torturait toujours. Comme si cela ne suffisait pas, les nombreuses côtes l'obligeaient à mettre pied à terre et à pousser sa bicyclette. En s'aidant des ombres qui s'allongeaient, il estima être parti depuis près de huit heures ; l'obscurité gagnait du terrain, et il n'était jamais assuré de suivre le bon chemin. L'époque où il montait au refuge avec ses parents était si lointaine. À chaque intersection, il hésitait sur la direction à prendre. Il devait être possible de couper à travers la montagne mais il avait peur de se perdre pour de bon. Mieux valait suivre la route. En voiture, ils mettaient environ une demi-heure pour arriver au chemin, puis de là encore vingt minutes à pied. Il n'aurait jamais cru que ce soit si long à vélo.

Une piste caillouteuse qui montait en pente raide à l'assaut de la montagne surgit au détour d'un lacet. Le rythme cardiaque de Maximilian s'accéléra. Il commençait à faire très sombre et le paysage ne lui rappelait rien mais il se souvint que, peu avant d'arriver, ils s'engageaient sur un chemin semblable à celui-ci et roulaient encore quelques centaines de mètres, jusqu'à ce qu'il ne soit plus carrossable, avant de descendre de voiture. Peut-être était-ce le bon chemin.

Il s'arrêta pour reprendre son souffle. Il était tellement déshydraté que sa langue lui collait au palais. Il aurait donné n'importe quoi pour boire une gorgée d'eau. Il avait mal aux cuisses, mal aux mollets et il était exténué.

Il abandonna son vélo derrière un buisson et attaqua la montée. Au bout d'un quart d'heure d'ascension dans une semi-obscurité, il tomba sur la voiture de Mario abandonnée au milieu du chemin. Les portières n'étaient pas verrouillées et la clé de contact se trouvait sur le tableau de bord.

Il faisait nuit quand Andrew et Janet arrivèrent à Duverelle. Ils avaient loué une voiture à leur descente d'avion et étaient immédiatement partis en direction de l'arrière-pays, mais Janet s'étant trompée de direction deux fois de suite, ils avaient perdu beaucoup de temps. Elle en avait été mortifiée et n'avait pas desserré les dents durant le reste du trajet.

Elle ouvrit sa portière à peine la voiture immobilisée et se dirigea vers la maison, les mâchoires toujours contractées. La porte du jardin s'ouvrit en grinçant sur ses gonds.

Andrew la rejoignit. Les murs de pierres sèches de la maison, qui semblait dormir dans son écrin de lauriers-roses en fleur et de romarin, émergèrent de l'obscurité.

Quel bel endroit ! songea-t-il.

Janet tambourina contre la porte.

— Ils ne répondent pas, dit-elle.

Andrew recula d'un pas et scruta les fenêtres, derrière lesquelles aucune lumière ne brillait.

— Ils ne sont peut-être pas là. Ce qui n'aurait rien de surprenant, non ? Il est… il est dix heures et demie, dit-il en déchiffrant le cadran lumineux de sa montre. Pas vraiment l'heure de se coucher quand on a vingt ans.

Janet parut à peine l'entendre. Elle secoua la poignée.

— Nous devons entrer ! s'écria-t-elle.

— Tu n'as pas de clé ?

— Bien sûr que non. Mais le voisin qui s'occupe de tout ici en a une. Au besoin, on le tirera du lit mais…

Elle cessa de s'intéresser à la porte.

— … il y a peut-être une fenêtre ouverte quelque part.

Andrew la suivit dans le jardin. Ils remarquèrent les coussins sur les chaises longues et le tee-shirt oublié. Brusquement, la sonnerie du téléphone retentit à l'intérieur.

Janet sursauta.

— Le téléphone ! Quelqu'un appelle ! Je…

— Janet, ce n'est pas grave ! Laissons-le sonner. Il n'y a pas de quoi s'énerver…

Tout en parlant, Andrew avait distraitement poussé l'une des portes-fenêtres de la terrasse. À sa propre surprise, elle céda et s'ouvrit.

Janet s'engouffra dans la maison et monta en courant jusqu'au premier étage. Le téléphone était dans le petit bureau, par terre. Il sonnait sans discontinuer. Elle se jeta sur le combiné.

— Allô ? fit-elle, hors d'haleine.

Il y eut un bref silence déconcerté puis la voix de Phillip demanda :

— Qui est à l'appareil ?

— Oh, Phillip, c'est moi, Janet. Je…

— Mais qu'est-ce que tu fais à…

— On a pris le premier avion. Tu as du nouveau ?

— Du côté des garçons, non. Le père de la fille est en train de péter les plombs. Il essaye vainement de la joindre depuis qu'ils sont partis. Si je ne réussis pas à les mettre en relation d'ici à demain matin, il divulgue notre secret et fait un scandale.

Phillip paraissait désespéré.

— Il revient de Munich, ajouta-t-il. Il est au courant de tout. Il sait aussi que j'ai… camouflé la vérité, que… Janet, il peut anéantir tout ce que j'ai construit !

— Pour le moment, ce n'est pas le plus important, dit Janet avant de poursuivre d'une voix tendue : Il faut qu'on les trouve !

— Qui ? Les garçons ?

— Non, Mario et son amie. Ils ne sont pas là.

— Mais ils sont venus à Duverelle ?

— La porte du jardin était ouverte. Et les coussins sont sur les chaises longues.

— Ils dînent peut-être dehors.

— Je ne sais pas. J'ai un mauvais pressentiment.

— Le mieux serait d'attendre un peu, ils vont sans doute rentrer d'un instant à l'autre. Mais je fais quoi avec le père de la gamine ?

— Bah, il ne peut pas faire grand-chose. Je le vois mal courir dans tout Hambourg pour raconter ce qu'il sait !

— Mais s'il prévient la presse ? C'est le genre d'histoire qu'ils adorent !

— Je n'y crois pas. Ce sont des menaces en l'air…

— Ne minimise pas les choses, Janet ! Ce n'est pas toi qui l'as eu au téléphone ! Ce type est en train de craquer. Ça ne t'intéresse peut-être plus de savoir ce que je vais devenir, mais je n'ai pas l'intention de laisser quelqu'un ruiner le cabinet. Il faut que je parle à Mario et qu'il…

— Je ne sais pas où il est !

Ils se turent quelques secondes, aussi exaspérés l'un que l'autre, puis Phillip dit doucement :

— Janet, tu… J'imagine que vous avez loué une voiture ? Tu ne pourrais pas… Il est possible qu'ils soient dans l'un des restaurants où nous avions l'habitude d'aller. Ce ne serait pas très long d'en faire le tour, tu ne penses pas ? J'ai peur que…

— Tu as peur pour *toi*, répliqua Janet et elle raccrocha.

Andrew apparut dans l'encadrement de la porte.

— Il y a dans la salle de bains des objets typiquement féminins. Ton fils et son amie sont bien là.

Janet se leva.

— Tu m'accompagnes ? Je voudrais jeter un œil dans deux ou trois endroits où ils pourraient se trouver.

Elle passa devant lui et quitta la pièce sans attendre sa réponse.

Tina avait l'impression que le cauchemar ne finirait jamais. Depuis combien de temps était-elle dans cette maisonnette ? Une demi-journée ? Vingt-quatre heures ? Elle avait perdu toute notion du temps. Elle traversait des phases de panique pendant lesquelles elle cherchait désespérément un moyen de s'enfuir et d'autres d'apathie complète, résignée et dans l'expectative, recroquevillée sur elle-même comme un animal pris au piège.

Sa cheville blessée la faisait atrocement souffrir. La douleur irradiait à présent dans tout son corps ; des élancements lui transperçaient la poitrine, les épaules, les bras, les mains, lui coupaient parfois la respiration. S'il lui arrivait de s'endormir, vaincue par l'épuisement, ce n'était jamais pour bien longtemps.

Elle était assise par terre dans un coin, une couverture poussiéreuse et qui sentait le moisi sur les épaules. Malgré la chaleur étouffante, elle ne cessait de trembler. Était-ce dû à la douleur ou à la fièvre ? Lorsqu'elle se plaignit d'avoir soif, Mario se leva, prit un seau en fer-blanc et sortit sans un mot. Tina le suivit des yeux, pleine de rage et de frustration : il pouvait la laisser seule tant qu'il voulait, elle ne pourrait pas en profiter pour s'enfuir. Elle ne ferait pas dix mètres. Il avait fallu que Mario la soutienne, la tire et la pousse pour qu'elle réussisse à monter jusqu'ici. Seule, ce n'était même pas la peine d'essayer.

Elle parvint néanmoins à se traîner jusqu'à l'une des deux fenêtres. Quand ils étaient arrivés, elle était dans un tel état qu'elle n'avait pas songé à essayer de percer l'obscurité pour se faire une idée de son environnement. Elle se hissa pour regarder dehors. D'abord éblouie par la lumière vive, elle eut un mouvement de recul, puis ce qu'elle découvrit réduisit en miettes son dernier espoir. Le bout du monde. Des montagnes crayeuses, de la forêt, des cailloux, des herbes folles. Aucune trace de civilisation, pas de maison, pas de cabane, rien. Un sentier prolongeait le chemin qui menait au refuge et se perdait un peu plus haut dans la verdure. Quelques rares randonneurs devaient bien l'emprunter, mais pas souvent. Et sûrement pas par cette chaleur. Tina voyait l'air vibrer, il faisait un soleil de plomb, pas une branche ne bougeait et l'herbe était sèche comme de la paille.

Elle retourna se terrer dans son coin et paya sa témérité par une douleur qui dura plusieurs minutes et s'intensifia jusqu'à la limite du supportable. Elle s'étonna de ne pas pleurer, elle qui d'habitude avait les yeux qui s'embuaient à la moindre broutille. Pour une fois qu'elle aurait eu de bonnes raisons de le faire, ses yeux restaient secs.

Mario était revenu avec le seau qu'il avait dû remplir à un ruisseau. Elle but sans reprendre son souffle. L'eau était étonnamment bonne, fraîche et très pure. Elle se sentit revivre et se détendit au point de sombrer pour une petite heure dans un sommeil sans rêve.

Mais le réveil fut douloureux. Entre-temps, la nuit était tombée, leur deuxième nuit dans la maisonnette, et ils étaient toujours là à attendre – attendre quoi ? Tina n'en avait pas la moindre idée, et de toute évidence Mario non plus. Assis sur un banc devant la table en bois – tout dans le refuge, même les murs, était en bois –, il se tenait la tête à deux mains et regardait fixement devant lui. Il dégageait une forte odeur de transpiration. Elle voulut changer de position pour rétablir la circulation dans ses membres endoloris et gémit. Sa cheville blessée avait doublé de volume et pris une teinte violacée.

— Mario ! appela-t-elle.

Était-ce la violence inattendue de la douleur qui l'avait tirée de son apathie ? Après une phase de résignation, elle semblait avoir retrouvé sa combativité.

— Mario, nous… il va bientôt falloir que nous mangions.

Elle n'avait pas spécialement envie de manger, bien qu'elle n'eût rien dans le ventre. Mais il fallait qu'elle parle, qu'elle dise quelque chose, n'importe quoi pourvu qu'elle le tire de son silence. Avait-il l'intention de rester dans cette cahute jusqu'à ce qu'ils meurent tous les deux ?

— Et il faudrait que je voie un médecin. Ma cheville a vraiment un vilain aspect. Et je crois que j'ai de la fièvre.

Il ne réagit toujours pas.

— Mario, répéta-t-elle sans élever la voix mais d'un ton insistant, qu'est-ce que nous attendons ?

Il releva enfin la tête et la regarda. Ses yeux vides, totalement dénués d'expression, lui donnèrent la chair de poule.

— On verra bien, dit-il.

— Nous allons mourir de faim, Mario. Nous allons mourir.

C'étaient des mots effroyables, irréels, et pourtant, à l'instant où ils franchirent ses lèvres elle sut qu'elle disait vrai. Ils allaient mourir. Et c'était précisément ce qu'attendait Mario.

— Oh, non ! murmura-t-elle.

Une lueur de tendresse brilla dans les yeux de Mario, et l'espace d'un instant il sembla redevenu humain.

— Je ne laisserai rien de grave t'arriver, Tina. Tu n'auras pas mal. Tu ne souffriras pas.

— Je souffre *déjà*. J'ai *déjà* mal. Et je ne veux pas mourir !

Il la regarda avec douceur et un peu de pitié.

— C'est le mieux pour toi, tu dois me croire. Il n'y a pas d'autre moyen de te sauver. J'ai vraiment réfléchi, il n'y en a pas d'autre.

Il est fou, songea Tina avec horreur, réellement fou.

— Pourquoi ? demanda-t-elle à voix basse. Dis-moi pourquoi, que je puisse au moins comprendre.

Mais la petite flamme dans les yeux de Mario s'était éteinte. Il détourna la tête. Encore quelques secondes et il serait de nouveau hors d'atteinte.

—Mario, dit alors précipitamment Tina, il me faudrait plus d'eau. Il faut que je mette des linges froids sur ma cheville. Sinon, la douleur va me rendre dingue. Peux-tu retourner chercher de l'eau ?

Mario sursauta.

—Quoi ?

—Je demandais si tu pouvais retourner chercher de l'eau. J'ai besoin d'eau.

La première fois, un quart d'heure s'était écoulé avant qu'il réapparaisse. Tina était décidée à jouer sa dernière carte. Elle n'avait plus rien à perdre. De toute façon, il la tuerait. C'était devenu une certitude. Il était fou, il resterait aussi insensible à ses supplications qu'à ses appels à la raison. Quant à agiter le spectre de la prison ou de l'asile d'aliénés, ce serait tout aussi vain car ni l'une ni l'autre ne devaient lui faire bien peur. Sans compter qu'il avait certainement décidé de mourir avec elle.

Elle savait que ses chances de réussir à fuir étaient quasi nulles, mais il en allait de sa vie et il fallait qu'elle tente le tout pour le tout. Avec sa cheville blessée, elle n'aurait pas le temps d'aller loin avant qu'il ne se rende compte de sa disparition, et il passerait aussitôt au peigne fin les alentours du refuge. L'obscurité serait son seul atout. Elle lui permettrait peut-être de se cacher ou de descendre lentement sans qu'il la voie. Si au contraire il la rattrapait, il pourrait tout aussi bien la tuer tout de suite. Mais du moins n'aurait-elle pas à attendre la fin pendant des heures ou des jours, assise par terre dans son coin.

—Mario, répéta-t-elle, le seau est presque vide. Nous avons besoin d'eau !

Alors qu'elle n'y croyait plus, il se leva, prit le seau et disparut dans la nuit.

Tina serra les dents pour ne pas gémir et se rapprocha de la porte, centimètre par centimètre. Elle se déplaçait à quatre pattes en s'efforçant de garder tendue sa jambe droite et de la bouger le moins possible. Elle crut pourtant s'évanouir deux fois. Elle devait tenir le coup, atteindre la porte, sortir… Encore un mètre, cinquante centimètres…

Serre les dents et avance, s'ordonna-t-elle, ne pense pas à ta cheville, ne pense pas à…

La porte s'ouvrit à la volée et Mario se dressa devant elle.

Elle se tassa sur le sol et leva le visage vers lui, les yeux écarquillés d'horreur. Il lui parut immense, menaçant, très sombre ; et derrière lui, il y avait la nuit qui ne lui servirait plus à rien. Elle était à sa merci, elle était seule. Elle allait mourir.

— Je ne voulais pas m'en aller, dit-elle, je t'assure. Je… il fallait que je sorte un peu. Je n'en peux plus, à l'intérieur… Je t'en prie, ne me regarde pas comme ça…

Il s'accroupit devant elle, posa ses mains sur ses avant-bras et la regarda intensément.

— N'aie pas peur. Je ne te veux aucun mal. Cesse de trembler, je t'en prie !

— Je… je…

Les mains de Mario étaient toujours sur ses bras, chaudes et solides.

— Nous devons partir, dit-il en se redressant.

Il ne l'avait pas lâchée, pensant ainsi l'aider à se lever. Le cri qu'elle poussa le décontenança.

— Qu'est-ce que… Quelque chose ne va pas ?

Tina mit sa surprise sur le compte de la folie et ne songea même pas à s'en étonner.

— Ma jambe… Elle me fait atrocement mal, répondit-elle dans un souffle. J'ai dû me casser la cheville.

Le sang s'était retiré de son visage, ses lèvres étaient grises.

Il s'accroupit de nouveau devant elle.

— Écoute, je comprends que tu aies du mal à le croire, et je ne peux pas t'expliquer tout en détail maintenant, mais je ne suis pas celui pour lequel tu me prends. Je suis son jumeau. Je présume que tu ne savais même pas que j'existais.

Tina crut à un accès de schizophrénie de Mario et se demanda une nouvelle fois pourquoi il n'avait pas été placé en hôpital psychiatrique.

Elle se rendit compte que ses mains tremblaient violemment.

— Bien sûr, dit-elle d'un ton apaisant. Je comprends.

Il soupira.

— Tu ne me crois pas. Je ne sais pas quels vêtements mon frère porte aujourd'hui, mais ce ne sont pas les mêmes que moi, si ?

Tina plissa le front et s'aperçut que ces détails lui avaient en effet échappé : le jean que Mario portait tout à l'heure était plus clair, et il l'avait assorti à une chemise blanche. D'où lui venait ce tee-shirt bleu ?

Elle ne put retenir un gémissement.

— Je crois que je deviens folle, murmura-t-elle.

Le jeune homme qui ressemblait à Mario et disait être son frère la regarda avec compassion.

— Je vais tout t'expliquer, promis. Mais d'abord, nous devons ficher le camp d'ici. Mon frère est dangereux. Penses-tu pouvoir marcher en t'appuyant sur moi ?

Elle hocha la tête, s'abandonnant à son sort. Même si elle ne comprenait plus rien, même si elle était devenue folle, que pouvait-elle faire sinon se résigner à l'inévitable ?

En dépit de toute la douceur dont il usa pour l'aider à se mettre debout, elle crut défaillir. La faim devait y être pour quelque chose. Elle rassembla ses dernières forces pour ne pas perdre l'équilibre et garder les yeux ouverts, mais à cet instant elle vit surgir de l'obscurité, juste derrière, le prétendu jumeau de Mario, Mario lui-même. Ses nerfs la lâchèrent. Elle poussa un cri et se laissa tomber au sol. Elle chuta si malencontreusement que la douleur qui explosa dans sa jambe dépassa tout ce qu'elle avait connu jusque-là, lui accordant la grâce de sombrer dans une inconscience salvatrice.

Au bout du dixième restaurant, Andrew émit des réserves sur l'utilité de leurs recherches.

— Il est presque minuit. Ils sont peut-être rentrés depuis longtemps. On ne peut pas passer toute la région au crible !

Ils s'étaient arrêtés à la sortie d'un gros bourg, devant un restaurant en plein air où Janet disait avoir dîné avec sa famille plusieurs fois, et ils réfléchissaient. Là comme ailleurs, aucun des serveurs ne se souvint d'avoir vu Mario. Mais ils ne la laissèrent pas repartir sans lui révéler qu'il y avait eu une bagarre, la veille, dans la discothèque du bourg, à quelques mètres de là, et qu'un jeune homme était mort. Janet crut que son cœur s'arrêtait mais ils la détrompèrent. La victime était un jeune du coin. Quelle histoire ! Et l'agresseur avait pris la fuite, mais ce n'était pas la personne qu'ils cherchaient, n'est-ce pas ? Non, affirma Janet, cela n'avait rien à voir.

Bien qu'ils aient tous deux cessé de fumer depuis plusieurs années, avec plus ou moins de constance, ils s'étaient acheté un paquet de cigarettes et fumaient, assis dans la voiture. Andrew était à présent convaincu que Mario souffrait comme son frère de troubles mentaux et que Janet le savait. Sa panique ne pouvait avoir d'autre explication. Il devait constamment prendre sur lui pour ne pas laisser transparaître sa colère. Comment avait-elle pu être à ce point irresponsable ? Garder un secret pareil, probablement pendant des années, pour que son fils chéri n'ait pas de problème… Il ne put s'empêcher de penser à Mme Corvey qui avait menti sans sourciller pour son fils. C'était là une forme dévoyée d'amour maternel qui le dépassait. Il n'avait pas compris Mme Corvey, il ne comprenait pas davantage Janet. Au souvenir de Corvey, un regain de colère le prit. Il jeta sa cigarette par sa fenêtre ouverte et démarra.

— On retourne à la maison voir s'ils y sont, déclara-t-il sur un ton qui fit sursauter Janet.

Ils n'y étaient pas. La maison était telle qu'il l'avait laissée : vide, noire et silencieuse. Mais ils étaient à peine arrivés que le téléphone sonna. C'était de nouveau Phillip qui essayait de les joindre depuis déjà une demi-heure. Il semblait à bout de nerfs.

— Alors ? Vous avez trouvé quelque chose ? questionna-t-il sans préambule.

— Non, répondit Janet. Et je ne sais plus où chercher.

À cette seconde, une idée jaillit dans l'esprit de Phillip.

— Le refuge ! s'écria-t-il. Tu crois qu'il pourrait être…

— Mon Dieu ! Comment n'y ai-je pas pensé ! Le refuge ! On y va tout de suite !

Elle voulait déjà raccrocher mais il la retint.

— Janet ! Tu sais quelque chose ! Que s'est-il passé avec Mario ? Pourquoi ne…

— Plus tard, l'interrompit-elle avant de raccrocher brutalement.

Cinq minutes ne s'étaient pas écoulées qu'ils filaient dans la nuit, pied au plancher.

Samedi 10 juin 1995

Quand Tina reprit connaissance, elle goûta encore quelques secondes de répit avant que sa mémoire ne lui rappelle ce qui s'était passé et où elle se trouvait. Sa jambe lui faisait mal, mais sans qu'elle sache pourquoi. Elle ouvrit les yeux, vit les poutres qui soutenaient le toit du refuge et se souvint. Elle se souleva sur un coude.

Il faisait toujours nuit mais le halo diffus d'une lampe à pétrole répandait une faible lumière dans la pièce. Tina était allongée sur sa couverture. Quelqu'un – Mario ? – avait enveloppé sa cheville dans des linges mouillés. Elle eut l'impression que le froid atténuait la douleur.

— Mario ? appela-t-elle timidement.

— Tu es réveillée ? fit une voix.

Elle remarqua alors que Mario – ou son frère jumeau, ou qui que ce fût – était assis par terre tout près de la table. Elle plissa les yeux et se rendit compte qu'il avait les mains attachées à l'un des pieds. Un filet de sang séché dessinait une trace noirâtre entre son nez et le bas de son menton et son œil gauche paraissait enflé.

Elle le dévisagea, ferma les yeux, les rouvrit. Elle ne rêvait pas. Son cerveau s'efforçait d'analyser ce qu'elle voyait et d'en tirer des conclusions logiques : si cet homme était attaché et si ce n'était pas elle qui l'avait attaché, ce dont elle avait la quasi-certitude, il y avait donc bien une troisième personne. Un frère jumeau ?

— Oui, fit-elle en réponse à la question de l'homme.

— Dieu soit loué. Je commençais à croire que tu n'allais jamais revenir à toi. Tu es partie drôlement loin. Comment va ta jambe ?

— Elle me fait mal. Mais si je ne la bouge pas, ça va.

— On est dans le pétrin. Ça fait une demi-heure que j'essaye de me détacher, mais à part y laisser ma peau, je ne suis pas plus avancé.

— C'est ton frère qui t'a mis dans cet état ?

Il hocha la tête.

— Il m'a pris par surprise. Je me suis retrouvé par terre avant de comprendre ce qui m'arrivait. Je ne l'aurais jamais cru capable de me taper dessus comme ça.

Tina repensa à ce qui s'était passé dans la discothèque. Depuis, elle savait de quoi Mario était capable.

— J'ai peur, dit-elle.

Il tira sur ses liens.

— Il n'y a vraiment rien à faire ! marmonna-t-il entre ses dents. Il a fait je ne sais combien de nœuds !

— Où est-il ? Il est parti ? Pour de bon ?

Le jeune homme secoua la tête.

— Ça m'étonnerait. Il va revenir. Et d'ici là, on a intérêt à être loin.

— Il a mis une compresse froide sur ma jambe, dit Tina. C'était bien lui, n'est-ce pas ? S'il avait l'intention de me faire vraiment du mal, il ne se serait pas donné cette peine, tu ne crois pas ?

Elle souhaitait de toute son âme pouvoir s'accrocher à cette bribe d'espoir, mais elle n'était pas dupe. Elle savait qu'il était inutile de s'illusionner. Le comportement de Mario n'obéissait à aucune logique. Il était capable de se pencher sur sa cheville avec toute la sollicitude de la terre et l'instant d'après de serrer ses doigts autour de son cou.

Elle n'obtint pas de réponse à sa question et comprit que le frère de Mario ne se faisait pas plus d'illusions qu'elle.

— Comment tu t'appelles ? demanda-t-elle en refoulant les sanglots qui lui nouaient la gorge.

Il la jaugea du regard avant de répondre.

— Maximilian, dit-il enfin.

— Maximilian, que se passe-t-il avec Mario ? Il est malade, n'est-ce pas ? Il m'a dit qu'il était dépendant aux médicaments et qu'il était en train d'essayer de se sevrer. Ça m'a rassurée. Mais il y a autre chose. Le manque ne peut pas tout expliquer.

— Il n'a jamais été pharmacodépendant. Il t'a raconté ça parce qu'il sait que moi je le suis. On m'a fait ingurgiter tellement de ces saloperies que j'ai du mal à tenir le coup quand je n'ai pas ma dose. Si mes mains n'étaient pas ficelées à ce pied de table, tu verrais que je n'arrête pas de trembler.

— Pourquoi n'a-t-il jamais parlé de toi ?

— Parce que le fait que nous soyons deux est le secret le mieux gardé de la famille. Mon père a soigneusement veillé à ce que personne n'en parle jamais.

— Mais pourquoi ? insista Tina qui sentait une sourde angoisse l'envahir. Et pourquoi t'a-t-on fait prendre tant de médicaments ?

— C'est une longue histoire. Tu sauras tout, je te le promets. Mais d'abord, nous devons trouver le moyen de ficher le camp d'ici. Penses-tu pouvoir te déplacer jusqu'à moi et me détacher ?

— Et s'il arrive ?

— On n'a rien à perdre. Essaie, je t'en prie !

Elle glissa vers lui sur les fesses, en s'immobilisant chaque fois qu'elle croyait entendre des pas, mais Maximilian la houspillait.

— Ne t'arrête pas, il n'y a personne. Vite !

Il était si parfaitement identique à Mario qu'elle en resta de nouveau interdite. Elle n'aurait jamais été capable de les différencier. À part les yeux… Il n'avait pas ce regard fixe et vide à faire froid dans le dos. Il avait les yeux qu'avait Mario avant.

— Vite ! la pressa Maximilian une nouvelle fois.

— Oui, je me dépêche… Mon Dieu, mais il a fait combien de nœuds ! S'il te plaît, arrête de bouger !

Elle s'affaira sur les nœuds, se cassa un ongle, jura à mi-voix, se remit à la tâche. Maximilian sentait son souffle près de son oreille.

— Il a dû commencer à craquer quand il s'est rendu compte que tu étais une femme, dit-il. Je savais que ça arriverait un jour. J'ai décidé de venir dès que j'ai compris qu'il était parti avec une fille.

— Pourquoi n'as-tu pas prévenu la police ?

— C'est mon frère.

Elle réussit à desserrer un premier nœud.
— Ça y est, j'en ai dénoué un !
— Bien. Continue, ne t'arrête pas !
— Mais il croyait que j'étais quoi ?
— Un ange. Un être surnaturel. La créature merveilleuse qu'il cherche depuis toujours.
— C'est toi l'image cachée en mon cœur… !
— C'est ce qu'il a dit ?
— Oui. Et je n'ai rien compris. Enfin… j'ai bien pensé qu'il avait dû m'idéaliser, ou s'imaginer que j'étais différente. Mais… c'était si confus… Puis il m'a parlé de cette histoire de médicaments et je me suis dit que ça expliquait tout.
— C'est une citation de *La Walkyrie*. Il écoutait sûrement du Wagner ?
— Oui. Surtout la nuit.
Il soupira.
— Pourquoi ne t'es-tu pas enfuie ? Ça ne t'a pas semblé anormal ? Un jeune homme qui écoute du Wagner toute la nuit ?
Un deuxième nœud céda.
— Je voulais partir, dit Tina, mais j'avais peur. Et je n'étais pas sûre de ne pas… Je… je n'ai pas beaucoup d'expérience, tu sais. En fait, je n'en ai pas du tout. Je me demandais si je n'exagérais pas, si j'étais normale, si je ne me faisais pas des idées… Aïe !
— Qu'est-ce qu'il y a ?
— Cette corde est si rêche. Je saigne !
— Ne t'arrête pas, surtout !
Elle serra les dents, essuya sa main pleine de sang sur sa jupe et se remit à l'ouvrage.

— Il est dingue de musique wagnérienne, dit Maximilian. Parce qu'il y retrouve le thème de l'amour pur et désincarné. De l'amour qui triomphe de toutes les turpitudes, de l'amour rédempteur. C'est *ça* qu'il recherche.

— Il est détraqué !

— C'est un être désespéré. Je sais ce qu'il ressent car je connais toutes ses émotions, tous les sentiments qui l'agitent. Il cherche quelque chose qu'il ne trouvera jamais. Il sera malheureux toute sa vie.

— Il aurait dû être interné !

Maximilian ne répondit pas. Et brusquement Tina comprit. La vérité lui apparut d'un coup, avec une netteté, une évidence qui ne laissaient aucune place au doute.

— Oh non, murmura-t-elle en lâchant la corde. Toi aussi tu es malade ! Tu étais dans une clinique psychiatrique ! C'est pour ça que tu n'existais pas, que l'on n'avait pas le droit de parler de toi. Que tu as dû prendre autant de médicaments. Que tu comprends si bien Mario...

Elle recula.

— Pourquoi ? Qu'est-ce que tu as fait ? Il faut que ce soit très grave pour qu'on interne quelqu'un.

Il tirait désespérément sur ses liens.

— Je ne suis pas malade. Je te supplie de me croire ! Oui... j'étais dans une clinique. Mais je devais en sortir dans quelques jours. Christina – tu t'appelles Christina, n'est-ce pas ? –, ne fais pas de bêtises ! Il faut qu'on parte d'ici !

— Je ne te détacherai pas. Je ne peux pas !

Elle recula encore.

— Christina, tu ne peux pas marcher. Sans moi, tu ne réussiras pas à faire dix mètres. Détache-moi ! Je te promets de te mener en sécurité !

Il scruta son visage, comprit toute la méfiance et toute la peur qui l'agitaient, et la colère le prit.

— Bon sang ! Il va nous tuer ! Il va te tuer parce que tu n'es qu'une illusion et me tuer moi parce qu'il a le sentiment que je l'ai trahi. C'est ça que tu veux ? Tu veux mourir ?

Elle secoua la tête. Il tira de nouveau sur ses liens, sans se rendre compte que le sang commençait à perler sur la peau à vif de ses poignets.

— Alors aide-moi ! Mais dépêche-toi ! Je t'en supplie, dépêche-toi !

Elle saisit la corde et recommença à desserrer une boucle, millimètre par millimètre. Il ferma les yeux. C'était si lent... Il sentait bien que la jeune fille était réticente, qu'elle avait peur, hésitait, se demandait si elle ne commettait pas une erreur. Mais il ne pouvait que se laisser faire. Il attendait, les yeux clos, essayant de se détendre pour maîtriser ses tremblements, quand il sentit l'odeur. Si ténue et fugitive au début qu'il crut à une illusion sensorielle, puis elle se précisa. Il ne rêvait pas, ça sentait la fumée. Il ouvrit les yeux et vit des volutes grises se former entre les planches de la paroi du refuge, à laquelle était adossé un appentis, en bois lui aussi.

— Il y a le feu ! Christina, dépêche-toi ! Mon frère a mis le feu !

Il craignit un instant que la peur la paralyse, mais passé un sursaut de stupéfaction, elle redoubla d'énergie.

— J'y suis presque, chuchota-t-elle.

La porte du refuge s'ouvrit violemment et Mario s'encadra sur le seuil. Il avait le teint blême et les yeux trop brillants. Tina se figea puis, sans le lâcher des yeux, s'éloigna de Maximilian. Mario ne parut pas se rendre compte de ce qui se passait. Un sourire terrifiant étira ses lèvres.

— Tina, dit-il tendrement.

Il entra dans le refuge et se dirigea vers elle, sans un regard à son frère.

— Tina !

Il s'agenouilla à côté d'elle et écarta délicatement une mèche de son front.

— Comme tu es belle, murmura-t-il. Tu es merveilleuse.

La fumée commençait à envahir l'intérieur du refuge. Les poteaux qui soutenaient le toit, les poutres, le mobilier n'allaient plus tarder à prendre feu. Tina toussa.

— Mario, je veux vivre, dit-elle à voix basse.

Il secoua la tête en souriant, comme illuminé de l'intérieur.

— C'est mieux ainsi, crois-moi. Tu accéderas à la rédemption. Les flammes te purifieront.

Tina fut prise d'une quinte de toux. La fumée lui piquait les yeux. Maximilian se gardait d'émettre le moindre son pour ne pas attirer l'attention de son frère. Il se démenait pour se libérer de ses liens. Tina n'avait pas été loin du but, il ne restait plus qu'un nœud.

— N'interromps pas ton rêve, Mario, dit Tina. Je suis ton rêve. Donne-nous une chance.

Oui, se disait Maximilian, *parle-lui. Détourne son attention...*

Mario secoua de nouveau la tête, cette fois avec une expression de regret.

— Tu m'as trompé. Tu n'y peux rien, c'est en toi. C'est dans toutes les femmes. Je l'ai compris l'autre jour sur l'autoroute, à la station-service... quand je t'ai regardée par la fenêtre des toilettes. Il y avait une telle volupté dans ta façon de bouger.

Tina sentit son estomac se retourner.

— C'était toi..., dit-elle, d'une voix hachée.

Bien qu'elle n'eût plus la moindre importance, cette révélation la terrifia. Il avait donc commencé à basculer dans la folie dès ce moment-là. Et elle qui se sentait encore si confiante...

— Ce sera bientôt fini, la consola tendrement Mario.

La fumée avait envahi la salle. Dehors, le crépitement des flammes enflait. Il n'avait pas plu depuis avril, elles dévoraient tout, progressaient à une vitesse fulgurante.

— Ce sera un sacrifice et une délivrance. C'est un grand moment !

Il rayonnait, la joie le transfigurait.

À cet instant, le dernier nœud céda. La corde glissa le long du pied de la table. Maximilian était libre.

Il n'eut pas une hésitation. Il bondit sur ses pieds et se jeta sur son frère qui lui tournait le dos. Surpris, Mario bascula en avant et resta étendu sur le sol, inerte.

— Vite ! cria Maximilian. On sort d'ici !

Le refuge s'était embrasé. La fumée était si épaisse qu'on ne distinguait plus rien. Toussant et hoquetant, Maximilian tâtonna vers la sortie en tirant derrière lui Tina qui gémissait de douleur. Il réussit à trouver la porte, l'ouvrit à la volée. Il happait l'air, bouche ouverte, comme s'il était en train de se noyer. Tina était dans ses bras. Si elle avait eu encore quelques forces il l'aurait lâchée, il l'aurait poussée en avant en lui criant de se débrouiller seule parce qu'il fallait absolument qu'il retourne chercher son frère. Mais il ne pouvait pas. Avant de s'occuper de son frère, il devait éloigner Tina du brasier.

Et soudain tout alla très vite. Venant de nulle part, le cri angoissé d'une femme retentit :

— Mario !

Une fraction de seconde plus tard une détonation retentit, étouffée par le grondement de l'incendie au point d'être à peine plus audible que le pop d'un bouchon de champagne. Maximilian s'affaissa et tomba lentement en avant, sur la jambe blessée de Tina, comme au ralenti.

Tina émit un léger soupir puis sombra dans l'inconscience pour la deuxième fois au cours de cette nuit. Elle se souviendrait beaucoup plus tard d'avoir croisé le regard de l'homme qui avait tiré, et d'y avoir vu un mélange de haine et d'intense satisfaction.

Les images de cette nuit devaient rester à jamais gravées dans la mémoire de Janet. Les hélicoptères qui tournaient dans le ciel, la police, les pompiers, les secouristes. Qui les avait prévenus ? Ce ne pouvait être qu'Andrew. Il avait dévalé le chemin pour rejoindre leur voiture de location équipée d'un téléphone cellulaire. Elle était demeurée près du refuge en flammes, assise dans l'herbe, son fils agonisant dans les bras. Elle retournait dans sa tête le souvenir confus de sa dispute avec Andrew quand elle avait eu la brusque intuition que son autre fils était à l'intérieur du cabanon.

« Laisse-moi, je dois aller le chercher, je dois entrer dans le refuge !

— Ce n'est pas possible, Janet, n'y va pas ! Il n'y a plus rien à faire ! Tu vois bien que tout brûle ! »

Il l'avait secouée, l'avait retenue d'une poigne de fer quand elle s'était débattue, avait paré ses coups de pied et ses coups de poing. Elle entendait son halètement, tout près de son oreille, et en même temps le vrombissement effroyable du feu qui se déchaînait. Il y avait eu un craquement sinistre quand le refuge s'était effondré. Puis, d'un coup, elle avait cessé de résister. Andrew avait attendu un instant mais elle n'avait plus manifesté de velléités de rébellion. Il l'avait alors assise dans l'herbe et lui avait donné un mouchoir en lui ordonnant de comprimer aussi fortement que possible la plaie d'où jaillissait un flot de sang. Plusieurs minutes s'étaient écoulées avant qu'elle réalise que ce n'était pas elle, mais son enfant qui se battait contre la mort, et que le combat était déjà perdu. La jeune fille qui était étendue sur le sol à quelques mètres d'elle avait repris connaissance. Elle avait redressé la tête et regardé autour d'elle, incrédule, les yeux agrandis par l'épouvante. L'incendie éclairait la forêt comme en plein jour, la montagne et le ciel étaient rouges. Seules au milieu des flammes et de la mort, les deux femmes se dévisageaient en silence.

Le cerveau de Janet se remit à fonctionner quand la foule rassemblée sur les lieux commença à s'agiter. Tina fut transportée sur une civière jusqu'à un hélicoptère, on évacua le jeune corps de Maximilian, le visage recouvert d'un drap. Les canadairs entreprirent de larguer leur eau sur les flammes. Alors, pour la première fois depuis qu'elle avait supplié Andrew de la laisser entrer dans le refuge, des mots franchirent ses lèvres.

— Tu ne m'avais pas dit que tu avais une arme, remarqua-t-elle à l'intention d'Andrew.

Après avoir présenté sa carte de Scotland Yard, Andrew était en train de s'expliquer avec les policiers, dans un français lent mais correct. Il se tourna vers Janet. Elle était toujours assise au même endroit, immobile, les bras, les jambes couverts du sang de son fils. Un secouriste avait posé une couverture sur ses épaules et placé un gobelet de café chaud dans sa main. Andrew tenait lui aussi un gobelet.

Ils donnent du café à un assassin ! pensa Janet.

Andrew s'accroupit à côté d'elle et la regarda avec sollicitude.

— Je suis flic, Janet. J'ai toujours une arme sur moi.

— Tu n'étais pas en service.

— Mais je savais que cela pouvait mal tourner. J'ai donc préféré...

Il laissa sa phrase en suspens. Il semblait maître de lui, mais Janet vit à son regard combien il était consterné et troublé. Il avait tiré sans sommation sur une personne désarmée, au mépris des règles élémentaires qui auraient voulu qu'il prenne le temps d'évaluer la situation.

Comment la police catalogue-t-elle ça ? se demanda Janet. Cela vaut-il une radiation ou vont-ils déclarer que ce sont des choses qui arrivent ?

Elle frissonna. Andrew la saisit par le bras.

— Viens, je te ramène à la voiture. Un inspecteur va nous accompagner. Ils veulent enregistrer nos dépositions.

Elle secoua le bras pour lui faire lâcher prise.

— Ne me touche pas !

Elle se leva sans son aide, renversant par mégarde la moitié de son café. Andrew se releva à son tour. Il faisait brusquement plus vieux que son âge, ses traits s'étaient affaissés et il paraissait désemparé.

— Janet…

Il tendit de nouveau la main vers elle mais interrompit son geste.

— Janet, je suis désolé. Je voudrais tant que ce ne soit jamais arrivé. J'ai vu cette fille qui se débattait dans les bras de cet homme… J'ai pensé qu'il la prenait en otage, qu'elle était en danger…

Il leva les mains, paumes tournées vers le ciel, dans un geste d'impuissance.

— J'ai craqué. Je savais qu'il y avait eu quelque chose, que tu pensais que Mario était dangereux. Quand tu as crié son nom…

Elle le regardait fixement. Un son rauque monta de sa gorge. Andrew crut tout d'abord qu'il s'agissait d'un sanglot, puis il comprit, abasourdi, qu'elle riait.

— Janet ! implora-t-il.

Elle était en état de choc, au bord de la crise de nerfs.

— Non, dit-elle. Il n'était pas dangereux. Celui qui était dangereux est mort brûlé vif. Celui que tu as tué était innocent. C'était le bon.

— Mais alors…

Un doute monstrueux germa dans la tête d'Andrew.

— Alors c'est *Mario* qui est mort brûlé. Maximilian, qui était guéri, dont tu dis qu'il était innocent… c'est lui que j'ai tué ? J'ai tué Maximilian ?

La vérité le frappa comme la foudre. Quand il comprit son erreur et mesura l'étendue des conséquences de son geste, conséquences avec lesquelles Janet allait devoir vivre pour le restant de ses jours, il devint livide.

— Tu l'as confondu… Mon Dieu, Janet, tu as crié le mauvais prénom !

Un sourire douloureux étira les lèvres de Janet.

— Non, Andrew, si tu crois que je pourrais confondre mes enfants, tu te trompes. C'est Mario que j'ai appelé. Et c'est Mario que tu as tué. Mario qui n'aurait jamais fait de mal à personne.

Andrew parut commencer à comprendre – et sa consternation grandit.

— J'ai mal interprété ta réaction. Tu n'as jamais eu peur à cause de Mario. On a cavalé comme des dingues derrière lui et la fille parce qu'il fallait que tu les trouves avant Maximilian. Pour une raison que j'ignore, tu savais qu'il n'était pas guéri, quoi que les médecins aient pu en penser, et tu…

— Je savais qu'il ne *pouvait* pas être guéri, rectifia-t-elle d'une voix calme. Ce n'était pas possible. Car, vois-tu, il y avait déjà très longtemps qu'il avait quitté la clinique… Plusieurs années.

Elle se détourna et s'éloigna lentement.

— On ne peut pas les protéger, dit Michael, pas éternellement. Ce n'est pas une histoire de responsabilité. J'ai élevé Tina dans un cocon, je me suis donné un mal de chien pour la préserver, jamais je n'ai baissé la garde, et pourtant il a bien failli lui arriver le pire. C'est simplement le…

Il répugnait à prononcer ce mot qu'il n'utilisait que rarement et qui lui paraissait à la fois galvaudé et déplacé.

— … c'est le destin, finit-il tout de même par dire.

— Vous m'aviez prévenue. Vous aviez prévenu Dana. Et nous, pauvres idiotes, on s'est gentiment moquées de vous, dit Karen dans un chuchotement, trop fatiguée pour parler plus fort et la voix enrouée.

— Arrêtez de vous torturer avec ça, dit Michael. Personne n'aurait pu empêcher Dana de faire ce qu'elle avait envie de faire. Ni moi ni vous, même si vous aviez essayé.

— Si je le lui avais interdit dès le début…

Il lui prit la main. Ses doigts étaient glacés.

— Karen, non, je vous en prie ! Ce sont des choses qui peuvent toujours arriver, quoi qu'on fasse. On ne peut pas enfermer les enfants, n'est-ce pas ?

Dehors, le jour qui se levait annonçait une belle matinée ensoleillée, mais l'air qui pénétrait dans la pièce par la fenêtre ouverte était encore frais. Livide, anéantie par le chagrin, Karen était assise sur le canapé, les jambes relevées et serrées contre elle. Elle portait toujours son accoutrement jaune de la veille. Son mascara avait coulé, barbouillant ses joues de noir et accentuant son air dévasté. Toute la soirée elle avait pleuré, parlé, pleuré encore et encore, puis, à bout de larmes, elle avait laissé Michael la conduire dans sa chambre et l'allonger sur son lit. Il s'était ensuite mis en quête de somnifères. Après avoir exploré l'intégralité des tiroirs et des placards de la salle de bains et de la cuisine, il avait fini par dénicher une plaquette de tranquillisants dont il avait donné deux comprimés à Karen. Elle les avait avalés sans protester, mais quand il avait fait mine de quitter la chambre, elle s'était redressée sur ses oreillers en poussant un cri.

« Non ! Ne partez pas, s'il vous plaît, ne partez pas !

— Je ne pars pas, Karen. Je serai dans le salon, d'accord ? Vous pourrez m'appeler à tout instant. »

Quand il était revenu une heure plus tard, elle dormait profondément, la bouche entrouverte comme un petit enfant. Elle paraissait très seule et très fragile.

Michael passa la nuit devant la télévision, zappant d'un programme à l'autre sans réellement s'intéresser aux images qui défilaient à l'écran, mais il n'aurait pas supporté le silence. À quatre heures et demie, le téléphone avait sonné et son cœur s'était mis à battre à une vitesse telle qu'il avait craint d'être terrassé par une crise cardiaque avant d'avoir le temps de décrocher.

C'était Tina. La liaison était aussi bonne que si elle avait appelé de la cabine du coin de la rue, pourtant elle était à Nice. À l'hôpital.

« À l'hôpital ? Mon Dieu, Tina, qu'est-ce qui s'est passé ?

— Je suis tombée et je me suis cassé la cheville. Sinon je vais très bien. Janet Beerbaum m'a dit que je pouvais te joindre chez Dana. Comment se fait-il que tu sois chez elle ? En pleine nuit ? »

Sa présence chez les Graph à quatre heures du matin avait de quoi troubler Tina mais Michael préféra attendre de la voir pour lui parler de Dana. Il évita de répondre directement.

« Tina, je me suis fait un sang d'encre. On s'est tous inquiétés. Je ne supportais pas d'être seul et... »

Dans son émotion, il ne trouva rien de plus à ajouter mais Tina parut se satisfaire de l'explication. À peine eut-il fini sa phrase qu'elle se lança dans une histoire compliquée de folie et de frère jumeau, laquelle ne surprit pas réellement Michael qui était au fait de quelques événements. En revanche, que les deux frères se soient trouvés en Provence le laissa sans voix. Qu'est-ce que c'était que ce micmac ? Pour ce qu'il en savait, l'un des jumeaux était enfermé dans une clinique psychiatrique ! Quant à l'arrivée de la mère de Mario, et avec un inspecteur de Scotland Yard de surcroît…

Que fabriquait donc Scotland Yard en Provence ? Il se perdait en conjectures mais il serait toujours temps de poser des questions plus tard.

« Tina, ma douce, j'arrive dès que possible, dit-il. »

Tina le dissuada de faire le voyage. Elle attendait le feu vert du médecin qui l'avait soignée et de l'inspecteur de police qui l'avait entendue, mais elle pensait pouvoir rentrer rapidement.

« Je te rappelle très vite, dit-elle. Je n'ai presque plus de monnaie, mais… »

Il y eut un cliquetis et la communication fut coupée.

Michael resta un long moment debout devant le téléphone, à laisser l'euphorie et le soulagement gagner toutes les fibres de son être. Il avait honte de se sentir si heureux alors que, dans la pièce voisine, une femme dont la fille avait été assassinée dormait, mais il ne pouvait rien contre ce bouillonnement de joie et de gratitude. Il finit par se laisser choir sur le canapé, se prit la tête dans les mains et demeura ainsi jusqu'à ce qu'il entende Karen se lever et gagner la salle de bains à pas lents. Il était six heures et demie. Il abandonna le canapé, se rendit dans la cuisine et mit de l'eau à chauffer pour le café.

Quelques minutes plus tard, ils étaient installés devant une tasse de café. Karen, l'esprit embrumé par les tranquillisants, était de nouveau confrontée à son chagrin. Michael lui annonça alors doucement que Tina avait téléphoné. Elle réagit avec une générosité à laquelle il ne s'était pas attendu.

— Dieu soit loué ! J'en suis très heureuse, Michael. Quel soulagement qu'au moins Tina aille bien.

Puis elle recommença à s'accabler de reproches, pleura, reprit des calmants, somnola.

Michael profita de son repos pour faire un peu de rangement et s'attaquer à la montagne de vaisselle qui s'empilait dans la cuisine. Quand elle se réveilla, elle se plaignit de nausées et de maux de tête et voulut reprendre des calmants. Michael hésita à la laisser faire.

— Karen, il faudrait que vous mangiez quelque chose. Vous allez vous rendre malade à prendre des médicaments l'estomac vide. Ce n'est pas étonnant que vous ayez mal au cœur.

— Je ne peux rien avaler.

Le frigo ne renfermant que du lait tourné et quatre œufs qui pouvaient être là depuis trois jours ou trois mois, il proposa d'aller faire des courses mais elle eut la même réaction de panique que la veille quand il était sorti de sa chambre.

— Non ! Ne me laissez pas seule ! Je vous en prie, ne me laissez pas seule !

Puis elle bondit sur ses pieds et se précipita dans la salle de bains. Michael, qui l'avait suivie, lui tint le front en disant des mots apaisants pendant qu'elle vomissait tripes et boyaux. Quand ce fut fini, il s'agenouilla à côté d'elle et la prit dans ses bras. Karen enfouit son visage dans le creux de son épaule.

— C'est ma faute, hoquetait-elle entre deux sanglots. Ma faute…

Michael l'éloigna de lui, sortit un mouchoir de sa poche et essuya délicatement son visage ravagé.

— Karen, maintenant, écoutez-moi. J'ai fait comme vous, j'ai réfléchi à ces histoires de culpabilité toute la nuit. Je n'ai eu de cesse de protéger ma fille, je croyais bien faire et qu'est-ce que j'ai obtenu ? J'ai fait d'elle une jeune femme naïve, inexpérimentée et coupée de la réalité, au point qu'elle ne s'est même pas rendu compte que ce Mario était détraqué !

Karen pleurait toujours mais il sentit qu'elle l'écoutait.

— Je n'ai pas compris tout ce qu'elle m'a raconté ce matin au téléphone, poursuivit-il, mais il en ressort indéniablement que tout ceci ne serait pas arrivé si elle avait eu une plus grande expérience des relations humaines. Si elle avait déjà eu un ou plusieurs petits amis, elle aurait eu un peu plus de discernement. Vous savez, Karen, j'ai eu énormément de chance. Il s'en est fallu de peu que je ne sois là, brisé de remords et rongé par la culpabilité.

— Mais…

— Dana, elle, a tout de suite perçu quelque chose, n'est-ce pas ? Elle est la première à avoir exprimé des doutes sur Mario. Ce sens de la réalité, cette expérience, c'est vous qui lui avez donné, Karen. Elle était bien mieux armée pour la vie que Tina, simplement elle n'a pas eu de chance. Elle était trop insouciante, bien sûr, mais la prudence de Tina lui a servi à quoi ? Karen… ça n'a pas de sens de culpabiliser. Quoi que nous fassions ou pas, il arrive un moment où nous ne sommes plus, où nous ne pouvons plus être responsables de ce qui se produit. La vie obéit à des lois bien plus contradictoires que celles que l'on voudrait lui imposer.

Il crut entrevoir une première infime lueur de réconfort dans ses yeux. Il la serra contre lui et elle pleura. Et tandis qu'il était là, assis sur le carrelage froid de cette salle de bains, un nouvel homme émergeait timidement, sans qu'il en ait conscience. Un homme à nouveau capable d'éprouver des sentiments, de ressentir de la compassion, d'accepter la différence, d'être doux et tendre. Un homme qui s'ouvrait de nouveau à la vie.

Phillip attendit une journée avant de se décider à appeler le professeur Echinger pour l'informer de la mort de Maximilian. Il fallait bien que quelqu'un le fasse, n'est-ce pas ? Il s'aperçut cependant que la police l'avait devancé. Echinger était déjà au courant, il était bouleversé et consterné.

— On m'a dit qu'il avait été abattu. Est-ce exact ? Je n'arrive pas à le croire.

— C'est exact. Il a été tué par un policier qui a cru qu'il voulait prendre une jeune fille en otage.

Phillip se garda de préciser que le policier en question était l'amant de sa femme. Cela ne regardait plus Echinger. Le professeur appartenait à un chapitre de sa vie désormais clos et qu'il était pressé d'oublier.

— C'est effroyable. Effroyable, répéta Echinger.

Il paraissait sincèrement affecté.

Phillip se demanda jusqu'à quel point un thérapeute s'attachait à ses patients. Six ans d'entretiens quotidiens… Le lien devait être fort.

— Vous savez peut-être que mon autre fils…

— Je sais. C'est une épreuve terrible. Croyez que je suis de tout cœur avec vous. Je vous présente, à vous-même ainsi qu'à votre épouse, mes très sincères condoléances. Je… je ne parviens pas à penser à autre chose.

Echinger hésita puis ajouta :

— Je suis désolé. Tellement désolé.

Cela sonnait comme une excuse et Phillip se demanda un instant de quoi le médecin croyait devoir s'excuser. Puis il comprit qu'Echinger se sentait responsable de la fuite de Maximilian. Ce n'étaient pas les défaillances du système de sécurité de sa clinique qu'il se reprochait – Maximilian étant autorisé à sortir, il aurait de toute façon pu partir – mais le fait qu'un patient ait choisi de fuir plutôt que de se tourner vers son thérapeute. Un véritable camouflet après ces six années passées à essayer de construire une relation de confiance. Phillip en prit note avec une satisfaction certaine.

— Tout de même… Je ne parviens pas à concevoir que Mario ait subitement présenté le même tableau clinique que son frère, poursuivit Echinger. Qu'ils soient tous les deux…

Il n'acheva pas sa phrase mais Phillip le voyait secouer la tête comme s'il avait été en face de lui. N'ayant aucune envie d'entamer une discussion sur le cas de Mario avec Echinger, il se contenta d'acquiescer et raccrocha après avoir marmonné un bonsoir.

Ouf. Terminé. Il s'était acquitté de ce que la politesse exigeait, maintenant : rideau. Terminés les psychiatres, terminé Echinger, terminée cette fichue clinique. Et terminés les discussions usantes avec Janet, ses litanies larmoyantes et son goût pour l'autoflagellation. « C'est ma faute ce qui est arrivé. J'ai déçu mon fils. C'est ma faute. Quelle image détestable mes enfants se sont-ils donc faite de moi ? Mon histoire avec Andrew… Une mère ne fait pas vivre ces choses à ses enfants… »

S'était-elle seulement demandé ce qu'il lui en coûtait de parler de cela avec elle ? De la rassurer ? De lui répéter qu'Echinger lui-même pensait que ce qu'avait vu Maximilian importait peu, que l'apparition d'une pathologie de ce type nécessitait la convergence de multiples facteurs.

« Oui, mais qu'il ait voulu la tuer quand elle lui est apparue comme une femme, ça ne peut être que ma faute. La mère est toujours responsable. Je suis responsable… »

Combien de fois, à bout, n'avait-il pas eu envie de crier :

« Oui, c'est possible que ce soit ta faute ! C'est possible que ça l'ait rendu cinglé de voir sa mère s'adonner jour après jour à je ne sais quels jeux obscènes avec son amant ! Mais je ne peux plus l'entendre ! Je ne peux plus t'entendre te déchirer à cause de tes enfants ! Et as-tu déjà réfléchi à ce que *moi* j'ai traversé ? »

Il s'était toujours retenu. Pour ne pas ajouter à son désarroi, se disait-il. En vérité, il n'aurait pas supporté de reconnaître sa souffrance et sa vulnérabilité. Car une fois qu'il aurait mis des mots dessus, cette souffrance serait devenue réalité. Et il n'aurait pas pu continuer à feindre qu'elle n'existait pas.

Il savait bien qu'il aurait dû être fou de douleur et de chagrin. Il avait perdu ses deux fils, ses seuls enfants, et dans des circonstances particulièrement dramatiques. La plupart des pères n'auraient pas eu assez d'une vie pour surmonter une telle épreuve. Ils auraient incriminé le destin, Dieu, la terre entière. Ils auraient sombré dans l'alcool, la dépression, la déchéance… Mais jamais ils ne se seraient sentis libérés.

Phillip prit une longue inspiration. Il était éperdu de tristesse, assommé. Ce qui s'était passé l'emplissait d'horreur et d'incrédulité. Cependant – aussi honteux que cela puisse paraître – il se sentait libéré. Libéré d'un fardeau insupportable, d'un passé qui l'avait toujours accablé. Libéré des méditations sans fin sur la culpabilité et l'échec. Il avait tout perdu, sa femme, ses enfants. Il avait été amputé. Il avait été amputé et libéré. Il n'y avait plus que ces deux mots dans sa tête. Amputé. Libéré.

Il commença à pleurer sans bruit.

Mercredi 14 juin 1995

— Jamais, dit Andrew, je n'aurais cru que tu ferais une chose pareille. Que tu sois *capable* de faire une chose pareille !

La cendre de sa cigarette, qu'il n'avait pas songé à secouer au-dessus du cendrier, tomba sur la table. Il s'en rendit à peine compte, de même que cela ne le contrariait plus de piétiner ses belles résolutions en matière de tabac. Depuis quelques heures, il fumait cigarette sur cigarette. Comme Janet. Ils attendaient dans une cafétéria de l'aéroport de Nice, fumant, buvant du café, et chaque minute qui passait les éloignait un peu plus l'un de l'autre.

Dehors, l'air vibrait sur le tarmac écrasé de soleil. À l'intérieur régnait l'animation du début de saison. Les avions déversaient des flots de touristes prêts à envahir les plages et les hôtels de la côte.

Andrew et Janet n'avaient pas conscience de leur environnement. Ils n'entendaient rien, ne voyaient rien, ils étaient sur une île coupée du reste du monde. Mais à l'inverse de deux personnes isolées sur une île, ils ne cherchaient pas à se rapprocher ou se soutenir. Une mer d'incompréhension et d'hostilité qui allait croissant les séparait.

Janet n'avait pas répondu à la remarque d'Andrew. Elle ne cherchait pas à être comprise, elle n'essayait ni explication ni justification. Elle paraissait attendre qu'il comprenne mais sans attacher d'importance au fait que ce ne soit pas le cas.

— Quand ton mari arrive-t-il ? demanda-t-il. Je veux dire, exactement ?

— À trois heures moins le quart.

— Bon.

Andrew résolut de rejoindre la zone d'embarquement à deux heures et demie au plus tard. Son avion ne décollait qu'à quatre heures, mais il n'avait aucune envie de croiser le mari de Janet. Phillip venait pour entreprendre avec sa femme les démarches nécessaires à la vente de la maison de Duverelle. Puis ils rentreraient à Hambourg avec les corps de leurs fils. Ensuite… ? Ensuite personne ne savait, Phillip encore moins que Janet ou Andrew. Il était trop tôt pour qu'aucun d'eux soit capable de se projeter dans l'avenir.

Andrew but une gorgée de café froid et alluma une nouvelle cigarette. Il contempla Janet. Elle était absente, figée, fermée sur elle-même. Son teint était crayeux. Ses cheveux étaient sommairement attachés dans sa nuque. Elle avait ôté ses lunettes de soleil et les avait posées sur la table, à côté de sa tasse. Ses yeux trop brillants paraissaient brûlants.

Andrew savait qu'elle ne lui pardonnerait jamais d'avoir tué son fils ; elle ne lui accorderait aucune circonstance atténuante. La force avec laquelle elle s'était toujours accrochée à lui, même autrefois quand il se conduisait si mal, avait été comme soufflée. Il n'y avait plus au fond d'elle-même la moindre disposition à comprendre et pardonner.

Il se demanda s'il ne l'avait pas devancée. Comprendre et pardonner. Il ne parvenait pas à comprendre ce qu'elle avait fait, et il était probable qu'il ne soit pas davantage disposé à pardonner qu'elle. Ses aveux l'avaient choqué – étant entendu qu'aux yeux de Janet il ne s'agissait aucunement d'aveux mais de la simple relation d'événements que tous devaient être capables d'apprécier.

Andrew avait pressenti quelque chose de très grave après ses étranges déclarations devant le refuge en flammes. Sur le coup, il n'avait pas eu le cran de laisser la monstrueuse vérité prendre réellement forme dans son esprit. Puis la police les avait longuement interrogés et pendant ces heures où ils avaient dû s'expliquer, Andrew n'avait pu se défaire de l'impression que Janet ne disait pas la vérité aux inspecteurs. En fin de journée, ils avaient été autorisés à partir. La police scientifique ayant terminé son travail, ils avaient pu regagner la maison de Duverelle où ils s'étaient réfugiés dans le salon, hébétés et exténués. Un moment s'était écoulé puis Andrew lui avait demandé ce qu'elle avait voulu dire en déclarant que Maximilian avait quitté la clinique depuis longtemps…

Il n'oublierait jamais cette pièce avec les photos encadrées de Janet, Phillip et les jumeaux sur les étagères. Jamais la nuit cédant lentement la place à l'aube qui blanchissait au-delà des fenêtres. Jamais la silhouette de Janet pelotonnée dans un coin du canapé.

« Nous attendions tellement de la clinique, de la thérapie. Il était évident que Maximilian était malade, qu'il souffrait de troubles psychiques, et ce fut pour nous un véritable soulagement qu'il ne soit pas envoyé en prison. Nous savions qu'il ne l'aurait pas supporté. Nous avons mis tous nos espoirs dans ce professeur et ce beau manoir des plaines du Nord. Quand je dis nous, je veux dire Mario et moi. Phillip avait jeté l'éponge depuis longtemps. Il est maître dans l'art de l'esquive, nous avons déjà eu l'occasion de le constater, n'est-ce pas ? Question esquive, cette fois-là, il a fait fort. Il a mis un point d'honneur à transformer nos vies, à nous fabriquer une existence sans passé, à organiser notre déménagement à Hambourg et la création d'un nouveau cabinet de conseil. J'ai dû parlementer pendant des heures pour qu'il ne laisse pas Maximilian en Bavière. Il n'a accepté la clinique d'Echinger que du bout des lèvres. »

Elle s'interrompit, son regard se posa un instant sur une photo puis s'en éloigna de nouveau. Elle ne regardait pas Andrew, elle fixait un point imaginaire au-dessus de sa tête.

« Nous lui rendions visite aussi souvent que nous y étions autorisés, reprit-elle. Il allait très mal. Il était dépressif et désespéré. Son frère lui manquait – son frère, mais moi aussi, et son père, et la maison. C'était terrible. Il s'enfonçait, se noyait dans sa souffrance. Il ne discernait de lumière nulle part. Il ne savait pas ce qui lui avait pris quand il avait voulu tuer cette jeune fille. Elle a dû lui faire un peu de gringue, chercher à le séduire, et il ne l'a pas supporté. Il disait toujours qu'il pensait qu'elle était différente. Je crois qu'il ne comprenait pas pour quelle raison il était puni. Il considérait que c'était *lui*, la victime, pas elle. Son désespoir venait de là. Il se sentait incompris et injustement traité. Nous en parlions avec le professeur Echinger, naturellement. Il nous rassurait ; d'après lui, c'était une réaction de début de traitement tout à fait normale. Les premiers temps, les patients avaient fréquemment le sentiment de tomber dans un trou noir. Mais l'état de Maximilian ne s'est pas amélioré, il s'est dégradé. Et il parlait de plus en plus souvent de suicide.

— Je comprends », dit Andrew.

À ce point de son récit, et contrairement à ce qu'il devait éprouver par la suite, il ne cherchait encore qu'à lui manifester de la compréhension et du soutien.

« Deux ans plus tard, son état s'était tellement détérioré que j'étais persuadée qu'il allait passer à l'acte. Je le sentais. Il ne tiendrait pas six mois de plus dans cette clinique. Le professeur Echinger prenait le problème au sérieux mais il n'était pas réellement inquiet. Je crois qu'il excluait que quelqu'un réussisse à se suicider dans son établissement. Il est vrai que les patients étaient étroitement surveillés et quand Echinger me demandait comment je pensais que Maximilian s'y prendrait, je n'avais pas de réponse. Mais j'étais et je reste convaincue qu'une personne déterminée à mettre fin à ses jours y parvient toujours, où qu'elle soit, et Maximilian *était* déterminé. On ne pouvait pas l'être plus. »

Janet marqua une pause. Andrew enfouit son visage dans ses mains. Il savait ce qui allait venir.

« Mario et moi, nous ne pouvions plus penser à autre chose. Nous avons souvent parlé de ce qui avait déclenché cette haine des femmes chez Maximilian. Le professeur Echinger a toujours évité de me culpabiliser, mais Mario m'a révélé que lui et son frère… lorsqu'ils étaient petits… nous regardaient, toi et moi. Il m'a avoué avoir vécu l'enfer. Il se souvenait de tout mais il ne pouvait pas en parler avec Maximilian, qui, lui, disait n'avoir aucun souvenir, ou très peu. Peut-être est-ce justement parce qu'il avait refoulé tout ça qu'il est tombé malade. Je…

— C'est absurde, Janet. Quoi qu'ils aient vu… je veux dire… »

Il se sentait agressé, il était furieux.

« Enfin, on n'était pas en train de s'entretuer, tout de même ! Il y a des milliers d'enfants qui assistent à ça tous les jours ! Je suis sûr que ton professeur t'a dit aussi que…

— Qu'il pouvait y avoir des centaines de facteurs déclenchants. Je sais. Mais je suis persuadée d'avoir joué un rôle essentiel. Je porte une grosse part de responsabilité. Je… Je ne pouvais pas le laisser mourir. »

Elle prit une longue inspiration.

« Nous avions peur. Nous sursautions chaque fois que le téléphone sonnait. Nous pensions toujours que… Nous savions que ça pouvait arriver à tout moment. Mario, lui, en avait une conscience aiguë. Ils ont toujours été si proches… »

Andrew hocha la tête.

« Et vous n'avez vu qu'une solution, c'est ça ?

— Il fallait qu'il sorte de cet endroit, acquiesça Janet.

— Et… ?

— Ils devaient se remplacer. Il n'y avait pas d'autre moyen. C'était facile, personne ne pouvait les distinguer, à part moi. Un jour, Mario est resté à la clinique. Et Maximilian est rentré à la maison avec moi.

— Je n'arrive pas à le croire, dit Andrew en secouant la tête. Je veux dire, en dehors de tout le reste, qu'un jeune fasse ça pour son frère. Qu'il accepte de se faire enfermer pour des années dans une clinique psychiatrique…

— C'est impossible à comprendre pour quelqu'un qui ne les connaissait pas. Ils n'étaient pas deux, ils étaient un, une seule personne. Une partie de cet être unique devait rester à la clinique, laquelle endossait le rôle n'avait pas d'importance. Au fond, ils ont simplement interverti leurs prénoms. Mario est devenu Maximilian et Maximilian est devenu Mario. De toute façon, ils ont toujours considéré que leurs prénoms étaient aléatoires. »

Andrew secoua la tête.

« Ne minimise pas les choses, Janet. Une seule personne… ! Ils n'étaient justement pas une seule et unique personne ! Ils étaient deux ! Et sur les deux, il y en avait un malade et dangereux, et l'autre en bonne santé ! Un qui ne supportait pas l'internement et l'autre qui apparemment s'en accommodait. Ils étaient deux personnes parfaitement distinctes et très différentes. Le reste, c'est du baratin. »

Elle haussa les épaules. Andrew soupira.

« Vous n'étiez pas surveillés quand vous lui rendiez visite ?

— Au début, si, il y avait toujours un aide-soignant. Quand son état s'est aggravé, Echinger a estimé qu'il était préférable de nous laisser seuls. Maximilian parlait toujours plus quand nous étions seuls, et pour le professeur, c'est ce qui comptait. Il ne devait pas imaginer que...

— Non, je veux bien le croire, fit Andrew en se levant. Aucun être normalement constitué n'irait imaginer ça. »

Il s'approcha de la fenêtre et contempla la nuit. L'horizon commençait déjà à se teinter de gris.

« Mais bon sang, s'exclama-t-il en se tournant de nouveau vers Janet, personne ne s'est douté de rien ? Son thérapeute n'a rien remarqué ? Ton mari n'a rien remarqué ?

— Mario – ou plutôt Maximilian comme il s'appelait désormais – a parfaitement joué son rôle. Ce n'était pas un exercice difficile, les affres et les tourments qui avaient perturbé son frère, il les avait vécus avec lui. Il savait ce qui avait motivé son geste, il savait ce qu'il avait ressenti pendant et après, il savait ce qu'il avait traversé à la clinique. Il se replia sur lui-même, devint un patient dépressif qui parlait de suicide. Puis son état, lentement, s'est amélioré. Echinger, très satisfait de lui-même, répétait à qui voulait l'entendre que ses prédictions s'avéraient.

— Et… Phillip ? »

C'était la première fois depuis longtemps qu'il prononçait le nom de son rival.

« Il s'était déjà beaucoup éloigné de nous. Ses fils étaient devenus des boulets, même celui qui ne souffrait d'aucun trouble. Il ne leur prêtait pas suffisamment d'attention pour se rendre compte de quelque chose. Et Maximilian – qui s'appelait désormais Mario – a su donner le change. Il a suffi qu'il revienne à la maison pour que son état s'améliore.

— Qu'il s'améliore suffisamment pour vivre la vie de Mario ?

— Mario venait de terminer son service militaire et de s'inscrire en économie à l'université. Il voulait suivre les traces de son père. Le hic, c'était que Maximilian avait toujours voulu faire du droit. Il a prétendu ne plus être très sûr de son choix et a repoussé le début de ses cours d'un semestre. De toute façon, il avait besoin de temps pour reprendre pied et surmonter les effets du sevrage. On les bourre de médicaments, dans ces établissements psychiatriques. Bref. Un jour, il a déclaré qu'il avait décidé de faire du droit et il s'est inscrit en fac en conséquence. Phillip n'a pas protesté. Comme je te l'ai dit, il se désintéressait de ses fils.

— Incroyable… Et il n'avait même pas son bac !

— Il a présenté le diplôme de son frère. Mais il avait le niveau. C'est à quelques jours de l'examen que… que l'histoire est arrivée. »

Que l'histoire est arrivée. En voyant Janet pelotonnée sur le canapé, si pâle, brisée par le chagrin et complètement coupée de la réalité, Andrew sentit la colère le reprendre. Elle continuait à minimiser les faits. Tant d'années plus tard et après tout ce qui s'était passé, elle continuait de nier la vérité, elle la transformait, la parait de mots lénifiants.

« *L'histoire*, comme tu dis, était une tentative de meurtre ! »

Il enregistra avec satisfaction qu'elle sursautait.

« Le fait est que ton fils a voulu tuer une jeune femme et que c'est un pur hasard qu'elle ait survécu !

— Il était malade. Il…

— Exact. Il était malade. Tu as fait sortir de la clinique psychiatrique où des juges avaient eu le bon sens de le faire enfermer un homme malade, imprévisible et dangereux ! Tu as lâché dans la nature une grenade dégoupillée ! Mais comment as-tu pu te montrer à ce point irresponsable ?

— Il n'était ni dangereux ni imprévisible. Il ne voulait rien faire de mal. Il voulait seulement… »

Andrew l'avait rejointe sur le canapé. Janet sentait qu'il se retenait de l'empoigner et de la secouer.

« Arrête, Janet ! Arrête de te raconter des histoires, et d'en raconter aux autres. Ce pauvre brave garçon malade qui ne voulait surtout pas faire de mal a de nouveau, dans ton dos et sans que personne n'en sache rien, noué des relations avec une fille. Il a été suffisamment habile et malin pour mener son affaire pendant des semaines sans que ni toi ni ton mari ne vous en rendiez compte. Il a été suffisamment sournois pour profiter de ton absence pour partir en vacances avec cette fille, car tu ne l'aurais jamais autorisé à le faire, il le savait parfaitement. Qu'est-ce que tu as cru ? Que ses troubles psychiques allaient disparaître par enchantement ? »

Elle regarda ailleurs et ne répondit pas. Il eut l'impression d'être vidé d'un coup de toute son énergie. Son corps était une enveloppe creuse. Il laissa ses bras retomber.

« Sais-tu ce que j'ai le plus de mal à comprendre ? poursuivit-il d'un ton las. C'est que tu aies pu, malgré tout ça, aller en Angleterre et jouer avec l'idée d'y rester. Après ce que tu avais fait… »

Elle ne réagit toujours pas. Mais il connaissait la réponse : quand ça devenait trop dur, elle disparaissait. Elle avait toujours été comme ça. Quand elle n'en pouvait plus, elle démontait sa tente et s'en allait. Et tant qu'à faire, elle préférait aller loin. Dans un autre pays, une autre vie. Elle était aussi entière et absolue dans sa façon de rompre avec une personne ou une situation qu'elle l'avait été dans sa façon de s'engager corps et âme dans la relation. Elle ne savait pas aborder la vie autrement.

« Je n'arrive pas à comprendre, répéta-t-il. Je n'y arrive tout simplement pas. »

Elle s'était murée dans son silence ; il était clair qu'elle se moquait désormais d'être comprise ou pas.

Ils étaient demeurés un long moment perdus dans leurs pensées. Andrew, qui n'avait plus songé à regarder l'heure, se rendit brusquement compte que l'avion de Phillip devait atterrir d'un instant à l'autre. Il jeta quelques pièces sur la table et se leva.

— J'y vais, dit-il. Ton mari arrive.

Janet hocha la tête, le visage fermé. Il eut l'impression que rien ni personne ne pouvait être plus loin de lui qu'elle ne l'était à cet instant. Il tendit la main vers elle dans l'intention de la caresser puis laissa retomber son bras.

À aucun moment ils n'en avaient parlé, pourtant il savait pourquoi elle était inflexible, il savait ce qu'elle lui reprochait. Elle ne croyait pas qu'il avait tiré sur son fils dans un moment de panique, pas plus qu'elle ne croyait qu'il s'était tragiquement trompé dans son appréciation de la situation. Elle était convaincue qu'il avait pris sa revanche sur l'affaire Corvey, qu'il avait réglé son compte à une justice qui avait permis à Corvey de sortir libre du tribunal. Il avait fait en sorte que, cette fois, la justice ne puisse pas avoir la main. N'avait-il pas été le premier à dire à Janet qu'il regrettait de ne pas avoir été obligé, au moment de son arrestation, « de tirer sur ce type et de le mettre définitivement hors d'état de nuire » ? Et cette fois, il l'avait fait. Mais il ne se sentait pas mieux. Il se sentait vide et seul.

Ils se serrèrent la main comme deux étrangers puis Andrew traversa le hall à pas lents en direction de sa porte d'embarquement. Il savait que c'était un adieu définitif. Il ne la reverrait plus.

Au moment de franchir la porte, il ne put s'empêcher de se retourner une dernière fois. Janet s'était levée, elle avait mis ses lunettes de soleil et cherchait quelque chose dans son sac, peut-être un tube de rouge à lèvres, ou un peigne.

Elle parut avoir trouvé ce qu'elle cherchait. Sa main ressortit du sac avec une photo. De là où il se trouvait, Andrew ne pouvait que deviner ce qu'elle représentait. Il n'oublierait jamais l'infinie douceur du sourire de Janet pendant qu'elle contemplait ses fils. Mario et Maximilian. Maximilian et Mario. Peut-être étaient-ils désormais réunis en un seul être, peut-être avaient-ils enfin trouvé la paix.

Il se détourna et disparut.

Composition :
Soft Office – 5 rue Irène Joliot-Curie – 38320 Eybens

Achevé d'imprimer par GGP Media GmbH, Pößneck
en février 2012
pour le compte de France Loisirs,
Paris

N° d'éditeur : 67168
Dépôt légal : novembre 2011

Imprimé en Allemagne